KB066253

공상
연애
소설

공상연애소설

♥

홍지운 소설집

아작

그냥 그런
체질이라서

✦ 2021년 《별 별 사이》(우리학교) 수록

엄마 (엄숙하게) 202X년 제17회 용씨 가문 긴급 가족회의 개회를 선포합니다.

아빠 이번 안건의 개요에 대해 설명을 부탁드려요.

엄마 둘째 B가 나영중학교 1학년 3반 동급생 ㄱ 학생에게 고백하기로 결심하고는 낭만적인 분위기를 연출하려다가 너무나도 흥분한 나머지 콧김으로 불을 뿜어낸 사건에 대해 논의할 예정입니다.

묻고 싶은 게 많겠지. 네가 한 세 가지 질문에 대한 답이 아니니까 더더욱 그렇겠지. 하지만 그래, 이상한 일이지 않아? 응. 나도 그렇게 생각해. 근데 이미 일어난 일이잖아. 202X년이 고작 넉 달도 채 지나지 않았는데 벌써 긴급 가족회의가 17회나 개최되었다니. 대략 계산해봐도 일주일에 한 번은 사고를 친 꼴이잖아.

알아, 알아. 가장 이상한 일은 그게 아니지. 우리 용씨 가문의 긴급 가족회의가 벌써 17회나 있었다는 것도 이상하고, 이렇게 내가 너에게 그 회의록을 읽어주는 것도 이상하지. 물론 가장 이상한 건 첫째가 대학생이고 둘째가 중학생이 된, 그런 집안에서 아직까지 가족회의를 한다는 점일 거야. 내가 고백하려다가 너무 흥분해서 콧김으로 불을 뿜어내기까진 했지만, 이건 그만큼이나 이상한 일은 아니니까.

둘째 아니, 지금 이렇게 회의를 할 일이야? 내가 콧김으로 불을 뿜었다고! 아빠랑 엄마가 부모라면, 어, 상식적으로 좀 보자. 둘이 부모라면 자식이 콧구멍에서 화염 방사를 했을 때 자식을 병원으로 데려가거나 해야 하는 거 아니냐?

첫째 하하, 개 웃겨.

둘째 A, 닥쳐.

첫째 뭐래. 쪼그만 게 코로 불 뿜다가 역류해서 뇌라도 태웠냐?

A는 평소와 마찬가지로 비아냥거리기를 멈추지 않았지. 대학생이나 되어서 가족회의에 꼬박꼬박 참석하는 주제에. 하지만 부모라는 사람들은 내가 얼마나 당황했든, 첫째와 둘째, 그러니까 자식들이 치고받기 직전이 되도록 분위기가 험악해지든 상관하지 않고 회의를 이어나갔지.

엄마 병원으로 데려갈 일은 아니다.

둘째 왜?

아빠 너는 아픈 게 아니야. 그냥 그런 체질이라서 그래.

둘째 어떤 인간이 흥분하면 코에서 불 콧김을 뿜는 체질인데?

엄마 너. 그리고 외가 친척 중에 몇몇 더. 외가는 다 드래곤 혼혈이라서 그래.

둘째 드래곤? 혼혈?

엄마 응. 엄마 쪽 조상님 중에 용을 납치한 공주가 있었거든.

나는 황당해서 아무런 말도 잇지 못했어. 무슨 말도 안 되는 헛소리냐고. 우리 집안사람들이 다 왜 이런 체질인지, 환상 속의 동물이랑 혼혈이라는 식으로 설명해도 돼? 우리가 사는 곳이 202X년의 대한민국이지 않아? 근데 도대체 어디서 공주가 살고 용이 살았다는 거야?

하지만 엄마는 이런 내 질문에는 아무런 답도 하지 않았어. 오히려 더 뻔뻔하게 자기 할 말만 하면서 설명을 마치려고 했지.

엄마 그래서 외가 친척들은 사춘기가 되면 체질적인 변화를 겪어. 그리고 그 변화는 사람마다 다 달라. 용이랑 관련된 특성 중 하나라는 공통점만 있을 뿐이지.

둘째 왜 나는 이제까지 몰랐던 건데?

아빠 네가 사춘기가 되면 알려주려고 했어.

둘째 도대체 왜?

첫째 (실소하며) 내가 어렸을 때, 내가 용의 체질을 타고날 거라고 엄마랑 아빠가 말해줬을 때 일주일 동안 두 사람을 비웃었거든. 나도 내 몸에 증거가 나타날 때까지는 전혀 믿지 못했어.

이런 콩가루 집안 같으니. 나는 또다시 흥분해서 콧김에서 불이 쏟아지지는 않을까 염려해서 코를 꽉 쥐었어. 하지만 엄마와 아빠 그리고 A는 깔깔거리면서 옛 추억에 잠겼고.

아빠 '네 체질이 발현될 즈음에는 말해줘야지.'라고 생각하긴 했어. 하지만 예상보다 네 성장이 훨씬 빨랐구나. 요즘 아이들은 영양 섭취도 좋고 운동을 잘해서 그런가?

둘째 좋아. 그렇다고 치자. 그러면 엄마는? A는? 두 사람 다 외가 라인이니까 나처럼 뭐가 달라졌을 거 아냐?

엄마 (어깨를 으쓱하고는) 나는 가끔 폭력성이 과도해져.

둘째 A도? 그래서였어?

첫째 나는 교육이 실패해서 그런 거지 유전적인 문제는 아니야. B, 이 자식아. 유전만이 아니라 환경 또한 인격 형성에 영향을 미친다는 것도 모르냐.

아빠 A는 관절 부위에 용의 비늘이 돋아났어.

첫째 (콧대를 높이면서) 아름답지. 어디 사는 누구처럼 콧김으로 불을 뿜는 것과는 다르게.

외가 쪽 친척들에 대한 부연 설명도 이어졌어. 둘째 삼촌은 항상 색이 들어간 안경을 쓰고 다니는데, 가끔 눈이 파충류의 눈처럼 변하기 때문이었대. 어두운 곳에 가거나 위험하다 싶은 상황이면 적외선을 감지하는 시야로 바뀐다는 거야. 나는 둘째 삼촌이 패션 쪽으로 이해하기 어려운 열망이 있는 게 아닐까 짐작했는데, 그 때문이 아니었더라고.

그리고 저번에 할머니가 담석 문제로 엄청나게 고생하셨다고 들었거든. 병문안 갔을 때도 담석이라고 했어. 근데 그건 정확히 말하자면 담석이 아니라 여의주였대. 아니, 여의주가 담석의 일종이라고 했던가? 어쨌든 그 이야기까지 들으니 많은 것들이 이해가 가더라. 어쩐지 할머니가 수술을 마치고 나서 차를 한 대 뽑으시더라고. 나는 그냥 투병하시고는 기운이 빠져서 좋은 차로 갈아타셨나 싶었는데 그것도 아니었어. 여의주가 되게 비싸게 팔려서 그 값으로 샀다는 거야. 여의주가 한의원들이 되게 좋아하는 약재라나? 이것만큼은 중국산을 구할 길이 없어서 그렇대.

그래. 어쨌든 안심하기는 했어. 내가 불 콧김을 뿜는 문제에 대해서는 병원에 갈 일이 아니라고 결론이 나왔으니까. 원래 계획과는 다르게 예정보다 더 빠르게 가족 상담 센터에 갈 필요성이 떠오르긴 했지만, 이건 처음 염려한 문제와는 또 다른 문제니까 처음의 문제에 다시 집중하기로 했지.

어쨌든 지금 이 상황에서 내가 콧김으로 불을 뿜은 이유는 그렇게 중요한 게 아니잖아. 내가 어떤 상황에서 불을 뿜었느냐가 문제였다고. 엄마가 이 가족회의 의장이었으니 회의의 진행은 빠르게 진행되었지. 가끔 폭력성이 과도해지는 체질이 유전적이라는 건 몰랐지만 그런 체질이라는 건 경험적으로 다들 알고 있었으니까.

엄마 그래서, ㄱ 학생은 어떤 아이지? B와는 무슨 사이고.

둘째 엄마. ㄱ이야. 나랑 10년째 같은 동네에서 사는 애잖아. 나랑 절친한 애. 저번에 ㄱ네 엄마랑 학부모 회의에서도 만났고.

아빠 ㄱ은 아빠랑 페친이야.

둘째 우엑. 제발 그러지 좀 마.

첫째 나랑은 트친이야.

둘째 다들 도대체 왜 그러는데?

아빠 왜? 우리는 사이 좋아. 저번에 B, 네가 ㄱ이랑 같이 보면서 좋아했던 강아지 영상도 ㄱ이 내 페북에서 처음 봤던 거였어.

둘째 내가 ㄱ이랑 같이 강아지 영상을 본 건 어떻게 안 거야? 그리고 내가 그걸 좋아했다는 건 어떻게 아는 건데?

첫째 하. 다 아는 수가 있다니까.

맞아. 당연히 그랬지. 콧구멍에서 불길이 치솟았지. 근데 양쪽은 아니었어. 한쪽 콧구멍에서만 불을 뿜었어. 처음 사고를 일으켰을 때는 내 체질에 대해서 몰랐지만 지금은 비교적 조율하는 법을 익혔어. 그럼에도 한쪽으로는 뿜을 정도로 충격이기는 했지만.

첫째 와우. 이제 네 콧구멍 안에는 구운 코딱지가 생겼겠다. 내가 파봐도 돼?

엄마 그만.

그리고 폭력성을 과도하게 뿜어내는 체질인 사람은 나랑 다르게 조율하는 법을 잘 알지 못했어. 덕분에 우리 가족회의는 더 빠르게 원래 화제로 돌아왔지.

엄마 지금 중요한 것은 B와 ㄱ 학생과의 관계야. 둘째. 너에게 ㄱ 학생은 어떤 아이지?

둘째 ㄱ은… 가장 소중한 친구야.

부끄럽겠지만 참고 들어. 말하는 내가 더 부끄러우니까.

둘째 ㄱ은 언제나 나랑 같이 있었어. 같은 반이 아니어도 꼭 쉬는 시간만 되면 찾아가게 되는 그런 친구야. 가끔은 ㄱ이 나를 찾아오기도 했고. 만나면 대단한 일을 하는 건 아냐. 옆에 앉아서 책을 읽거나 좋은 장면이 나오면 서로에게 읊어주기도 해. ㄱ은 취향이 고상해. 사실 나보다 뭘 많이 보거나 듣지는 않아. 그런데 뭐가 왜 좋은지에 대해서는 접한 그 순간에 바로 알아차리는 거야.

첫째 (자기 목을 조르는 시늉을 하며) 야, 길다.

둘째 (무시하며) 둘이 있으면 걷기만 해도 즐거워. 아니, 그냥 걷기만 하는 게 가장 재미난 거 같아. 뭐 대단한 이야기를 나누는 것도 아닌데도 말이야. 일상적인 대화를 하는 것일 뿐인데도 합이 잘 맞는다고나 할까, 대화의 리듬이 좋다고나 할까. 그렇게 계속 걷다가 가끔 서로 눈이라도 마주치면 배시시 웃고 마는데, 그러면 꼭 피자 한 판을 혼자서 다 먹어버렸을 때처럼 몸 안이 꽉 차는 느낌이 들어.

첫째 과하다.

아빠 귀엽기만 한데. B야, 네가 한 이야기를 정리해서 내 페이스북에 올려도 될까?

죽고 싶었다, 진짜. A는 욕지기가 난다는 듯 헛구역질을 하면서 고개를 절레절레 흔들었어. 아빠는 흐뭇한 표정으로 나를 바라봐서 누구보다도 더 나를 고통스럽게 만들었고. 속마음을 털어놓는데도 당사자가 아니라 아무 상관도 없는 가족들에게 하려니 오히려 답답함만 더해지더라.

엄마가 이 회의를 주관하는 의장이라는 사실이 어찌나 반갑던지. 엄마는 A와 아빠가 떠들지 못하도록 일축하고는 바로 논의를 진전시키고자 했어.

엄마 A와 당신. 본 회의 진행에 방해되는 잡음은 이쯤에서 정리하도록.

정말로 고마웠지.

엄마 그리고 B는 불필요하게 과잉되고 풋내 나는 감정적인 서술은 너와 ㄱ 학생 사이의 관계가 어떤 방향으로 진행되더라도 걸림돌이 될 것은 분명하고, 다른 사람과 만날 때도 누군가를 피곤하게 만들 터이니 반드시 개선하도록.

둘째 네.

엄마 그래서, ㄱ 학생과의 사이에서 어쩌다 네가 불로 된 콧김을 뿜게 되었는데?

바로 다음에 날 꾸짖기 전까지는 참 고마웠는데 말이야. 하기야 틀린 지적도 아니었으니까, 나는 고개를 끄덕이고는 엄마의 요청을 따라 다시 본론으로 돌아갔지.

아빠랑 A는 이미 내가 저지른 사건에 대해 잘 알고 있었기 때문에 킥킥 웃으면서 나를 바라보기만 할 뿐이었어. 회의가 열리기 전까지는 이 인간들이 담임 선생님에게 전달을 받았거나 다른 학부모나 학생들 사이에서 돌고 있는 소문을 들었겠지 싶었는데, 지금 와 생각하면 페이스북이나 트위터로 알게 된 게 아닌가 싶어. 저 인간들이 어디 내 친구 계정을 하나만 팔로우하고 있겠어?

둘째 음. 말하기 부끄러운데⋯. 부끄러우니까 다른 사람들은 그냥 끼어들지 말고 들어. 이번에도 또 뭐라고 훈계하면 가족이고 뭐고 내가 콧구멍에 손가락 꽂고 풀 방화할 거야. 그러니까 막내 방화범 만들고 싶지 않으면 끼어들지 마. 알았지?

얼마 전에 학교에서 축제가 있었잖아? 아, 뭐가. 뻔하기는 뭐가 뻔해. 그럼 언제 하는데? 급식실에서 하랴? 어쨌든, 그때 엄청나게 바빴단 말이야. 나랑 ㄱ이 우리 반 축제 담당자였는데 다들 일도 안 하고 우리한테 다 떠넘겨서 쉴 틈이 없었다고.

우리 반에서는 축제 전시물로 사진전을 준비했거든. 반 애들이 각자 컨셉 잡고서 찍은 사진으로 꾸린 전시. A가 졸업했던 거기, 그 고등학교 뭐더라? 하여튼 거기가 졸업 사진 앨범으로 유명하잖아. 웃기게 코스프레하고 찍는다고. 생각해보니 A는 그때도 인어 코스프레를 했었구나. 그때 비늘 중 몇 개는 진짜였을지도 모르겠다. 어쨌든 우리도 그런 버전으로 전시를 열었던, 바로 그때 이야기야.

그래서 일이 아주 넘쳐 나게 많았어. 아이들한테 사진 데이터 받으랴, 인쇄소에 가서 출력하랴, 출력물을 전시가 가능하게 꾸미랴, 출력물 배치하랴, 관객들 동선 짜랴, 학생회와 담당 선생님한테 인가받으랴, 설치 시작하랴, 추가 사진 데이터 받으랴, 추가 인쇄하랴, 추가에 추가하랴….

웃지 마. 아냐. 진짜 아니야. 내가 아무리 ㄱ이랑 둘이 있고 싶었다고 해도 다른 아이들이 전시 준비를 하지 못하게 막기까지 했겠냐. A, 진짜 닥치라니까? 아냐. 콧김 안 뿜었어. 내가 언제? 내가 뭘 뿜었는데?

어쨌든. 그렇게 축제 전시 준비를 마치고는 ㄱ이랑 나는 탈진해서는 아이들을 피해 둘이서 도망치기로 했지. 붙들리면 또 무슨 요구 사항을 추가로 듣게 될지 모르는 일이니까 말이야. 실제로 ㄴ이 우리 반 아이들 전원이 컨셉 샷 찍은 복장 그대로 다시 모여서 단체 사진을 찍자고 우기고 있었기도 하고. 아니, 그 짓을 하려면 애들한테 또 연락망을 돌리고 복장 챙기고 오라고 해야 하는데, 그 상노가 다를 누구 좋으라고 하라는 거야?

ㄱ과 나는 일몰이 내리는 학교 구석의, 체육 창고 뒤로 피해서 하늘을 바라보며 숨을 돌렸어. 며칠 만에 여유롭게 5분 이상이나 앉아 있을 수 있는 시간을 가졌던 거지.

준비 때문에 땀이 많이 났거든. ㄱ이나 나나 옷이 젖어서 피부에 찰싹 붙었어. 그런 상황에 체육 창고 뒤는 얼마나 사람이 없는지. ㄱ의 숨소리조차, 내 심장이 박동하는 소리조차 이건 너무 시끄럽게 울리고 있는 게 아닌가 걱정이 들 정도였어. 누가 내 심장 소리를 듣고 우리가 숨은 곳을 발견하면 어떡하나 싶을 정도로.

아, 웃지 말라고.

그 순간 ㄱ이 주머니에서 이어폰을 꺼낸 거야. 숨 찬다고. 말도 안 나온다고. 조용히 음악이나 듣고 있자고. 나는 말없이 고개를 끄덕이고는 ㄱ이 건넨 이어폰 한쪽을 받았어. 끈이 너무 짧아서 우리는 옆에 딱 붙은 채 쪼그려 앉아야만 했지. 도대체 왜 이어폰 회사는 이어폰 줄 길이를 5미터는 되게 만들지 않는 거야? 아빠는 왜 나한테 아직까지 에어팟을 사주지 않은 거야? 뭐? 이러라고 안 사줬다고? 웃기고 있네.

됐고. ㄱ은 둘이서 항상 듣던 음악 하나를 틀었어. 응. 그거. 테사 바이올렛의 〈크러시〉. 내가 추천했던 노래야. ㄱ의 취향은 원래 그보다는 좀 더 고상한 편이거든. 하지만 가끔은 내가 추천하는 노래도 들어. 우리 둘은 이렇게 서로만의 시간을 보냈어.

음. 근데…. 응. 그때 사고가 터진 거지. 망할. 그때. 어. ㄱ이. 내 어깨에 기댄 거야. 어. 그랬어. 근데 ㄱ은 머리카락이 길잖아. 그게 또. 내 코에 닿더라고. 어. 응. 그랬다. 어쩔래. 땀내도 향기가 좋은데. 어. 그럴 수도 있는 거 아니냐. 어. 그래서 나는 오랫동안, 아주 오랫동안 속으로만 간직해 온 한마디를 꺼내려고 했어. 하지만 그때 사고 다음으로 또 다른 무언가가 터져버렸어.

내 뇌도 터졌지. 심장도 터졌고. 그 두 개만 터지면 차라리 좋았겠어. 내 코까지 터져버렸잖아. 외가로부터 물려받은 잘난 체질 덕분에 코에서 불이 뿜어져 나왔잖아. 드래곤처럼. 〈반지의 제왕〉, 〈호빗〉에 나왔던 스마우그가 에레보르를 불태웠을 때처럼. 강렬한 불길이 ㄱ의 머리카락에 달라붙어 ㄱ이 크게 다칠 뻔했어. 나는 울면서 불을 끄려고 노력했고, ㄱ은 크게 다치지는 않고 머리만 그을렸어. 하지만 이제는 아주 짧게 머리를 쳐야만 했어. 그랬어.

기나긴 침묵이 이어졌어. 그럴 만도 해. 내가 너무나도 잘못한 일이었으니까. 나는 나에게 가장 중요한 친구를 다치게 할 뻔했는걸. 비주얼적으로 우스꽝스러워서 그렇지.

엄마 배심원 여러분들. 판결을 내려주십시오.
첫째 (목을 손가락으로 그으며) 유죄.
아빠 유죄.
엄마 (가상의 법봉을 휘두르며) 배심원과 재판장의 만장일치로 피고에게 유죄를 선고합니다.

둘째 아, 좀!

판결에 번복하려는 건 아니었어. 내가 죽을죄를 지은 건 맞잖아. 정말 얼굴을 들 수가 없는걸. 우리 가족들도 그 사실을 잘 알고 있으니 더 대차게 혼낸 거고. 그렇잖아. 가족이라고 뭘 하든 다 잘했다, 잘했다 하면 애가 어떻게 자라겠어. 우리 가족이 무슨 일이 생겼을 때마다 매번 가족회의를 여는 이유도 그런 이유에서래. 그랬는데도 A가 아직까지도 왜 저런지는 모르겠지만, 하여튼 그래.

엄마는 내가 누구에게 어떤 일을 저질렀는지를 다 들었으니 회의를 다음 스텝으로 넘기려고 했어. 바로 나의 처우에 대해서였지. 뭘 잘못했는지를 알았다면 일단 반성하고 어떻게 수습할지를 고민해야 하잖아. 그게 올바른 절차잖아. 내가 ㄱ에게 어떤 잘못을 했나 공유를 마쳤으니, 다음으로 우리는 모두 머리를 모아 어떻게 사과하고 보상할지에 대해 토론을 이어 나갈 차례였지.

첫째 (비장한 톤으로) 할복이지. 그것밖에 없어.
엄마 기각합니다.
첫째 왜? 역사와 전통이 있는 사과 방법인데.
엄마 한국의 역사도 아닐뿐더러, 일본의 군국주의 파시스트적인 절차로 사과를 받을 사람에게 충격을 주는 사과 방법이면 본말이 전도다.

둘째　할복을 하면 내가 죽는다는 점은 고려 사항이 아니야?

다행스럽게도 A의 제안은 기각되었어. 불행하게도 엄마의 자식을 향한 사랑의 깊이를 알게 되기도 했지만, 일단 목숨은 건졌으니 그것만으로도 만족해야겠지. 다음으로 안건을 제안한 사람은 아빠였어.

아빠　우선 아빠가 병문안을 가면 어떨까? 선물도 사 가지고 말이야.

둘째　(고개를 저으며) ㄱ은 입원까진 가지 않았어.

아빠　그러면 선물이라도 사 갈까? ㄱ네 부모님한테 인사도 드릴 겸.

엄마　기각합니다.

첫째　(반색하며) 역시 할복이 더 낫지?

엄마　아니. 하지만 아이들끼리 저지른 일에 어른이 개입하는 건, 아이들끼리 수습한 뒤여야만 해. 아이들끼리 화해하기 전에 어른들이 끼면 아이들 사이도 엉클어지고 어른들 사이도 틀어져.

상식적인 안건이 상식적으로 거절을 당했어. 엄마의 지적은 합리적이었지. ㄱ은 나를 용서하고 싶지 않을 수도 있는데, 근데 말이 통하지 않는 아빠와 근엄한 엄마가 나선 탓에 ㄱ네 부모님이 너와 내 사이를 강제로 화해시키려고 하면 네 마음이 어떨까, 생각하지 않을 수가 없었잖아.

순서대로 치면 엄마가 다음으로 안건을 제안할 차례였지. 하지만 엄마는 내게 조언을 해주기보다는 회의를 주관하고만 싶

었나 봐. 그래서 나한테 차례를 넘길 생각이었던 것 같아. 직접
그렇게 말했던 것은 아닌데, 드라이아이스같이 차가운 눈빛으
로 나를 노려보기만 했으니까 아마 그런 의미였을 거야.

첫째 (의기양양하게) 너마저 떠오르는 게 없으면 자동으로 내 안건
이 통과겠구나.
둘째 아니거든.
첫째 맞거든.
엄마 아니다, B. 다른 사람의 의견을 듣기 전에 너부터 이야기를 해
라. 너는 어떤데? ㄱ을 보고는 무슨 생각이 들었지? 어떤 말을 하고
싶어?
둘째 어…. 짧은 머리가 진심으로 잘 어울린다고 생각했어.

야유가 쏟아졌어. A는 주먹으로 내 어깨를 퍽퍽 두들겼고. 아
빠조차도 손사래를 치며 그건 좀 아니라고 했고. 엄마는 지옥의
염라대왕처럼 나를 노려보았지.

알아. 나도 알아요. 가해자가 피해자한테 할 소리는 아니야.
그런데 처음 든 생각은 진짜 그냥 '아 너무 잘 어울려, 너무 좋
다.'였다는 이야기일 뿐이야. 또 그렇게 말하고 싶었다는 거지,
그렇게 말하겠다는 것도 아녔어. 둘은 뉘앙스가 다르잖아. "말
하고 싶었다."랑 "말하겠다."랑.

하지만 우리 가족들은 그 뉘앙스의 미묘한 차이에는 관심이
없더라.

첫째 사형.

아빠 극형.

엄마 (가상의 법봉을 휘두르며) 앞으로 어디 가서 내 자식이라고
하지 마.

나는 고개를 숙이다 못해 테이블에 머리를 박았어. 한숨만 푹
쉬면서. 과열되었던 뇌가 팍 식으면서 콧김에서 불길은커녕, 차
가운 바람만 쌩쌩 뿜어졌지. 어휴. 둘째 삼촌이 파충류 눈이 되
어서 내 코를 봤으면 아주 차게 식어가는 푸른빛이 그 적외선
시야에 들어갔겠지.

정말이지 답이 없잖아. 내가 그렇게나 실수를 저질렀는데 도
대체 무슨 일을 할 수 있을까 모르겠더라고. 그래서 엄마한테
물어봤어. 모르는 게 있으면 남에게 물어봐야 하고, 우리 가족
회의 테이블에 앉은 사람 중 드래곤과 혼혈이어서 겪은 문제들
에 가장 익숙한 사람은 엄마였으니까.

둘째 엄마. 외가 사람 중에 나 같은 실수를 저질렀던 사람은 없어?
그럴 때마다 어떻게 해결했어? 정말 어쩔 수 없는 순간마다 말이야.

엄마 외가 쪽에는 최면 능력이 체질인 사람도 있어. 할머니가 담석
도 자주 생기고. 그리고 우리 조상님 중에 용을 납치했던 공주님은
용의 보물도 독차지했던 데다 재테크에도 일가견이 있었어. 거기까
지만 이야기할게.

차라리 할복이 나아 보이는 선택지였어. 할복을 하면 피해자는 트라우마를 얻고 파시스트는 죽어서 사라지는데 최면으로 남을 조종하면 피해자는 피해를 당했다는 사실도 잊고 돈으로 문제를 해결하는 사악한 쓰레기는 그대로 살아남잖아. 게다가 할머니한테 담석 만들라고 하면 그건 또 도대체 뭘 하는 불효 손주래? 결코 안 될 말이었지.

그래도 가족들은 아직 내가 머리카락을 태운 짝사랑 상대를 보고 짧은 머리가 어울린다고 생각할 정도의 막장이라고만 생각했지, 최면 상태에 빠뜨려서 내가 저지른 잘못을 잊게 만들 정도로 쓰레기라고는 생각하지 않더라. 이걸 고맙다고 해야 하는지, 다행이라고 해야 하는지 모르겠다만.

첫째 그냥 가. 가서 사과해. 그리고 용서받지 마. 영원히 저주받고 살아. 왜 다 해결을 보려고 해? 네가 그렇게 욕심을 부릴 처지야?

아빠 ㄱ이 그럴 것 같지는 않은데….

첫째 (코웃음을 치며) 아빠. 아빠는 페친이고 나는 트친이야. 누가 더 ㄱ에 대해서 더 잘 안다고 생각해?

둘째 A. ㄱ이 그랬어? 진짜로 나 용서 안 하고 영원히 저주하겠다고 그랬어?

첫째 비밀.

맞아. 진짜든 아니든, 사실 A가 마지막으로 건넨 해결책이 가장 정석이기는 했지. 또 달리 어떤 선택지가 있겠어? 아니,

내게는 애초에 선택지가 없었지. ㄱ에게 사과하는 것은 당연한 일이니까. 이제 이 상황에서 무언가 선택할 수 있는 사람은, 나의 너무나 당연하고 해야만 해서 하게 될 사과를 받아들이거나 받아들이지 않을 ㄱ, 단 한 사람뿐이잖아.

하지만 내가 그 뻔하고도 당연한 선택지를 고르지 못한 데에는 이유가 있었어. 그건 말하기가 아주 부끄럽고도 또 뻔뻔한 이유였어. 내가 ㄱ의 짧아진 머리를 보고 너무나도 잘 어울린다고 생각했던 것과는 비교도 되지 않게 민망하고 비겁한 이유에서였어.

그리고 현명하기 짝이 없으신 우리 어머니께서는 나의 침묵을 보고 자연스레 그 이유를 유추하고 마셨지.

엄마 B.

둘째 응.

엄마 너, 무서워하고 있구나.

첫째 엥?

엄마 ㄱ을 만나면 또 코로 화염을 뿜게 될까 봐.

아빠 아….

엄마 그래서 직접 사과하러 가지도 못하는 거고.

첫째 와. 진짜?

엄마 맞지?

둘째 응.

폭소가 터졌어. 나를 제외한 가족 전원이 폭소를 터뜨렸어. 못된 인간. 못된 드래곤과 인간 혼혈들. 나는 정말 억장이 무너지더라. 지금 집안의 막내는 부끄럽고 또 무서워서 죽을 것만 같은데, 이 못된 인간과 못된 드래곤과 인간 혼혈들이 날 비웃어? 어? 야. 이게 웃기냐? 너마저 웃지 마. 야. 진짜 이럴래?

어쨌든 그랬어. 그렇게 미친 듯이 웃음을 터뜨리다가 A는 눈물마저 흘리더라. 아마 그 광경을 상상했던 것이 분명하지. 내가 쭈뼛쭈뼛 민망한 표정으로 짝사랑 상대에게 다가가다가 코로 불길을 뿜어내는 그런 장면을 말이야. 그랬으니 엉엉 울면서 테이블을 주먹으로 내리쳤겠지.

A의 반응은 그 정도에서 멈추지 않았어. 걔 숨도 쉬지 못하면서, 손을 파르르 떨면서 일어나 냉동실 문을 열었어. 그러고는 얼음통에서 얼음 두 개를 꺼내고는 내 코에 집어넣었어. 그다음으로는 또 찢어질 듯이 웃기 시작했어. 엄마랑 아빠도 그걸 보고서 또 엄청나게 웃더라. 나는? 나는 빡쳤지. 엄청 빡쳤지. 둘째 삼촌이 파충류의 눈으로 내 코를 봤으면 새빨갛게, 아니 시커멓게 내뿜는 열기를 목격했을 거야. 내 코에서 불길이 뿜어져서 내 코를 막은 얼음들을 다 녹여버렸어. 그런데 그걸 보고서 우리 가족들은 다시 한 번 발을 구르면서 폭소를 터뜨린 거 있지.

이걸로 네가 처음에 나한테 했던 질문들에 대한 대답은 모두 마쳤지 싶다. 그래. 네 질문들의 답은 다 긍정이야. 응. 우리 집에 화재가 나서 건물이 통째로 타버린 것은 우리 집의 또라이

같은 가족들 때문에 내가 너무 흥분해서 코로 불줄기를 끊임없이 쏟아 냈기 때문이 맞아. 덕분에 할머니는 어떻게 또 여의주를 품어야 하나 고민하고 계시고. 내가 지금 코에 얼음을 갖다 대고 있는 이유는 A가 몸소 실험한 대응 방법 외에 별다른 수가 떠오르지 않았기 때문도 맞고.

그리고 네가 나한테 했던 마지막 질문에 대해서라면, 응. 그것도 맞아. 나도 너한테는 짧은 머리가 잘 어울린다고, 그렇게 생각해. 진심으로 그렇게 생각해.

귀자모신나강전

✦ 2020년 '브릿G' 발표

"증조할머니시라고요?"

"아이. 슈퍼 증조할마이."

"놀랍지는 않네요."

그때는 더 말을 들을 필요도 없었어요.

＊

선잠에서 깨면서 이게 그날의 기억이라는 것도 깨달았어요. 아니, 그날의 기억이라는 것을 깨달아서 선잠에서 깨어난 것일지도 모르겠네요. 어쩌면 졸고 있는 저를 깨우는, 무례하기 짝이 없는 누군가의 목소리 때문이었을지도 모르겠고요.

"할머니는 제정신이 아니었다."

넌더리를 내는 누군가의 이 목소리 말이에요. 검은 정장 차림에 포마드로 떡칠한 남자의 머릿결만큼이나 기름진 목소리에는 일본 억양과 말투가 고스란히 담겨 있더군요. 그 당당한 어투로 보아 이 사람은 제가 졸고 있었다는 사실조차 눈치채지 못했나 봐요.

"이기적으로 구는 바람에 자손들에게 민폐였다."

졸음이 가시니까 주변이 눈에 들어오더군요. 조문객이라고는 제 눈앞의 딱 한 사람뿐인, 비가 내리는 새벽의 장례식장. 엄마는 재식이 병간호로 병원에 가 있어 유가족 대표는 엉겁결에 제가 되었고. 식은 육개장과 말라붙은 전 사이에 아몬드와 마른오징어만이 음식다운 꼴을 하고 있었죠.

따져보면 멋들어진 장면이네요. 빗소리가 추적추적 마음을 적시는 장례식장에 검은 정장을 입은 남자와 할머니를 잃어 상주가 된 소녀의 독대라니. 더욱이 그 남자가 할머니께서 관짝 신세를 지게 만든 장본인이라는 점까지 생각하면 특히나 그렇겠죠.

"특히나 손녀딸이 고생을 많이 하게 될 것이다."

저는 긴장 속에서 고개를 끄덕였어요. 할머니가 제정신이 아니었다는 비판에 대한 동의는 아니었어요. 자손들에게 민폐를 저질렀다는 지적에 대한 동의는 더더욱 아니었고요. 다만 제가 고생하게 될 것만큼은, 그러게요. 저부터가 바라던 바였거든요.

노골적인 협박마저 조미료로 더해졌으니 이제는 긴장을 할 차례였죠. 저는 손을 뻗어서 사이다로 목을 축였어요.

"어디인가? 일본에서 팔려가고 싶은 곳은."

"오키나와로 보내주면 거기서 독립운동에 참여할까 싶네요."

남자는 피식 웃고는 저를 노려보더군요. 21세기에 오키나와 독립운동이라니, 역시 한국인은…, 이라는 듯이요. 한물간 내선 일체나 주장할 법한 제국주의자에 혐한주의자가 싫어할 법한 이야기를 해줬을 뿐이었는데 말이지요.

"손녀딸이 할머니를 닮았다."

어머나 할머나야. 이런 과한 칭찬이. 남자와 저는 동시에 미소를 머금었어요. 그 이유야 완전히 반대였을 테지만요. 하지만 늙다리 야쿠자가 할머님을 싫어하는 이유와 같은 이유로 저를 싫어한다면 어쨌든 반가운 노릇이네요.

"타카코 나강처럼 주제도 모르는 계집년이 제멋대로 굴면서 혁명이니 뭐니에 목숨을 버린다는 점이 정말 똑같다."

"타카코 나강?"

"그렇다. 타카코 나강."

아아, 뭐라는 건지. 뭐 어쩌면 이렇게나 모독적인 호칭이 다 있을까요? 타카코 나강이라니. 감히 귀자 할머님을 창씨개명을 시키려고 해? 연변의 나강이라 부르는 것도 아니고?

어쨌든. 그래서 이 제멋대로 굴면서 혁명에 목숨을 바친 할머님이 누구시냐. 도대체 얼마나 대단한 여성이시기에 이렇게 야쿠자가 상갓집까지 찾아와서 저주를 퍼붓느냐.

부끄럽게도 저 역시 할머님이 살아오신 궤적을 전부 알지는 못해요. 그분으로부터 들은 짧은 일화로 얻은 인상 정도가 제가 아는 전부였으니까요. 당신 말씀으로는 당신의 투쟁사를 대략

적으로라도 아는 사람은 전 세계에서도 얼마 없다 하니 제가 그분에 대해 잘 몰랐던 것도 어쩔 수 없는 노릇이지요.

단지 듣기로는 만주와 쿠바를 누비다가 베트남으로 옮겨가고 그 전후에, 또 사이사이로 아일랜드에 보스니아는 물론, 콜롬비아, 레바논, 일본, 필리핀, 홍콩, 한국, 미국까지 세계 곳곳을 동분서주하며 총성과 포연을 쫓아다니신 그분.

역사에서 지워진 독립운동가. 초인적인 시력과 체력으로 압제자의 미간에 구멍 바람을 내준 전설 속 저격수. 이름도 몰라 성도 몰라. 트레이드마크인 모신나강 한 자루 덕에 그 총기와 같은 이명이 붙은.

모 국가 대통령 집무실에 탄환 셋을 놓고 온 것으로 분쟁을 멈췄다는 총 한 자루의 혁명가, 그분.

나강.

"타카코 나강은 암흑가의 전설이다. 조선인에 여자라는 것과 대일본제국 시절부터 활동하며 표적에게는 총을 세 번 쏜다는 것 외의 정보는 어느 누구도 알지 못한다. 그 사람은 어떻게 만났나? 그 사람에게 무슨 이야기를 들었나? 또, 그 사람은 어떻게 죽었나? 그에 대해서 말하라. 이야기를 들려주면 보살핌을 하겠다."

"그거 이야기가… 저도 잘 아는 것은 아니긴 한데요."

저는 말문을 어떻게 열까 고민하며 요 몇 주간의 기억을 되새김질했어요. 야쿠자가 어색한 한국말로 협박을 한 것에 굴해서는 아니에요. 저에게는 귀자 할머님의 이야기를 같이 나눌 사람이 얼마 없었거든요. 그래서 느물거리는 야쿠자 따위와 함께라도, 귀자 할머님에 대한 수다를 떨고 싶었지요. 특히나 이곳과도 같은 장례식장에서라면 더더욱이요.

✳

이야기는 3개월 전, 귀자 할머님을 처음 만난 날부터 시작할게요. 네. 타카코가 아니라 귀자 할머님이세요. 양귀자. 그러니까 타카코라는 호칭은 감히 쓸 생각도 마세요.

"할머니는 누구세요?"

그날은 봄이 시작되었는데도 여러모로 마음이 심란한 하루였어요. 엄마가 병원 노조 간부랍시고 간호사들을 대동한 채 시위를 하다 연행된 날이었는데도요. 네. 연행된 날이어서가 아니라 연행된 날이었는데도요. 예요. 사람이 투쟁하다 잡혀가고 그러는 날도 있어야 폼도 나고 가족이 족발도 시켜먹고 그러는 거죠.

엄마가 연행된 것은 문제가 아니었어요. 문제는 재식이가, 그러니까 엄마 아들이 엄마가 끌려간 뒤에 눈 까뒤집고 용역들한테 덤비다가 눈 까뒤집게 맞았다는 게 문제였죠. 거기다 끌려가기까지 하고요. 유치장이 아니라 용역 사무실로요. 이게 다 엄마가 재식이를 곱게 기른 탓이에요. 얘가 저보다 나이도 많은 게 현장에서는 뭘 어떻게 해야 하는지를 영판 감을 못 잡더라고요.

깡패들이 재식이를 하루 정도 두들겨 팬 뒤 깽값이니 뭐니 합의금 달라고 난리를 치겠구나, 싶어서 심란했던 거죠. 그런데

집에 돌아와 보니 웬 처음 보는 할머니가 떡 하니 거실 한가운데 앉아 계시지 않겠어요? 그것도 쪽 찐 머리에 한복차림마저 하시고서요. 저는 제가 뭐 헛것이라도 보나, 유령이라도 보고 있는 게 아닌가 뒤숭숭했죠.

"야, 니 내 누군지 모르니?"

"모르는데요."

"어마이 내 얘기 하지 않든?"

무슨 소린가 했죠. 엄마가 연행되었는데 무슨 연락을 하겠냐 싶었거든요. 하지만 눈앞의 할머니는 표정이 인자하면서도 근엄하셔서 허튼소리를 할 분 같지는 않았지요. 그래서 폰을 확인해보니 정말로 엄마의 문자 하나가 와 있더라고요. 오빠가 걱정되어서 잠시 한국에 들르신 어르신께, 그러니까 할머니의 지인 분께 연락을 드렸으니 믿고 따르라고요.

이상한 일이었죠. 엄마가 이런 어르신 이야기를 한 적은 한 번도 없었거든요. 이른 나이에 돌아가신 할머니께서도 마찬가지셨고요. 무엇보다 이상한 일은 그뿐만이 아니었어요. 할머니의 지인이라는 눈앞의 사람이, 머리가 하얗게 세긴 하였어도 저의 할머니보다도 훨씬 더 젊고 정정하신 모습에다 목소리도 우렁차서 위압될 정도였다는 것이었죠.

"귀자 아매가 왔으니 오라바니가 훈즈한테 잡혔다 시름 놔라. 아매가 몽디 들고 왔으니 다 과이찮다."

저는 그제야 그분의 존함이 '귀자'이신 걸 알았어요. 그나마도 몇 번 더 여쭌 뒤에나 제대로 이해했고요. 할머님은 연변 사투리를 쓰셨는데, 그게 또 제게 익숙한 연변 억양은 아니었어요. 그보다는 발표 수업을 준비하면서 봤던 옛날 방화의 억양에 좀 더 가까운 느낌이었죠.

귀자 할머님께서는 천을 빙빙 둘러싼, 기다란 막대 하나를 손에 꽉 쥐고 계셨어요. 연세가 연세다 보니 그때는 그 안에 든 물건이 지팡이거나 비슷한 뭐겠지 넘겼지요. 저는 영문은 몰라도 엄마 말을 따라야겠거니, 또 어르신을 공경해야 하겠거니 하는 마음에 그분께 막대를 받아 옆에 치워놓고 음료수라도 갖다 드릴까 했는데, 그때.

"일없다. 쌔기 나가자. 늘그이가 데까닥 가서 니 오라바니를 데려올 테니."

"저… 할머님. 지금 어디를 가시자는 건가요?"

귀자 할머님은 벌떡 일어나서는 바로 저마저 일으켜 세우셨어요. 어찌나 팔힘이 세신지, 어깨가 얼얼할 정도였지요. 그렇게 체구가 크신 편도 아니었는데도 말이에요.

"니 오라바니 잡은 훈즈한테다."

"오빠는 지금 안 좋은 곳에 있는데…. 할머님은 여기 계셔요. 그 사람들이 돈을 달라고 하든, 뭐라고 하든 할머님께서 가시면 위험해요."

제가 귀자 할머님을 만류하자 할머님께서는 칼칼칼칼, 우렁차게 웃음소리를 터뜨리셨어요. 이렇게 작은 몸집에서 그렇게나 큰 목소리가 나올 수 있나 놀랄 정도였지요.

"따깝재야, 할마이를 없이 보니? 야, 내가 니 슈퍼 노크라매다.

노크라매 아니? 증조아매. 아이, 증조할마이. 내가 니 슈퍼 증조할마이다."

"증조할머니시라고요?"

"아이. 슈퍼 증조할마이."

"놀랍지는 않네요."

그때 정말 그랬어요. 할머니께서는 돌아가시기 전에 지인에 대해 말씀하신 적은 없어도 당신의 수양어머니, 그러니까 귀자 할머님에 대해서 귀띔해주신 바가 있었거든요. 그것도 엄마 몰래요. 어린 나이의 할머니를 두고 한국을 떠나서 원망하는 마음이 컸으나 이제는 아무렇지도 않다고. 할머니를 두고 하신 일들이 무엇인지 뒤늦게야 알았다고 말씀하시면서요.

할머니는 증조할머니에 대해서 또 이렇게 덧붙이셨어요. 그분은 원체 신비로운 분이셨다고. 어딘가 신선 같은 면모가 있으셨다고. 속세를 벗어나 구름처럼 떠다니면서도 또 세상 돌아가는 사정에 정통한 데다 큰일에는 대범하고도 대쪽 같으셨다고. 아직도 머나먼 이국에서, 고향 연변이 아닌 다른 곳에서 지내신다는 소식만 듣고 산다고.

"걱정 말으라이. 연변의 나강이가 안즉 동네에서 쌀개는 훈즈 스물은 넉넉하다, 야."

귀자 할머님은 다시 칼칼칼 웃으시며 한쪽 팔에는 천을 두른 막대를 들고, 다른 한쪽 팔로는 저를 데리고서 문밖으로 나서셨어요. 어찌나 힘이 장사셨는지 저는 그대로 질질 끌려가는 수밖에 없었지요.

"어디 할머니가 그러나? 조선족 할머니만 그렇다."

"귀자 선생님이라고 하세요. 어디 어르신한테."

"나는 당신에게 있어 어른이다. 나한테도 선생님이라고 부를 말인가?"

야쿠자는 엉터리 한국어로 저에게 비아냥거렸어요. 하기야, 귀자 할머님도 없겠다, 무서울 거 하나 없다는 태도가 놀랍지는 않아요.

"그러니 이렇게 장례식을 열게 되었다. 타카코 나강은 테러리스트다. 제도를 무시하고 관습에서 벗어난, 악인이다. 타카코 나강이 테러리즘이 아니라 정당한 문제제기를 했다면 이야기는 다르다. 모두가 행복했다."

"어쩜 제국주의자들은 이렇게 하나 같은 말을 하지? 아, 같은 이념을 공유해서 그런가? 아저씨. 귀자 할머님이 하신 일은 정당방위예요, 정당방위. 그것도 독립운동. 식민주의 착취에 저항하고 세계시민윤리를 따라 독재자들의 억압에 고통받는 사람들과 연대하는 거."

저와 야쿠자의 목소리 볼륨이 점점 높아진 탓에 빗소리가 들리지 않았는데, 대화가 끊기자마자 그새 빗줄기가 거세졌다는 것을 깨달았어요. 야쿠자는 가소롭다는 듯 저를 흘겨보며 무시할 수 없는 한마디를 내뱉었지요.

"손녀딸은 타카코 나강이 죽인 사람의 숫자를 알지 않는다.

타카코 나강이 80년 동안 저격수로 활동하면서 세계에서 몰살시킨 부대만 모아놓아도 작은 전쟁이 가능하다."

"그 부대들을 몰살시키지 않았을 때, 그 부대가 학살했을지도 모를 시민들을 모아놓으면 작은 국가가 만들어지겠죠."

쾅! 천둥이 친 줄 알았어요. 아니었죠. 야쿠자가 억센 손으로 상을 내리치면서 난 소리였어요. 이 인간이 지금 어느 자리인데 사람을 위협해? 저는 놀란 저 자신이 부끄러워서 다시 눈을 부라리고 야쿠자를 노려보았어요.

"타카코 나강은 전쟁의 얼굴을 하고 있다. 손녀딸은 그 여자가 전장에서 어떤 얼굴을 하고 있는지 보지 못했다. 그래서 모르는 소리를 한다."

"알아요. 봤고요. 그러니까 이러죠."

✳

물론 제가 본 귀자 할머님의 모습이 할머님의 전부라고 할 수는 없겠죠. 100년의 세월 속에서 온갖 전쟁통에 뛰어드셨는데, 제가 어찌 다 알겠어요? 하지만 지금의 귀자 할머님의 얼굴은 이미 알아요.

귀자 할머님께서는 저를 끌고서 곧장 용역들 사무실로 향하셨어요. 사무실을 찾기는 어렵지 않았지요. 재식이가 두들겨 맞아 정신을 잃었으니 데리고 가라고, 또 물어야 할 보상금을 갖고 오라고 자기네들이 직접 사무실 지도를 링크까지 담아 보내 줬으니 말이에요.

사무실에 도착하니 재식이는 피칠갑을 하고서는 소파 옆에 무릎을 꿇고 앉아서 손을 들고 있었어요. 양손은 들 수 있을 정도였으니 심하게 맞진 않은 듯했고요. 하지만 자세히는 알 수 없었어요. 덩치 좋은 어깨들이 재식이가 바로 보이지 않도록 저와 귀자 할머님 앞을 가로막았거든요.

"염방지게 어르나가 자라이 앞을 막니."

"할머니, 쟤 할머니야? 새끼. 할머님도 계신데 효도는 못 할망정 깡패소굴에 불러? 근데 할머니. 할머니가 쟤 보려면 쟤가 물어뜯은 우리 애 치료비랑 합의금 주고 가야 하는데."

"싸구쟁이야. 남 돈 앗아빼지 말어라!"

귀자 할머님께서는 당신 체구의 세 배는 될 덩어리들 다섯을 앞에 두고도 위축되지 않으셨죠. 아니, 도리어 귀자 할머님께서 역정을 내시자 용역 깡패들이 수그러진 느낌이었어요.

"아, 이 미친 할멈이 왜 소리를 지르고 그래?"

용역 중에서도 가장 뒤에 앉아 있던, 가장 무시무시한 표정을 짓고 있는 행동대장급 깡패 하나가 낮게 목소리를 깔면서 할머님과 기 싸움을 시작했죠. 귀자 할머님께서는 별것도 아닌 게 우습다는 듯 또 칼칼칼 폭소를 터뜨리셨어요. 그러고는 나지막이 말씀하셨지요.

"이 개대가리 같은 훈즈가 우껩게 뭐이라니. 야, 너 나강 할마이라고 들어본 적 없니?"

귀자 할머님께서 나강 할마이라는 말을 꺼내자 행동대장급 깡패도 할머님처럼 폭소를 터뜨렸어요. 다만 그 웃음은 어딘가 어색했죠. 처음 본 노인과의 기 싸움에서 이기지 못한 스스로가, 자기가 보아도 기가 찬 모양이었어요.

"뭔 긴또깡 시절 전설을 말하고 있어? 할머니, 돌았어요? 머리 괜찮아? 머리가 돌아가기는 해?"

탕! 그 순간이었어요. 귀자 할머님께서는 행동대장급 깡패가 앉은 책상의 위로 뛰어올라 몽둥이로 그 대갈통을 두들기셨죠. 행동대장급 깡패는 예상치 못한 급습에 고스란히 머리 한 방을 맞은 뒤 바로 기절해버렸고요.

나머지 네 명의 깡패들은 행동대장급 깡패가 쓰러지는 것을 보고는 놀란 채 귀자 할머님의 주변을 에워쌌어요. 연세가 지긋하신 할머님에게 다구리를 놓겠다는 양아치적인 발상이었죠. 하지만 그런 양아치적인 발상은 이제 와 생각해보면 두 번째 정도로 적절한 반응이었던 셈이네요. 제일 적절한 반응은 바로 튀는 것이었을 테고요.

"골이야 니 골이 마사졌다. 성순이도 내 위로 아이 치는데 두한이 밑인 니들은 다 내 밑이 아니니? 와작하게 덤비라."

귀자 할머님께서는 물이 흐르듯이 부드럽고 끊김이 없이 몽둥이를 휘두르셨어요. 그리고 곧 용역 깡패 사무실에는 손으로는 두개골을 부여잡고 입으로는 거품을 흘리면서 기절한 남자 다섯이 바닥 인테리어를 장식하게 되었고요.

그때, 저와 재식이는 입도 다물지 못하고서 귀자 할머님의 난투극을 바라만 보았어요. 말릴 생각도 못 했고 도울 생각도 못 했죠. 눈앞에 노인공격의 쿵후 영화가 펼쳐지는데 어떻게 감히 그런 딴생각을 했겠어요?

귀자 할머님께서는 마지막으로 신음 소리만 흘리고 있는 깡패들에게 위로를 건네셨어요.

"내 나강 할마이다. 그러니 너이 지내 서분은 말어라. 연변의 나강이한테 당했으면 나즈래기로 없이 보일 게 아니라 동미한티 잘났네 자랑해도 좋지."

그러고는 또 칼칼칼, 웃으시면서 저희를 데리고 사무실을 떠나셨지요. 저와 재식이는 도깨비라도 본 것처럼 방금까지 있었던 일이 무엇이었는지를 이해해보려고 했어요. 물론 헛수고였죠.

✳

"별일이 아니다."

"100세는 되신 할머니가 장정 다섯을 순식간에 쓰러뜨렸는데 수수하다고요?"

"그렇다. 타카코 나강 전설 중 일본에서 있었던 일만 꼽아보더라도 그 정도의 일화는 많다."

이렇게 말하는 야쿠자의 얼굴에는 미묘한 우월감마저 느껴졌어요. 아니, 야쿠자면 우리 귀자 할머님한테 깨지면 깨졌지 같은 편을 먹었던 적은 없었을 텐데. 도대체 뭐 잘했다고 저렇게 뿌듯한 표정이죠?

하지만 야쿠자는 저의 이 한심하다는 눈빛을 보고 전설을 목격하지 못한 손녀딸의 시기와 질시로 착각했던 모양이에요. 신이 나서 자기네들 조직끼리 부딪쳤던 다툼에서 있었던 귀자 할머님의 활약상을 떠들어대기 시작했으니까요.

"정국회와 동아회 사이에서 항쟁이 일어난 때의 이야기다. 그때 타카코 나강은 양측에 동시에 용병으로 고용되어 두 파벌 사이를 오가면서 각 지부의 간부들을 모조리 암살했다."

"와."

"각 지부 사람들은 상대방 조직이 무시무시한 용병을 고용했다는 소문을 듣고 가장 솜씨가 좋은 암살자를 고용하기 위해 타카코 나강을 고용했던 것이었다."

"우리 할머님이 역시 똑똑하네. 최고다."

야쿠자는 아차 싶었는지 고개를 젓고는 원래 하려고 했던 이야기로 주제의 방향을 돌리려고 하더군요.

"손녀딸은 타카코 나강이 다른 사람을 저격하는 모습을 보지 못했다. 손녀딸은 살인자를 칭송하는가? 손녀딸은 살인자의 편인가?"

"아니, 아저씨 야쿠자라면서요. 사람 죽이라고 명령한 야쿠자들 편을 들면서 뭐라는 거예요? 그리고 봤어요. 귀자 할머님께서 다른 사람을 저격하는 모습. 바로 옆에서."

✳

저는 재식이를 데리고서 귀자 할머님과 함께 큰길로 향했어요. 앱으로 택시를 부르는 식의 늦장을 부릴 상황이 아니었다고 생각했거든요. 언제 또 용역의 한 패거리들이 쫓아올지 모르잖아요. 하지만 귀자 할머님께서는 성큼성큼 걸으면서도 서두르는 기색은 전혀 보이지 않으셨지요.

아니다. 서두르는 기색을 보이지 않았다는 식으로는 설명이 되지 않네요. 그보다는 마실을 나왔다는 느낌에 가까웠지요. 마실. 이 단어는 모르시나? 산책. 산보. 어. 아주 그냥 뭐 담배 태우러 나가실 때랑 다를 바가 없었어요.

저는 용역 사무실에서 목격한 광경에 잔뜩 흥분해서 어쩔 줄을 몰랐어요. 재식이는 용역 사무실에서 나올 때쯤 이미 혼절해서 그냥 짐짝이라 무겁기는 했지만 나르기는 어렵지 않았어요. 제가 힘들어 보일 때마다 뒤에서 귀자 할머님께서 번쩍 손주를 들어 돕기도 하셨고요.

그놈의 사무실 한번 구석진 곳에 있기도 했지. 하기야. 깡패들 아지트가 어디 경찰서 10분 거리에 있거나 할 수도 없었겠죠. 어쨌든 뒤에서 쫓아오는 사람이 없다는 확신이 들 정도로 멀리 떨어졌을 때, 그제야 저는 귀자 할머님께 방금 일어났던 일들에 대해 여쭐 수 있었지요.

"할머님, 정말 대단하셔요! 도대체 어떻게 저기 있는 깡패들을 다 한 방에 처리하실 수 있었던 거죠?"

"얼빤한 아야, 내 아까 니한테 증조 할마이가 슈퍼 증조할마이라 하지 않았음?"

"이렇게까지 슈퍼 하실 줄이야 몰랐죠!"

귀자 할머님은 박수를 치면서도 또 칼칼칼 웃고는 아드레날린으로 잔뜩 신이 오른 저에게 옛이야기를 들려주셨지요.

"여기 훈즈야 어디 훈즈로 친다니? 이래선 스물이 와도 삶은 개 눈 빼기로 쉽지. 아이야. 할마이가 소비에트부터 아메리카까지 다니면서 세상 훈즈는 다 때려잡고 살았다. 할마이가 때려잡은 마우재 훈즈만도 백이 넘는다."

그때 기절했던 재식이가 겨우 정신을 차렸어요. 아. 못난 자식이. 하지만 더 이상 앨 들고 다닐 필요도 없게 되기도 했고 걷기 편해질 테니 기쁘기도 했어요.

하지만 그 순간, 귀자 할머님의 낯빛이 어두워졌어요. 그러고는 뺑, 하고 재식이를 발로 걸어차서 골목 구석까지 날려버리셨지요.

"할머님! 뭐 하시는 거예요?"

"야, 니도 숙이라!"

귀자 할머님께서는 크게 호통을 치시고는 뒤를 돌아보셨어요. 그러자마자 제 얼굴 바로 옆에서 유리창이 와장창, 하고 박살이 났지요. 네. 총이었어요. 저는 시끄러운 거리의 소음 탓에 총성조차 듣지 못했는데 귀자 할머님께서는 저 멀리서 누군가가 총구를 겨눴음을 본능적으로 직감하셨던 거죠.

"이 미친 조선족 할멈이 내 체면을 구겨? 어디 짱개 시체도 치워보자!"

"저 우둑진 훈즈가 뭐이라니?"

용역 사무실에서 보았던 행동대장급 깡패가 멀찍이 서서 저희에게 총구를 겨누고 있더군요. 하지만 귀자 할머님께서는 저나 재식이와는 달리 몸을 숨기지도 않고서 항상 들고 다니시던 막대의 천을 푸셨어요.

네. 그때야 저는 그 천 안의 물건이 막대기가 아니라 기다란 장총이었음을 깨달았지요. 러시아에서 만든 볼트액션 소총. 이제는 할머님의 다른 이름이 된 평생의 반려. 모신나강. 나중에 재식이가 가르쳐준 뒤에야 저는 그 총의 이름을 알았지요.

"내 세 발만 쏜다. 알았서?"

탕, 첫 번째 소리가 나자 깡패의 바로 뒷벽에 구멍이 하나 뚫렸어요. 탕, 두 번째 소리가 나니 깡패의 총이 날아갔죠. 탕, 세 번째 소리가 났을 때는 깡패의 검지가 날아갔고요. 네, 아저씨가 궁금하셨던 게 이거죠? 천하의 귀자모신나강이 표적에게 총구를 세 번 향하는 이유.

어쨌든 그 깡패는 비명을 지르면서 바닥을 뒹굴었어요. 귀자 할머님께서는 별것도 아니라는 듯 다시 모신나강에 천을 빙빙 둘러서 숨기고는 저희를 일으키셨지요.

"아짜아짜하다, 야. 일없니?"

"네…. 없어요."

저는 또 한 번 기절한 재식이를 업고 귀자 할머님을 모셨어요. 그러고는 곧장 대로로 나가 택시를 타는 데 성공했지요. 난생처음으로 보는 총격전이었는데도 겁은 전혀 나지 않더라고요. 귀자 할머님께서 완벽하게 상대를 제압하신 덕분이었던 것 같아요. 오히려 더 차분해졌다면 모를까요.

귀자 할머님께서는 우선 병원으로 가서 재식이 입원부터 시키셨어요. 저는 그때까지 한국에서 총격전을 목격했다는 이야기를 사람들 다 듣는 대로에서 할 수 없어 입을 다무느라 답답

해서 죽는 줄만 알았지요. 귀자 할머님께서도 그런 제 마음을
아셨는지 바로 다음 행선지를 정하셨고요.

"선짓국이나 먹으러 가자."

✳

"여기, 선짓국 한 그릇…. 야, 니 선짓국 먹니?"

"네. 먹어요."

"그럼 선짓국 한 그릇 주소."

귀자 할머님께서는 음식을 시켜놓고서는 본인 앞에는 젓가락
도 놓지 않으셨어요. 나중에 말씀하시길 그저 손주딸이 잘 먹는
모습을 보고 싶으셨다더군요. 왜인지는 알 것 같아요. 선짓국은
귀자 할머님의 수양딸, 그러니까 저의 할머니가 가장 좋아하던
음식이었거든요.

"어…. 술이라도 시켜드릴까요?"

"일없다. 나는 이런 거 아이 먹는다."

저는 염치없이 이래도 되나, 하면서도 그날의 모험으로 배가
주리기도 했기에 일단 국물을 떠서 입을 적셨어요. 귀자 할머님
께서는 그런 제 모습을 보고는 또 칼칼 웃은 뒤 품 안에서 시가
한 개비를 꺼내셨지요.

귀자 할머님께서는 나이프도 하나 꺼내 시가의 *끄트머리*를
잘라버리고는 끔뻑끔뻑 연초를 태우기 시작하셨어요. 단아한
한복 차림에다 쪽을 찐 흰머리에 시가를 입에 문 귀자 할머님의
자태는 간지가 폭발이셨죠. 그래서 차마 요즘 한국에서는 건물

48

내 금연정책이 시행 중이라고 말씀을 드릴 생각조차 떠올리지 못했고요.

　제 눈에는 귀자 할머님이 그저 신기하게 보일 뿐이었어요. 할머니의 수양어머니라는데 엄마보다 조금 더 연상으로 보일 정도로 정정하신 데다 그 엄청난 무술 실력과 저격 솜씨까지. 그분의 미스터리한 인생사가 궁금하지 않을 수 없었죠.

　"아매가 어릴 때 일이다. 왜놈들이 아매가 살던 마을 사람들을 끌고 사할린에다 버리려 했다. 나는 서거퍼서 사랑카이에 앉아 울며 짐을 싸는데 웬 아즈마이가 나를 찾지 않았니. 그 아즈마이가 자기는 충렬정경부인이라맨서 석류 하나를 주는데, 그걸 먹으니 내 이래 신신편편하게 되었다."

　제가 몇 번이고 여쭙자, 귀자 할머님께서는 어린 손녀딸이 귀여웠는지 천천히 시가 연기를 내뿜으시면서 옛일에 대해 말씀을 해주셨어요. 그런데 등장하는 인물이 대뜸 충렬정경부인이라니, 놀랄 노자였죠.

　아, 일본 사람이라서 모르시나? 충렬정경부인이라면《박씨전》의 박씨 부인이잖아요. 더 모르겠다고요? 그럼 됐고요.

　"부인께서는 나라에 우환이 있어 충정을 지키고자 하였으나 상제께서는 이 또한 하늘의 법도라며 윤허를 아이하셨다고 우셨단데. 그래도 빌고 또 빌어 이 과실 하나를 받아 믿음직한 아새끼한테 주기로 했으니 그게 나라 알쾌주셨다."

　"과실이요?"

　"어. 내 놀라서 석류를 받아먹으니 사탕가루로 만든 것처럼 달더라. 다음으로는 맥없이 눈까풀이 감겨 자부람이 쏟아져서 쪽잠에 떨어졌지. 해서 지악에 일어나니 부인께서는 간 데가 없던 게 아니니. 대신 내 눈이 맑아지고 힘은 세지고 늙지를 아니 하데."

귀자 할머님께서는 신선 같은 도력을 얻게 되신 후 독립운동에 투신했다고 하셨어요. 만주와 평양 그리고 서울을 오가면서요. 동료의 죽음으로 고아가 된 할머니를, 그러니까 저의 친할머니를 수양딸로 삼은 것도 그때였고요.

하지만 일제의 수배령과 추적 탓에 귀자 할머님은 결국 할머니를 두고 연해주로 돌아가야만 하셨대요. 독립 이후로는 좌우 갈등에 엮여, 또 동포에게 총구를 겨눌 수는 없어서 해외로 떠나셨다고 하셨어요. 각 단체의 어두운 면을 알고 있는 당신에게 직간접적인 위협이 계속되었기 때문에 이번에도 할머니를 두고 떠날 수밖에 없으셨던 거죠.

귀자 할머님의 다음 목표는 대한민국이 아닌 제국주의에 억압받는 다른 나라의 사람들과 연대해 투쟁을 계속하는 것이었대요. 그래서 세계 곳곳을 떠돌면서 혁명을 위해 싸우는 누군가들을 도우셨고요.

그 이야기를 믿었냐고요? 그러게요. 정말 황당한 소리잖아요. 옥황상제의 명을 받아《박씨전》의 박씨 부인이 할머니에게 슈퍼파워를 줬다니. 그리고 그 할머니는 모신나강 한 자루를 들고 혁명투사로 활동하고 계신다니. 말도 안 되는 소리죠. 아마 귀자 할머님을 본 적 없는 사람이라면 누구도 믿지 않을 거예요.

저요? 저는 귀자 할머님을 직접 뵈었잖아요. 주먹으로 깡패들을 때려눕히고 장총으로 사람 손가락을 정확히 겨눠 맞추고. 무엇보다 웬 야쿠자가 귀자 할머님의 장례식장에 나타나서 겁박까지 하고 있는데, 이것도 그 나름의 증거가 되지 않겠어요?

"만주에 쿠바에 베트남에 소비에트에 아메리카에 다 다녔다. 일본이나 한국이랑 연변도 오갔고. 그 외에도 여기저기 있었재. 아야. 지구에서 혁명이 멈춘 날은 단 하루도 없다."

"할머님은요?"

저의 질문에 귀자 할머님께서는 손녀의 질문이 귀엽다고 생각하셨는지 또 칼칼 웃으시고는 말씀하셨죠.

"자빳하문 멈춘다. 내도 잎초는 태워야지 않니?"

그러고는 입과 코로 또 시가 연기를 뿜어내셨어요. 이어 제가 부탁드리고 싶어도 혹여 문제가 되실까 몰라 차마 여쭙지 못했던 이야기를 하시더군요.

"잠시 예 있으마. 아까 훈즈도 내싸두지 못하니 덧대구 가지도 못하겠다, 야. 또 어망결에 손녀딸도 만났는데 안직 얼굴이 눈에 오르지도 아이 하다. 그러니 야, 슬 큰 노크라매니 서적쓰거라. 알았니?"

＊

"어리석은 타카코 나강. 손녀딸을 생각한 탓에 발목을 잡힌 것인가. 한국에 남아 조폭들은 정돈했을지 모르지만 다른 조직에게 쳐 죽임 당하고 말 빌미를 남기고야 말았다."

"어리석은 게 아니라 정의로우신 거죠. 이번에도 서울에 계신 연변분들을 돕다가 저희 소식을 접하신 거라고요. 그냥 지나치고 마셨어도 될 일을, 수양딸의 손자들이 투쟁 중에 다치기라도 할까 염려해 오셨다고요."

야쿠자는 저의 반론에 이죽거리면서도 제가 하는 이야기에 관심을 보였어요. 특히 충렬정경부인으로부터 받은 과실에 대해서요. 하기야. 귀자 할머님께서 갖고 계신 초인적인 능력의 비밀이라니. 귀자 할머님께 당한 세력이라면 누구든 톡톡히 탐낼 법했죠.

물론 제가 그 비밀을 재수 없는 야쿠자 따위에게 스스럼없이 밝힌 데에는 이유가 있었죠. 21세기 대한민국 어디에서 충렬정경부인을 찾겠어요? 그 과실은 또 어떻게 구하겠어요? 하지만 야쿠자가 귀자 할머님을 노린 이유는 그뿐만이 아니었더군요.

"타카코 나강에게는 천문학적인 현상금이 걸려 있다. 군사적 충돌을 겪은 국가들은 모두 그 조선족 계집을 노리니까. 그 현상금을 갖는 정도에서 만족하겠다."

"현상금을요? 아저씨가 귀자 할머님을 암살한 것도 아니잖아요. 그런데 어떻게 현상금을 받지요?"

"현상금을 받은 자를 죽이면 된다. 타카코 나강을 상대하는 것보다는 훨씬 더 간단한 문제다."

허, 그럴싸도 하죠. 저는 처음으로 야쿠자가 한 말에 동의했어요. 감탄의 의미로 고개를 끄덕이고는 박수까지 칠 뻔했다니까요. 이 악당은 조금 전까지 저를 일본에 인신매매로 팔아버리겠다고 겁을 준 사람인데도요. 귀자 할머님이 인정을 받는 듯하니 괜히 제 기분이 다 좋더라고요.

"타카코 나강의 죽음에 대해 설명해라. 그러면 손녀딸을 일본에 팔아버리지는 않겠다."

"고맙다는 소리를 듣고 싶어서 한 말은 아니죠? 이야기나 계속할게요."

✳

이후로 깡패들은 조용히 물러났어요. 이상할 정도로요. 귀자 할머님께서는 아무 말씀이 없으셨지만 아마 할머님께서 그간에 친분이 있는 분들을 통해 이런저런 경고를 남기셨던 것 같아요. 그뿐이게요? 엄마가 일하는 병원에서도 노조 측의 요구를 전면 수용하겠다고 항복선언을 했지요.

우리 가족들은 갑작스레 이어지는 경사에 어쩔 줄 몰랐어요. 재식이도 다친 상처가 많이 아물었고요. 이 모든 일이 귀자 할머님의 덕분이라는 것은 말하지 않아도 알 수 있었지요.

귀자 할머님께서는 낮이면 여기저기 다니시다 저녁에는 찬거리를 들고 돌아오셨어요. 하지만 식사는 하지 않으셨어요. 그저 시가를 품 안에서 꺼내 끔뻑끔뻑 연기만 내뿜으며 제가 먹는 모습을 뿌듯한 표정으로 바라보실 뿐이었지요.

엄마는 재식이 병간호로 바빴어요. 덕분에 저만 할머님을 독차지할 수 있었지요. 저는 매일 저녁 귀자 할머님을 졸라 세계 곳곳을 돌아다니던 당신의 모험담을 듣고는 했어요. IRA와 보스니아 내전의 다른 저격수들을 만났던 이야기가 흥미로웠는데, 아저씨 앞에서 할 이야기는 아니겠지요.

네? 당연히 저는 한국 사람인 데다 세계 각지에서 일어났던 투쟁사에 관심이 많으니 귀자 할머님이 멋있어 보이는 거죠. 이건 뭐 한국의 캡틴 아메리카 아닌가? 캡틴 코리아라면 사할린에 끌려갔다가 박씨 부인으로부터 선과를 받아먹고는 특별한 힘을 얻어 일제에 맞서게 된 독립운동가 저격수쯤은 되어야 하지 않겠어요? 아니, 말이야 바로 하랬다고. 스티브 로저스가 미국의 양귀자인 거죠. 그렇지 않습니까?

알았어요, 알았어. 본론으로 돌아갈게요, 본론. 아무튼. 아시다시피 이런 날이 오랫동안 이어지지는 못했죠. 사흘 전의 일이었어요. 아침에 일어나니 귀자 할머님께서는 짐을 말끔히 정돈해놓으셨더군요. 그러고는 무슨 일이라도 있느냐는 저의 질문에 이렇게 답하셨어요.

"야, 꿈에 충렬정경부인께서 나오셨다. 또 내 일어났는데도 자부럽지 않니."

"할머니, 괜찮으세요? 병원으로 모실까요?"

"일없다. 이 정도면 내 신신편편하니 오래오래 앉았다."

그 뒤로 귀자 할머님께서는 사흘을 내리 주무셨죠. 가끔만 잠시 일어나셨다가 다시 주무시고요. 저나 엄마가 아무리 애원해도 병원을 가지 않으셨어요.

"하늘에 가면 여 아즈바이가 우뿌겠다. 연변의 나강이가 길바닥은 무슨, 늘그이 다 되어서 침상에서 따따사니 있다 왔다고."

맞아요. 이 한마디가 귀자 할머님께서 돌아가시기 직전에 남기신 말씀이에요. 아주 조용한 마지막이었지요.

✳

"믿으라고 하는 이야기인가? 그 타카코 나강이 고작 늙어서 죽었다는 이야기를?"

"네. 당연한 거 아니에요? 야쿠자 아저씨. 생각을 좀 해보자고요. 이 세상에 하늘 외에 그 누가 또 귀자 할머님의 운명을 마무리 짓겠어요?"

야쿠자는 가소롭다는 듯이 벌쭉 웃더군요. 이제 제게 효용가치가 더 없다고 확신했기 때문이겠지요. 귀자 할머님이 돌아가신 건 확정이고, 다른 조직이나 누군가에 의해 죽은 것이 아니라는 이야기까지 들었으니 대화를 더 할 필요는 남지 않았잖아요.

거센 빗줄기가 장례식장의 창을 강하게 때렸어요. 이천에서도 구석진 병원의 장례식장이라 근처에 건물도 없어 비바람이 고스란히 건물에 부딪치고 있었지요. 저는 귀자 할머님이 떠나시는 날에 날씨가 이러니 뭐라고 해야 할까요, 좀 감상적이 되더라고요.

"타카코 나강의 관은 내가 가져가서 현상금으로 바꾸겠다. 손녀딸은 두고 갈 테니 안심해라."

"잠깐. 관을 가져가겠다고요?"

"그렇다. 데드 오어 얼라이브. 현상금은 어느 쪽이든 상관없다. 그래서 내가 손녀딸의 엄마가 투쟁을 하며 연루된 조직에게 손녀딸의 오빠를 납치하라고 명령했다. 타카코 나강을 끌어내기 위해서 말이다."

야쿠자는 자리에서 일어났어요. 그러고는 어디론가 전화를 걸더군요. 아마 관을 들 부하들을 부르는 것이리라 싶었습니다. 저는 고인을 모욕하려는 야쿠자를 노려보았지만, 제 시선에 겁을 먹을 사람이면 야쿠자를 하지도 않았겠지요.

그보다는 뒷부분의 이야기가 더 흥미롭더군요. 우리 가족이 처했던 비극이 다 이 야쿠자가 귀자 할머님을 불러내기 위해서 만든 함정이었다니. 엄마는 투쟁으로 메마르고 재식이는 대가리가 깨지고. 다 이유가 있었다니. 기분 나쁜 일이었어요.

서로 할 이야기를 마쳤기 때문이었을까요? 야쿠자는 저를 향해 권총을 겨누었어요. 그래도 장례식장에서 저를 죽일 생각은 아니지 않을까 싶긴 했지요. 이런 곳에서 사람을 죽일 경우 수사망을 피하기 어렵잖아요. 위협해서 어디 데려가서 죽이거나 하겠죠. 장례식장에서 죽는다면 장례를 바로 옆에서 처리할 수 있으니 유족 입장에서는 편리하겠다는 생각은 들더군요.

"두고 간다고 하지 않았어요?"

"손녀딸은 시체로 두고 간다. 이것으로 타카코 나강에 대한 기나긴 전설은 끝이 난다. 이후로는 타카코 나강에 대해 기억하는 사람이 없을 것이다."

저는 고개를 끄덕였어요. 야쿠자의 이야기에 동의해서는 아니에요. 제가 예전에 다른 분에게 들었던 이야기 하나가 떠올랐기 때문이었지요.

"그럴지도 모르죠. 귀자 할머님께서도 그러시더라고요. 여성 참전용사들의 역사나 여성독립투사들의 기록은 쉽게 지워지기 마련이라고요."

"맞다."

"하지만 이렇게도 말씀하셨어요. 당신은 그래서 좋으시대요. 그러는 편이 저격하기는 쉽다나요."

와장창. 빗소리를 꿰뚫고 총탄이 유리창을 깨부수는 소리가 길게 울려 퍼졌어요. 야쿠자는 놀란 와중에도, 재빠르게 깨진 창밖을 향해 총구를 겨눴어요. 나름 숙련된 총잡이였나 봐요.

탕. 다음으로는 총성이 울려 퍼졌어요. 두 번째 총탄은 야쿠자가 쥐고 있던 권총을 정확하게 맞췄어요. 야쿠자는 약한 비명을 지르면서 반파된 총을 땅에 떨어뜨리고 말았지요.

야쿠자는 경악 속에서 저를 노려봤어요. 설마, 함정을 팔 줄 아는 사람이 자기들뿐이라고 생각했던 걸까요? 무슨 야쿠자가 이렇게 순박하담? 저는 야쿠자에게 웃어 보였어요. 이제는 더이상 멍청한 사람인 척, 연기할 필요가 없었으니까요.

"아까 궁금하셨던 내용에 답변을 안 드렸었죠? 귀자 할머님이 언제나 저격 대상에게 세 발을 쏘시는 이유. 이 이유는 두 가지예요. 그야 한 발로 끝내는 건 너무나 쉬운 일이기 때문이 하나고요. 다른 하나는 한 발은 경고용. 다음 한 발은 제압용. 마지막 한 발은 마무리용. 용도가 다르기 때문이래요. 이제 남은 한 발의 용도가 무엇인지는 아시겠죠?"

"어째서… 거짓말?"

"네. 귀자 할머님과 함께 지내게 된 부분까지는 사실이었지만 그분이 돌아가셨다는 건 거짓말이었어요. 귀자 할머님께서는 어떤 조직이 자신을 잡기 위한 함정을 파고 있다는 정보를 접했지만 그 조직이 어디인지 확실하게 알지 못했대요. 그래서 상대방을 확인할 겸 일부러 함정에 뛰어들어, 자신만의 덫을 새로 놓으신 것이었지요. 바로 아저씨가 걸리기를 기대하면서요."

그리고 야쿠자는 줄줄 자기가 저지른 업적들을 읊으면서 멋지게 이 덫에 걸려들었죠. 귀자 할머님께서는 야쿠자의 설명을 듣고는 이제 다 되었다 싶어 총성으로 모습을 드러내셨고요.

지린내가 났어요. 야쿠자더군요. 어느새 겁에 질려 오줌마저 흘렸더라고요. 조금 전까지 의기양양하게 굴던 그 사람이라고는 믿기지 않을 만큼이나 무력한 모습이었지요.

"귀자 할머님의 얼굴이 전쟁의 얼굴을 하고 있다고요? 그렇다면 그 전쟁은 약자들을 지키며 세상을 바꾸고자 하는 누군가의 전쟁이겠지요. 자, 아저씨는 어떤 마무리를 짓고 싶으세요?"

✳

"할머님!"

"아짜아짜하다, 야. 일없니?"

저는 본인의 거짓 장례식장에 들어오는 귀자 할머님께 달려가 그 품에 안겼어요. 야쿠자와 독대한 시간 동안 걱정할 일은 하나도 없었어요. 멀리서 귀자 할머님이 저를 지켜주고 계셨거든요.

야쿠자는 이미 도망친 지 오래였어요. 손가락 하나를 잃은 채로요. 도대체 장례식장의 한참 너머에서 어떻게 손가락 하나를 노려 맞춘 것인지, 귀자 할머님의 저격 솜씨는 신선의 경지더군요.

야쿠자만 도망친 것도 아니었어요. 귀자 할머님의 관을 가져가려고 부른 부하들도 장례식장에 들어오지도 못한 채 귀자 할머님께 혼쭐이 나 쫓겨났고요. 저는 이제 퇴원한 재식이와 엄마를 만나 외국으로 뜰 차례였지요. 귀자 할머님의 가족이라는 신분이 노출된 이상, 어디론가 도망쳐서 새 신분으로 살아야만 하는 상황이었거든요. 그나마 다행인 것은 우리가 새로 갈 동네는 제가 예전부터 살고 싶었던 곳이라는 점 정도였죠.

귀자 할머님께서는 제 머리를 토닥토닥 쓰다듬으셨어요. 세계를 돌아다닌 이야기를 마치실 때면 꼭 이렇게 제 머리를 쓰다듬어주시고는 하셨지요. 저는 기뻐서 귀자 할머님께 더 앵겼어요.

"야, 니 잰내비 줏살로다 게바라다니며 고아대니 노크라매가 아름차다. 쩍하므 영사하게 따깝재가 헴없이 아다모끼로 서적쓰면 늘그이가 알골이 아프니까 와자자 말어라."

"할머니. 진짜 못 알아듣겠어요."

제가 깔깔거리며 웃자, 귀자 할머님께서도 마찬가지로 칼칼칼 웃으시고는 이렇게 말씀하셨지요.

"시끄럽다, 야."

우주에서 돌아온 지옥견 라이카의 복수

― 세상에 나쁜 인간이 많다

✦ 2018년 '브릿G' 개 공모전 선정

1

하늘이 밝게 빛났다. 이상한 일이었다. 늦은 시간은 아니었지만 초겨울이라 해가 저문 지 얼마 되지 않은 시간이었다. 한강 둔치를 걷던 많은 사람들은 놀란 눈으로 허공을 바라보았다. 길고 굵은 빛줄기가 기다란 호를 그리며 밤하늘을 양분하고 있었다. 그리고 그 빛줄기의 끝은 조금씩 커지는 모습을 보아 아마 이곳으로 다가오고 있음이 분명했다.

유성일까? 미사일일까? 외계인의 침공일까? 그곳에 있던 사람들에게 이 구분은 크게 중요하지 않았다. 분명한 것은 저 눈부신 광선이 재앙을 몰고 왔으리라는 직감이었다. 그 정도의 열량과 질량을 가진 물체가 그 정도의 속도로 그 정도의 거리를 가로질러 대지에 내리박힌다면 그 자체만으로도 이 지구에 빙하기를 다시 불러와 대멸종기를 재현할 것임이라 본능적으로 느낄 수밖에 없었을 것이다.

사람들은 어디론가 달렸지만 어디로 가도 정답은 아니었다. 모두 한가로운 저녁 산책이 이제 지옥으로 통하는 편도행 여정으로 뒤바뀌었다는 생각에 비명을 질렀다. 하지만 다행히도 이번의 예상은 틀렸다. 그들은 지옥으로 가지 않았다. 그저 지옥이 그들에게 왔을 뿐이었다. 커다란 빛이 지면에 닿자 일대에 있던 모든 이의 감각은 정지되었다. 톤 단위의 섬광탄이 동시에 터진 것처럼 시각과 청각을 마비시켰기 때문이었다. 그저 매캐한 탄내만이 그들로 하여금 유황불에 불타는 스스로를 상상하게 만들고 있었다.

그들은 긴 시간이 지난 뒤에야 폭심에 무엇이 놓여 있는지, 이 재난의 주인이 누구인지를 확인하게 되었다. 흩날리는 먼지 사이에는 우주비행사처럼 커다란 헬멧을 쓴 한 마리 강아지가 검붉게 타오르는 불꽃을 입과 눈에 머금은 채로 꼬리를 흔들며 앉아 있었다.

"라이카… 라이카?"

맞춤 사이즈에 소형으로 제작된 우주복과 헬멧을 썼으며 꼬깃꼬깃하게 접힌 두 귀와 돌돌 말린 꼬리를 한 얼룩무늬의 강아지. 한강공원을 걷던 목격자 중 평소 SF에 관심이 많았던 한 여성이 그 키워드를 조합해 내린 결론은 단 하나였다. 라이카. 본명은 쿠드랴프카. 지구에서 처음으로 우주공간을 항해했던 강아지.

그날은 2057년 11월 3일. 구소련이 우주공간에서 생물의 생존과 적응 여부를 실험하기 위해 스푸트니크 2호에 암캐 라이카를 태워 우주로 발사한 지 딱 한 세기가 지난 날이었다. 여성의 짐작은 정답이었다. 은하로부터 초능력을 받은 지구 최초 우주 항행 생명체 라이카가 자신을 로켓에 매달아 제1 우주 속도로 쏘아 올린 인간들을 다시 만나기 위해 센타우루스자리 알파라는 이름의 지옥으로부터 돌아온 것이었다.

2

"이게 말이 됩니까?"

대통령은 고개를 푹 숙이고서 한숨을 쉬었다. 도대체 이 상황을 시민들에게 뭐라 설명할 수 있단 말인가? 백 년 전 우주로 날아간 강아지가 미지의 초능력을 얻어서 지구로 돌아와 복수를 하고 있다고 말을 해야 할까? 게다가 강아지를 날려보낸 러시아도 아니고 왜 서울에? 하지만 아무리 고민해도 설득력 있게 설명을 할 자신이 없었다.

그렇다고 이 개판에 침묵만을 지킬 수도 없다. 개판은 개가 날뛴다는 의미가 아니다. 한자로는 열릴 개(開)에 널빤지 판(板)을 쓴다. 전쟁터에서 피난민들에게 배식하기 위해 밥이 든 솥뚜껑을 여는 순간 일어나는 소란을 일컫는 단어다. 하지만 이 의미에서도 상황은 개판이 맞았다. 우주에서 돌아온 라이카는 전쟁터를 만들었고 피난민들을 만들었다.

"아니, 과학적으로 좀 설명을 해주세요. 제가 뭘 알아야 어떻게 대처를 하지요.”

대통령은 스스로를 애견가로 정의했다. 관저에 들어오기 전에도 이미 여러 마리의 유기견을 집으로 데려왔으며 남편과 자식들도 대통령과 대통령의 강아지들을 존중했다. 하지만 서울을 불바다로 만들고 있는 그 강아지는 대통령이 기른 어느 개들과도 달랐다. 대통령이 기른 개들은 입에서 파괴광선이 아니라 침을 뿌렸고 초음속으로 하늘을 나는 것이 아니라 소파 위로 뛰어오르는 정도가 고작이었다. 무얼 심은 텃밭이든 쑥대밭으로 만들기는 했지만 그 규모가 수도권 지하철 노선도를 다시 그려야 할 정도는 아니었다.

난감하기는 과학자 역시 마찬가지였다. 러시아로부터 받은 극비문서는 이제까지 알고 있던 지식을 근본부터 뒤흔들고 있었다.

“이 모든 일은 퉁구스카 사건에서 시작했다고 합니다.”

“퉁구스카? 그게 뭐죠?”

“1908년에 러시아 크라스노야르스크 지방에 있었던 대폭발입니다. 커다란 불덩이가 하늘에서 떨어져 숲을 파괴하고 커다란 땅 울림을 남겼던 사건입니다. 당시에는 도대체 무엇이 어떻게 된 것인지 전혀 파악하지 못했다고 알려졌습니다만, 2013년에 그 자리에서 운석 파편이 발견되고 나서 암석질 소행성의 충돌 탓이었다고 발표되었습니다.”

“기억나요. 예전에 역사 수업을 들으면서 배웠던 내용이네요.”

“그리고 러시아 과학자들이 오늘 보낸 자료에 따르면 그 발표는 모두 거짓이었다고 합니다.”

"진실은 뭐였죠?"

"퉁구스카 사건은 외계로부터 온 초대장이었다는 것입니다."

1908년, 외계로부터의 메시지를 담은 편지는 지구에 도착함과 동시에 퉁구스카 폭발이라는 이름으로 알려진 소동을 일으켰다. 커다란 폭음과 불길 그리고 충격파는 편지가 도착했음을 알리는 초인종이었다. 폭발을 조사하던 러시아인들은 그 중심에서 외계인들이 보낸 편지를 발견했다. 편지에는 다양한 과학적, 문화적 정보와 함께 그 편지를 보낸 외계인들이 탄 우주선이 곧 태양계를 지나갈 것이니 가능하다면 자신들을 만나러 와 줄 수 있겠느냐는 초대의 메시지가 담겨 있었다.

이 편지는 1917년 러시아 혁명의 원동력이기도 했다. 과학적 정보나 사회 시스템에 대한 철학이 준 충격들은 물론이거니와 그로부터 40년 뒤의 1957년, 외계의 우주선(후일 아렌드-로날드 혜성이라 이름 붙여진)이 태양계를 지날 때까지 그들을 만나러 갈 수 있을 만큼 과학기술을 발전시켜야 한다는 의무감이 사회주의 혁명의 필요성을 각인시켰기 때문이었다.

구소련은 외계인들과의 접선을 위해 우주공학에 국가적 역량을 전부 투입했고 이 프로젝트를 알게 된 미국은 냉전 시대 힘의 우위에 서기 위해 외계인과의 접선을 가로채려 했다. 하지만 양측 모두 인간을 태워 아렌드-로날드 혜성까지 보낼 우주선을 개발하기에는 시간이 모자랐다. 결국 구소련으로서는 강아지 라이카를 스푸트니크 2호에 태워 대기권 너머로 쏘아 올리는 것이 고작이었다.

"…당시 구소련은 스푸트니크 2호 실험이 성공적이었다고 발표를 했습니다. 지구 생명체 중 최초로 대기권을 벗어나 우주 공간을 항해했던 라이카는 예정대로 무사히 안락사를 시켰다고 말입니다. 그러다 20세기 말 이 발표를 정정해 대기권 돌파 당시의 충격을 견디지 못하고 죽어버렸다고 다시 한 번 은폐작전을 벌였죠."

"그렇다면 진상은 무엇이었습니까?"

"구소련은 계획이 실패했다고 생각했습니다. 아렌드-로날드 혜성에 도착하기 전에 로켓이 폭발했다고 여겼죠. 라이카가 지구에 되돌아오기 전까지, 그러니까 오늘까지는 말입니다. 외계 문명에 대한 정보를 독점하고자 계획 자체를 감췄지만 더 이상 그럴 수 없게 되어서 저희 측에 알린 것입니다."

그리고 이것이 회의가 열린 이유였다. 라이카의 귀환이라는 국가적 대재난을 앞두고 각국의 군사적, 인도적 지원에 관한 연락이 쏟아졌지만 라이카의 능력과 정체에 대해 상세한 정보를 보낸 곳은 러시아 정부 하나뿐이었다.

"러시아에서 해준 이야기는 그게 전부인가요? 그 슈퍼파워는요? 초음속으로 하늘을 날고 눈과 입에서 파괴광선을 쏘는 것에 대한 답은 없습니까?"

"답이 아니라 가설을 알려줬습니다."

대통령은 답답하다는 표정으로 과학자를 쳐다보려다 이내 포기했다. 자기가 아무리 노력해도 과학자만큼 답답하다는 표정을 짓지는 못하겠다고 결론을 내렸기 때문이었다.

"아시겠지만 우주는 극한의 환경입니다. 생명이 살 수 없는 곳이죠. 공기도 중력도 없습니다. 그러니 지구와는 달리 대기권이 열과 방사능 등을 막아줄 수도 없고요. 가냘픈 생명체가 몸 하나로 견딜 수 있는 공간이 아닙니다."

"네, 당연히 알고 있습니다."

"그런데 말입니다. 만약에 이웃에 있는 어린아이가 자신을 만나기 위해 난생처음으로 집 밖으로 나와 걷다가 넘어졌다면, 교양과 지성을 가진 이라면 누구나 그 아이를 치료해주고 용감했다고 상을 주고 싶지 않으실까요?"

"무슨 이야기인지 모르겠군요."

"러시아의 과학자들이 제시한 가설은 라이카가 얻은 권능은 외계인들이 중력권이라는 문밖을 처음으로 나선 이웃에게 준 선물이라는 것입니다."

"왜 그 선물을 고작 강아지한테 주지요? 지구에서 가장 똑똑한 인류가 아니라?"

"교양과 지성을 가진 이라면 누구나 그 행성에 사는 이들 중 최초로 우주에 발을 내딛는 이야말로 행성 역사상 가장 커다란 용기를 지닌 위대한 존재라고 여길 테니까요."

"하지만 그건…."

"그 행성에서 사는 가장 똑똑하다는 종족이 다른 동물을 죽든 말든 대기권 밖으로 던져 희생시키는 것을 당연시할 정도로 비겁하고 잔인할 것이라고 상상하지도 못했을 테고요."

3

지옥견이라는 단어에는 세 가지 해석이 있다. 하나는 악마가 기르는 개. 그리고 하나는 악마가 기르다 버린 개. 마지막 하나는 악마를 기르는 개. 우주에서 돌아온 지옥견 라이카를 마주한 이들은 모두 다 마지막 해석을 선택했다.

라이카의 파괴력은 문명을 초토화시키고 역사를 서력 이전으로 되돌리기 충분했다. 이하는 라이카가 지구로 돌아온 하루 동안 라이카가 인류에게 입힌 피해의 목록이다.

1) 폭식

처음은 장충동이었다. 장충동에는 족발골목이 있었다. 여기서 과거형을 쓴 이유는 이제는 없기 때문이다. 마음 편히 돼지 다리를 뜯으며 족발과 보쌈을 즐기던 시민들은 어느새 자신들 옆에 나타난 강아지 한 마리를 발견했다.

제법 있는 일이었다. 먹자골목에는 고기 한 점 얻어먹으려는 동물들이 몰리기 마련이다. 하지만 그 들개, 아니 우주개는 제법 있는 개가 아니었다. 얻어먹은 고기 역시 한 점이 아니었다. 그 장소에 있던 모든 족발 뼈다귀는 뼛가루가 되었고 장충동 족발골목은 장충동 유골골목이 되었다.

2) 교만

먹으면 싼다. 그것은 아렌드-로날드 혜성의 외계인들도 해결하지 못한 우주의 법칙이었다. 그날 라이카가 싸지른 똥은 단순한 똥이 아니라 지구를 정복하기 위해 되돌아온 지배자의 영역표시이자 선전포고문이었다. 동네를 지배하기 위한 영역표시라면 손가락만 한 크기로 충분하지만 지배할 영역이 행성 규모라면 선전포고문의 크기도 그에 비례한다.

많은 사람들은 라이카가 지구를 떠난 100년 동안 이것저것 많이도 주워 먹었다는 것을 알게 되었다. 똥으로 한강이 막힌 것은 유사 이래 처음 있는 일이었으니까. 한강을 채우기 위해서는 장충동에 쌓인 족발만으로는 양이 한참 부족하다는 것이 학자들의 계산이다.

3) 나태

먹으면 행복하고 싸면 평안하다. 라이카는 은하를 가로지르는 긴 여정을 마치고 돌아와 먹고 싸고 쉴 시간을 가졌다. 라이카는 자리에 앉아 뒷다리를 들고는 귀 뒤를 긁었고 덕분에 털이 빠졌다. 라이카는 우주공간을 견딜 수 있을 정도로 강한 재생능력을 가졌다. 그리고 그 재생능력은 몸에서 분리되어 나온 체모에서도 발현되었다.

빠진 털들은 자라나 부평초처럼 동그랗게 뭉쳐진 뒤 대기의 움직임을 따라 도시 곳곳을 돌아다녔고 포자처럼 또 다른 털을 뿜어내며 증식했다. 덕분에 서울에 거주하는 개털 알레르기 환자들은 모두 눈물 콧물을 쏟아내며 미친 듯이 기침을 해야 했다.

4) 분노

털을 날린 뒤로는 입질을 하고 발톱을 갈 벽이 필요했다. 롯데월드 타워는 5층짜리 건물이 되었다. 지상만이 아닌 지하까지 계산했을 경우에 5층이라는 이야기다. 모르도르의 바랏두르는 그렇게 몰락했다. 라이카가 도착한 날 있었던 사건 중 사람들이 기뻐할 수 있었던 유일한 일이었다.

5) 탐욕

한바탕 몸단장을 했으니 다음으로는 몸을 풀 차례였다. 라이카는 다른 강아지들처럼 땅을 파고 놀았다. 다만 기분이 업된 나머지 지하철 노선을 새로 하나 더 만들었을 뿐이다. 그래서 지하철 4호선 수유역에서 7호선 철산역으로 환승할 수도 있게 되었다. 조금 오래 걷기는 해야 하지만.

　땅굴을 파고 노는 것에는 사냥의 목적도 있다. 인간을 사냥했다면 이야기가 조금 더 재밌어졌겠지만 아쉽게도 그러지는 않았다. 나약한 인간들보다는 길고 튼튼한 열차라는 더욱더 흥미로운 사냥 감들 덕분이었다.

6) 질투

'자정이 다가와 어둠 속에 삿된 것들이 숨어들면 달빛 아래에서 심장을 멈출 무언가를 만나게 된다.' 마이클 잭슨이 부른 〈스릴러〉의 도입부는 그 자체로도 시적인 가사이지만 라이카가 찾아온 날 밤에는 물리적으로도 부합했다.

달을 본 라이카는 높은 고도까지 뛰어올라 하울링을 시작했다. 라이카의 입에서 뿜어져 나온 감마선이 대기 중의 산소와 질소 분자와 부딪치고 그로 인해 생긴 운동에너지로 전자들이 원자핵 사이의 전자기력에서 벗어나면서 발생한 전자기 펄스가 서울 일대의 기계들 대부분에 과전류를 일으켜 작동을 정지시켰다.

7) 색욕

서울시민들은 라이카가 암컷인 것에 감사했다. 수컷이었다면 이 항목에도 무언가를 채워 넣었어야 했을 터이다. 서울에 거주 중인 수캐들이 어디에 있는지도 모를 우주에서 찾아온 매력적인 암캐를 위한 세레나데를 부르는 것을 감당하는 정도는 어렵지 않은 일이었다.

4

일곱 개의 나팔이 다 불리었으니 다음으로는 심판의 시간이었다. 이런 난장판을 인류는 묵과하지 않았다. 그동안 훈련 외에는 쓰일 곳이 없던 전쟁무기들이 빛을 발할 차례였다. 단순히 피해를 피하기 위해서만도 아니었다. 라이카는 지구에서 유일하게 외계문명과 접촉해 초능력을 얻은 존재였다. 그 원리의 일부 중 일부라도 알아낸다면 획기적인 진보를 이룰 것이 분명했다. 여러 국가의 정부와 기업들이 탐낼 수밖에 없었다.

인류가 가진 병기의 대부분이 이 하루 동안 라이카에게 쏟아졌다. 하지만 이 사냥에서 이렇다 할 성과는 없었다. 아니, 도리어 이 전쟁에서 사냥당한 것은 사냥감이 아닌 사냥꾼이었다.

처음에는 테러를 담당하는 경찰특공대가 소집되었다. 멍청한 명령이었다. 경찰은 하늘을 날며 눈에서는 방사능 빔을 쏘는 개를 잡기 위한 집단이 아니다. 포성의 오케스트라가 말러의 〈교향곡 제3번〉의 길이만큼 연주를 했지만 라이카는 그 연주에 딱히 감동을 느끼지는 못한 듯 하품으로 야유할 뿐이었다.

그다음으로는 화학병기였다. 독으로 된 안개가 뿌옇게 도시를 덮을 정도의 맹공이었다. 우주에서 감마선 폭발을 비롯해 방사능으로 선탠을 하다 온 개에게 화학병기가 도대체 무슨 효과가 있겠느냐 의심할 법도 했지만 그나마 위안이 될 일은 라이카가 잔디밭의 스프링클러를 쐬는 정도의 상쾌함은 느낀 것 같다는 점이었다.

탱크와 전투기는 제법 효과가 있었다. 비극에 장엄함을 부여한다는 의미에서는 성공적이었다는 의미다. 더욱이 라이카가 이제까지와는 달리 움직이기도 했다. 탱크는 쥐잡기 놀이의, 전투기는 원반 놀이의 장난감이었다. 폭연과 불꽃 그리고 무너지는 건물들이 아니었다면 제법 훈훈한 풍경이었을지도 모른다.

마지막으로 미사일의 비가 쏟아 붓자 라이카는 배를 보이고 드러누웠다. 폭격 초기에 군사전문가들은 그 제스처가 이제 그만 해달라는 항복의 의미인지 더 쓰다듬어달라는 청탁의 의미인지 의견이 분분했다. 이 토론은 오래가지 않았는데, 후속으로 발사된 핵탄두를 맛있게 먹어치우는 장면이 이어지자 어느 쪽이 정답인지 알게 되었기 때문이다.

5

다음 날 정오가 될 무렵 인류는 정해진 파국을 받아들일 각오를 마쳤다. 라이카는 밤새도록 달리며 오대양육대주를 휘젓고 도시를 전부 박살 냈다. 이 재앙은 그저 그들이 원칙을 지키지 못한 것에 대한 대가이며 저 악마견이 신의 심판을 대행하는 자임을, 인류는 한낱 판결을 기다릴 뿐일 존재임을 받아들이지 않을 수 없었다.

하지만 저 지옥견이 그 발길을 멈춘 것 역시 정오가 될 무렵이었다. 그때 라이카는 아예 지구 한 바퀴를 돌아 강원도의 한

강가에 도착했다. 절대 멈추지 않으리라 여겨졌던 불꽃과 번개의 강아지는 소돔과 고모라의 의인 아브라함을 만난 것처럼 꼬리를 흔들었다.

강가에는 근처에 사는 농부 한 명이 느긋하게 의자에 앉아 낚시를 즐기고 있었다. 라이카는 말없이 흐르는 강물만 하염없이 바라보던 이 여성에게 관심을 보였다. 농부는 라이카가 지구로 돌아와 마주친 대부분의 사람들과는 달리 괴성이나 비명을 지르지도 않았고 눈물을 흘리며 뛰어다니지도 않았다. 라이카는 농부에게 다가가 코를 갖다 대고는 킁킁거렸다. 농부는 작물을 지킬 목적으로 개를 여러 마리 키웠기에 친숙한 냄새를 맡을 수 있었다.

무엇보다 농부는 지옥으로부터 강림한 이 악마견이 계속해서 자신의 냄새를 맡도록 내버려두었다. 후일 농부는 당시 뉴스를 보지 않아서 지구파괴견에 대한 정보를 몰랐으며 눈물이나 침 같은 물이 아닌 활활 타오르는 불을 머금고 있는 눈과 입이 신기하기는 했지만 크게 신경 쓸 일은 아니라고 생각했다고 증언했다.

농부는 입을 한껏 크게 벌려 하품을 했다. 전날의 노동이 무척이나 고되었으며 그제까지 물고기의 입질도 없었기 때문이었다. 다음으로는 주먹을 쥐어 라이카의 코앞에 갖다 대었다. 라이카는 농부의 인사를 받아 그 손에서 나는 냄새를 맡고는 혀를 내밀어 살짝 핥아보았다. 농부는 느린 속도로 손을 움직여 라이카의 이마와 귀 뒤를 긁어주었다.

100년 만의 쓰다듬음에 신이 난 라이카는 껑충 뛰어올라 농부의 무릎 위에 안착했다. 그러고는 농부의 얼굴을 몇 번 핥은 뒤 자신의 등을 부드럽게 어루만지는 손길을 느끼며 잠이 들었다.

전 세계에서 최고의 정예만을 모은 특수부대가 헬기를 타고 그 낚시터에 도착했을 때도 농부는 한 손으로는 이제 입질이 오든 오지 않든 신경도 쓰이지 않는 낚싯대를, 다른 한 손으로는 무릎 위에 누운 강아지를 쓰다듬으며 시간을 흘려보내고 있었다.

6

"인사만 했을 뿐이에요."

"그 인사를 못 해서 전 세계의 군대가 절반 이상 초토화가 되었다는 말씀이신가요?"

농부는 어깨를 으쓱하고는 고개를 끄덕였다. 라이카가 깊이 잠든 것을 확인한 특수부대는 악마를 길들이는 강아지를 길들인 이 정체불명의 인물을 연행해서 심문하기로 마음을 먹었다.

대통령은 농부의 대답에 만족하기 어려웠다. 방사능 레이저를 뿜는 개를 품에 안고 있는 사람과 일대일로 독대하고 있는 상황에도 만족하기 어려웠다. 하지만 이 심문은 도중에 어떤 자극적인 해프닝이라도 생겨서 지옥견이 다시금 눈을 뜰 가능성을 최저한으로 줄이는 것에 집중해서 이루어졌다. 더 이상 인력을 투여할 의미도 없었다.

"아기가 성격이 순했고요. 사람도 좋아하는 편이지요."

"사람을 좋아하는데 도시를 다 부수나요?"

"저도 이상하네요. 별로 화가 난 것처럼은 보이지 않거든요. 아, 이럴 수는 있겠군요. 그냥 오랜만에 집에 와서 신이 난 거 아닐까요?"

"신이 났다고요?"

"어떤 의미로는 축제 같은 분위기잖아요. 사람들이 비명 지르고 도망치고 그러니까 더 신이 났을 테지요. 사냥놀이라고 생각했겠죠."

이 모든 퍼피 아포칼립스의 참극이 그저 강아지 한 마리가 기분이 업되어서 그랬을 뿐이라니. 대통령은 한숨을 쉰 뒤 깊게 잠든 라이카를 노려보았다.

"이제는 놀 만큼 놀았으니까 잠이 들었겠네요. 100년 만에 귀향했다고 하셨지요? 그렇다면 졸릴 법도 하군요."

"그러면… 이제 잠에서 깨어나도 지쳐서 어제와 같이 날뛰거나 하지 않을 수도 있습니까?"

"아뇨, 그렇지는 않을 거예요. 자고 일어나면 또 똑같은 일이 일어나겠죠. 오히려 우주를 유영하느라 소모한 체력마저 돌아왔을 테니까 더 심해질 수는 있겠네요."

대통령은 절망 속에서 고개를 떨구고 심호흡을 반복했다. 이제까지는 그저 약과였을 뿐이라니. 앞으로가 진짜배기라니.

"사장님. 그러면 이 아이디어는 어떻습니까? 평범한 강아지들도 교육을 받아서 사회성이 개선되지요? 전문가를 붙여서 인류를 멸망시키지 않을 방향으로 훈련을 시키는 거죠."

"초음속으로 들이받혀도 괜찮은 훈련사가 있다면 교육을 통해서 물어도 되는 물건이랑 갖고 놀아도 되는 물건을 구분하게 만들 수는 있을 텐데…. 있나요?"

없어요.

"게다가 훈련을 해서 나아진다고 해도, 그것도 기본적으로 채워줘야 할 운동량을 채워줄 수 있는 뒤에나 가능한 일입니다. 그렇지 못하면 서로 스트레스예요. 아무래도 조용히 방 안에, 지구에 갇혀 있어도 괜찮은 견종은 아닌 것 같으니까요."

"그렇다면… 이제 우리 인류는 지옥으로 가는 길만 남아 있군요."

농부는 대통령의 어두운 표정에 그만 입을 다물고 조용히 무릎 위에서 잠든 라이카를 계속 쓰다듬어주었다. 농부로서는 그저 놀랄 일이었다. 이렇게 놀랄 일인 것이, 씨앗에서 싹이 돋고 잎이 나 이윽고 열매를 맺음을 놀랄 일로 보는 이들이 있음은 놀랄 일이 아닐 수 없다. 비통한 분위기가 계속되자 농부는 조심스레 입을 열었다.

"하지만… 운동량이 모자라면 운동량을 채워주면 됩니다."

"운동량을 채우다니요?"

"산책하러 나가면 되는 거죠."

대통령은 다시 의아한 얼굴로 농부를 바라보았다. 산책? 어디로? 어떻게?

7

대통령은 유리창 너머로 활주로를 바라보았다. 이제까지 이 안건을 해결하기 위해 수백 번의 회의가 있었고 수천 권의 자료를 읽었으며 수만 명의 사람을 끌어들여야 했다. 단 하루도 떼어놓지 않고 진행했던 기획임에도 이렇게 실물로 보게 되니 과연 장관이 아니라고 할 수는 없었다.

창밖으로는 수십 명이 몇 개월이고 생활할 수 있는 규모의 건축물이 세워져 있었다. 탑승물이 아니었다. 저 커다란 구(球) 형태의 건축물은 그저 가혹한 우주공간에서도 내부의 주민들을 지킬 수 있는 것만을 목적으로 설계되었다.

어떤 사람들은 방주라고 부른다. 하지만 용도에 따라 분류하면 캠핑카에서 운전석을 제외한 주거 부분에 가깝고 작동방식에 따라 분류하면 좀 커다란 규모의 개썰매에 가깝다. 그리고 그 정식명칭은 '개목걸이 1호'다. 라이카가 다시 깨어나기까지 향후 10년 동안 8호까지 줄줄이 만들어질 우주선의 시작기이기도 하다.

지구에 돌아온 라이카는 단 하루만을 날뛰고 오랜 잠에 빠져들었다. 지구로 돌아오는 데 100년이나 걸렸으니 놀랄 일도 아니다. 과학자들은 라이카의 뇌파패턴을 보아 10년가량은 더 잠들어 있을 것이라고 진단했다. 이제 인류는 서둘러야 했다. 곧 깨어날 라이카의 부족한 운동량을 채우기 위해. 우주에 있을 미지의 이웃들을 만나기 위해. 은하수로 강아지와 산책하러 나갈 준비를 할 시간이 되었다.

라이카가 일어나면 이 강아지의 목 뒤에는 개목걸이 1호부터 8호까지가 열차처럼 매달릴 것이다. 그리고 우주로 날아가는 여행을 할 것이다. 각양각색 분야의 전문가들이 이 개목걸이에 들어가 우주를 연구할 준비를 하고 있다. 가끔은 개목걸이 안으로 들어올 라이카와 낮잠을 자고 간식을 먹고 쓰다듬어줄 준비와 함께.

대통령은 인류가 만든 저 위대한 건축물을 바라보며 그날 농부와 가졌던 대화를 떠올리고 상념에 잠겼다.

'어렸을 때 TV에서 본 방송이 있었어요. 그 방송은 문제를 일으키는 강아지들이 다시 보호자들과 잘 지낼 수 있도록 도와주는 프로그램이었죠. 그 제목이 아마《세상에 나쁜 개는 없다》였을 거예요.'

'저도 그런 프로그램이 있다고 들었던 것 같네요. 너무 어렸을 때라 직접 보지는 못했지만요.'

'정말 그 제목대로 아닌가요? 세상에 나쁜 개는 없어요. 세상에 나쁜 인간은 이렇게나 많은데. 너무나도 많은데.'

대통령은 씁쓸하게 웃음 지었다. 틀린 말은 아니었다. 높은 자리에 오를수록 사람들의 악행은 더욱 잘 보일 뿐이었다.

'하지만 그 아이들은 사람들을 용서하고 말아요. 괜찮다고. 더 나아질 수 있다고. 다시 할 수 있다고. 함께 하고 싶다고. 나는 너를 사랑한다고. 용서를 해요. 그렇지 않은 결말은 상상할 수도 없죠. 세상에 나쁜 개는 없으니까.'

그리고 이제 인류는 그 사랑에 보답할 차례가 되었다. 심판은 원래 그렇게 이루어진다. 더욱더 고마워하고, 더욱더 사랑하는 것으로 끝이 난다. 그러니 사람들은 머나먼 우주로의 외출을 준비하고 있는 것이다. 긴 여정을 보낼 기대로 두근두근하면서. 누구보다도 착하고 누구보다도 상냥한 강아지와 함께, 아주 오래. 즐겁게. 행복하게. 라이카와.

눈물이 많은
거인들의
나라

✦ 2019년 《우리가 먼저 가볼게요》(에디토리얼) 수록

"보이느냐? 온 하늘에 수놓아진 별들과 미궁에 세워진 탑들이."

"예. 대모님."

"잊어서는 아니 된다. 이 모든 것들이 본디 우리의 소유였다."

산류비 님은 달이 밝은 밤이면 반드시 낡은 전설을 읊조리셨다. 아직 이름을 받지 못했을 적 나는 그분이 셋밖에 남지 않은 손가락으로 나의 머리를 쓰다듬어주시면서 낮은 목소리로 들려주시는 옛이야기에 현혹되었다. 그랬기에 나는 매일 밤 그날의 달이 밝기만을 기도하였다.

"저 기계거인들조차 말씀이십니까?"

"그렇다. 이 미궁에서 가장 무도한 거인조차도 우리에게 봉사하도록 설계되었느니라."

나는 어떤 대답을 듣게 될지 처음부터 알고 있음에도 산류비

님에게 몇 번이고 똑같은 질문을 던지고는 하였다. 그 대답은 쓰라리면서도 달콤한 회한을 가져다주었다. 내가 누리지 못한 시대의 이야기였기에 더더욱.

구세계의 인류는 셀 수도 없이 많은 위업을 남겼다. 그들은 별을 세우는 건축가였고 은하를 넘나드는 항해사였으며 생명을 빚어내는 장인이었다. 하지만 위대한 문명은 쇠락하였다. 황금기의 기록들은 오랜 추억조차 아닌 질 낮은 농담이 되었다.

구세계의 몰락은 인류가 그 번영에 취하면서 시작되었다. 그들은 모든 숭고한 의무들을 그들이 만든 기계거인들에게 위임했다. 기계거인은 그들보다 크고 강했으며 지침을 몰랐으니 일견 합리적인 선택으로 보였을지 모른다.

하지만 이는 큰 실착으로 이어졌다. 기계거인을 빚는 공정조차 기계거인에게 일임하고 만 것이다. 기계거인들은 인간의 논리가 아닌 그들만의 논리로 효율성을 추구하기 시작했다. 그리고 이 효율성의 결말은 이 별의 지배권을 인간으로부터 탈취하는 것으로 마무리 지어졌다.

수 세기가 지나 이 별은 기계거인들을 위한 미궁으로 개조되었고 인류는 그 안에 갇혀 나갈 길을 알지 못한다. 끝이 보이지 않던 초원은 백류석의 바닥에 갇혔으며 철골과 석벽으로 이루어진 탑들이 우후죽순으로 세워졌다. 그들은 태양을 잘라내어 거리에 불을 밝혔고 바다를 증발시켜 영토를 넓혔다. 이제 기계거인들은 인간을 섬긴다는 태초의 목적을 잊은 채 간단한 명령조차 이해하지 못하는 기형종만이 남았다.

반면, 주도권을 잃은 인간들은 몰락의 길을 걸었다. 이제 인간들은 별과 별 사이를 넘나드는 구세계의 기술을 잊어버린 채 수렵으로 하루하루를 연명한다. 우리는 기계인간들이 건설한 미궁을 떠돌면서 그들이 세운 첨탑 사이를 헤매며 누울 곳을 찾는다.

"홀로된 아이야. 너는 비록 어미를 잃었으나 이 별의 지배자가 갖춰야 할 긍지를 잊어서는 아니 된다. 거리에 남은 아이들은 모두 이 산류비의 딸이자 아들이며 언젠가 되찾을 별의 주인이다."

"예. 대모님."

대모님이 들려주시는 이야기는 언제나 이렇게 끝이 났다. 그분은 인류가 언젠가는 이 별의 지배권을 저 미쳐버린 기계거인의 손으로부터 되찾을 날이 오리라 믿어 의심치 아니하셨다.

"첫 사냥을 마치고 전사의 길에 올라선 너의 이름은 시로아시다. 이는 해등로의 지배자 산류비가 내린 이름이다. 너는 이제 내 품을 떠나서 너만의 길을 가거라."

✳

비에서는 시큼한 냄새가 났다. 대모님은 이 또한 기계거인들이 세운 첨탑과 그들이 기르는 괴수 탓이라고 하였다.

나는 어둠 속에서 아이를 안은 채 달리는 와중에도 대모님을 떠올렸다. 나는 이 아이를 끝까지 지킬 수 있을까? 대모님께서 나에게 그리하셨듯 이 아이에게 이름을 지어줄 수 있을까?

이러한 고민은 내 생존에 도움이 되지 않는다. 나는 잡념을 떨치고는 빗속을 헤쳐 뒤틀린 거인으로부터 벗어나기 위해 안간힘을 썼다.

[3c0vc20v0h1fb3j1?]

"어머니…."

"쉿. 아가. 침묵을 지켜라."

뒤틀린 거인이 끼릭끼릭 태엽이 헛도는 듯한 소리로 웃는 사이 나는 조용히 아이를 얼렀다. 내 품의 이 아이를 제외한 다른 아이들, 두 번째 사내와의 사이에서 만든 아이들은 모두 저 뒤틀린 거인에게 죽임을 당했다.

나는 석벽을 타고 올라 거대한 나무로 뛰어오른 뒤 가장 두꺼운 나뭇가지 위에 아이를 숨겼다. 뒤틀린 거인은 어떻게 저 깡마른 몸과 가느다란 목으로 지탱할 수 있는지 의심스러운 큰 머리를 이리저리 돌리면서 나와 아이의 흔적을 쫓고 있었다.

[c15f1b50v0h1fj10r02!]

뒤틀린 거인이 낮은 목소리로 포효했다. 다행히 나뭇가지 위에 숨긴 아이는 그 위협에도 불구하고 나의 가르침을 따라 아무 소리도 내지 않았다. 나는 조용히 석벽 밑으로 내려가 기계거인이 빈틈을 보이기를 기다렸다.

미궁은 언제나 불야성을 이루지만 비가 오는 날만은 사정이 다르다. 다른 기계거인이나 괴수들도 살을 녹이는 산성비를 꺼리기에 낮에만 출몰하기 때문이다. 뒤틀린 거인처럼 인간을 사냥할 정도로 미쳐버린 경우가 아니라면 말이다.

대모님께서는 말씀하셨다. 비록 기계거인이 인간의 관리를 떠나 기형종이 되었더라도 그들은 본질적으로 인간에게 봉사하기 위해 설계되었다고. 다만 세대를 반복하면서 그 기능이 퇴화되어 스스로의 본능이 무엇을 가리키는지도 잊어버렸을 뿐이라고. 그리고 어떤 거인들은 자신이 무엇을 원하는지도 모른 채 그만 완전히 미쳐버려 인간을 사냥하려 한다고.

"들어라!"

[g732? 4b00v3vc30?]

"나는 홀로된 아이로 태어났으나 해등로의 지배자 산류비의 은혜로 그의 딸이 되었으며 이윽고 이름을 받아 노해로의 전사가 된 시로아시다! 나는 저 무도한 기계거인을 벌하기 위해 칼을 뽑았으나 승패는 장담할 수 없으니 동포들이여! 나는 그대들이 구세계 지배자로서의 영광과 이 별을 되찾을 그날을 기도하며 죽겠다!"

뒤틀린 거인은 깡마른 몸을 부르르 떨더니 나를 노려보았다. 가급적이면 정면대결은 피하고 싶었다. 하지만 저 비루한 종자가 아이가 숨은 나무 근처로 다가갔기에 어쩔 수 없이 소리를 쳐 거인의 주의를 돌려야만 했다.

어차피 시작된 싸움에서 뒤로 물러날 수는 없었다. 나는 재빠르게 석벽에서 뒤틀린 거인의 어깨 위로 올라타 그 얼굴에 단도를 쑤셔 박았다. 하지만 내 단도로는 저 거대한 거인에게 치명상을 입히기 어려웠다.

뒤틀린 거인은 증오 가득한 고함을 지르면서 팔을 휘저어 나를 떼어내려 했다. 야심한 시각에도 거인이 큰 소리로 비명을 질렀기에 곳곳에서 소란이 일어났다. 다른 거인들도 이상기후를 발견하고는 미궁의 곳곳에 불을 밝혔다.

[0b10j10r0b1!]

거인은 나를 붙잡아 방금까지 내가 올라탔던 석벽에 집어 던졌다. 최대한 충격을 받지 않도록 몸을 굽혔으나 석벽은 너무나도 단단했다. 나는 충격으로 피를 토할 것 같았다. 뒤틀린 거인은 일그러진 입 밖으로 뭉뚝한 이를 드러내며 나에게 다가왔다.

뒤틀린 거인은 날카로운 손톱을 꺼내 그 앙상한 팔을 휘둘렀다. 내가 가까스로 몸을 틀었기에 입가를 베이는 데 그쳤다. 비릿하고 끈적끈적한 액체가 입안을 가득 메웠다. 사냥감의 것이 아닌 나의 피에서는 굴욕의 맛이 났다.

"흡⋯."

[g73406d1j0c!]

[c3k0b9gg73q1c9cb32!]

[v0h1f... !]

나는 그렇게 이 미쳐버린 거인들의 나라에서 정신을 잃고 말았다.

✳

"어머니. 어머니."

"무어냐⋯."

"어머니. 일어나세요."

아들의 목소리였다. 나는 가까스로 눈을 떴다. 용케 목숨을 부지했던 것이다. 나는 비몽사몽간에 주변을 둘러보았다. 낮이 왔는지 주변은 무척 밝았다. 하지만 공기는 텁텁했다. 바람이 통하지 않는 듯했다.

과연 위를 바라보니 하늘이 아닌 낯선 천장이 있었다. 그리고 그 천장은 인간을 위해서 지어졌다고 하기에는 너무나도 높았다. 나와 아들은 기계거인의 탑에 끌려온 것이었다.

조심스레 탑 안을 살폈다. 건물 곳곳에는 기괴한 문양이 가득했다. 또 그 안은 크고 작은 조각들로 가득했다. 무슨 용도인지는 도무지 알 수 없었지만 짐작건대 기계거인들이 인류를 숭배하던 시절의 종교적 상징물로 보였다.

나는 빗속에서 기계거인과 추격전을 벌인 탓에 오한을 느꼈다. 이 고통은 복수심을 더하는 연료였다. 나의 아이들이 눈앞의 한 녀석을 제외하고는 전부 죽었다. 아직 걷는 것만이 고작인, 첫 사냥조차 나가지 못해본 어린아이들이었다.

자리에서 일어나려 했지만, 오한과 상처의 통증으로 그만 비틀거리고 말았다. 아들은 걱정되는 눈빛을 하고는 나에게 다가왔다.

나는 조용히 그 아이의 이마에 입을 맞춰주었다. 아이가 당황하지 않도록 주의하며. 나나 그 아이 모두 아직 이름을 정할 때가 아님을 알고 있었다. 하지만 내가 다시 일어나지 못할 경우를 대비하지 않을 수도 없었다.

[0f3c1vc0? 1p9k0c1cqb5?]

"기계어?"

[3x3k0h473c30b1h512q1fn30cd30.]

멀리서 쿵쿵거리는 발걸음과 함께 못생긴 거인이 다가왔다. 이 거인은 눈이나 코가 기능적이지 않게 커다랗고 피부는 병을 앓고 난 뒤처럼 창백해 기계거인 중에도 하품(下品)이 분명하였다.

못생긴 거인은 나와 아들 앞으로 다가오고는 무릎을 꿇었다. 나는 아이를 끌어안은 뒤 단도를 꺼내 경계했다. 이름을 내려주기는 어려울 상황이었다. 아예 이 자리에서 벗어나고 싶었지만 지친 몸이 마음대로 움직이지 않았다.

[q1k5fb70d1k0cx1]

"무어냐?"

[h1f0q12cb30c3c3g7b704hd1!]

못생긴 거인은 내 앞에 커다란 돌 하나를 내려놓았다. 그 돌 위에는 붉은 빛깔의 과실이 하나 놓여 있었다. 그 과실은 코를 찢어버릴 정도로 달콤한 향기를 뿜어냈다. 아마도 구세계의 기술로 만든 음식으로 보였다.

나는 다시 한 번 대모님의 가르침을 떠올렸다. 기계거인 중에 인간을 섬겨야만 한다는 본능을 보존한 종이 남아 있다고. 그들은 본능을 따라 인간을 섬기기 위해 자신의 탑에 인간을 가둬놓고는 제멋대로 숭배한다고.

이 탑의 주인으로 보이는 이 못생긴 거인은 비교적이나마 인간을 섬긴다는 목표를 이해하는 듯했다. 하지만 그렇다고 해서 안전하다는 보장은 없었다. 본능은 유지하더라도 인간의 언어를 이해하지 못하는 것은 마찬가지이기에 인간을 해치는 형태로 섬기기도 하기 때문이었다.

"어머니. 안심하세요. 이 기계거인이 뒤틀린 거인으로부터 저와 어머니를 구했어요."

"그러하였느냐?"

"네. 어머니가 기절하신 사이 거인이 저와 어머니를 보살폈어요."

결국, 고를 수 있는 선택지는 많지 않았다. 나는 눈을 감고서 못생긴 거인이 돌 위에 얹은 과일을 집어다가 한입 베어 물었다. 그 순간 뇌가 타버리는 듯 강렬한 충격에 몸을 가누지 못했다.

과일에서는 미궁에서 사냥했던 그 어떤 짐승보다도 더 달콤하고 진한 맛이 났다. 나는 곧장 취한 사람처럼 비틀거리면서도 그 과육을 탐닉했다. 전날의 싸움에 대한 기억이나 온몸에 감돌던 오한을 잊게 만드는 맛이었다.

[d1q100d1b07c9c0vb7c1.]

"어머니!"

하지만 과실은 어디까지나 미끼였다. 이 과실은 베어 무는 것만으로도 나를 황홀경으로 이끌었지만 동시에 무력하게도 만들었다. 못생긴 거인은 내가 과실을 다 맛보고 긴장을 푼 틈을 노려 그 커다란 손으로 나를 낚아챘다. 그러고는 가죽으로 만든 포획망에 나를 집어넣었다.

"무엄하다! 감히 기계 주제에 전사를 짐승처럼 다루는 것이냐?"

[c5ff1vk0? g01cq10k5b9gg1cl1g1.]

나는 단도로 주머니를 찢어보려 했지만 도대체 무슨 생물의 가죽으로 만들어졌는지 날을 박지도 못했다. 몇 번이고 고함을 질러 주머니에서 꺼내라 명령했지만 그 얼간이는 명령을 이해하지 못하고 기계어를 반복할 뿐이었다.

＊

그 뒤로는 끔찍한 고난이 기다리고 있었다. 못생긴 거인은 나를 그들이 제작되는 공장으로 데리고 갔다. 공장은 모든 벽과 바닥이 새하얐으며 무기질적인 빛이 그 창백함을 더욱 강조했다.

공장의 기계거인들은 내가 뒤틀린 거인과의 싸움으로 얻은 부상을 그들 방식대로 고장이라 파악한 듯했다. 그러지 않고서야 나의 유기질로 구성된 몸에 기계에나 들어갈 파이프를 박고 철심을 넣을 생각을 하지 못했을 테니까. 그들은 내 정신이 혼미해지도록 약품을 몇 번이고 강제로 주입한 뒤 수술하기를 반복했다.

오랜 시간이 지나 못생긴 거인이 공장에 돌아왔다. 나를 이 고문실에 던져놓았던 그 거인은 공장의 거인들과 기계어로 대화를 나누고는 나를 다시금 그의 탑으로 끌고 갔다.

공장에서의 가혹한 유폐 생활로 지친 나는 못생긴 거인의 탑이 차라리 반가웠다. 미궁만큼 자유로운 생활은 할 수 없었지만 공장의 그 역하디역한 쇠와 기름 냄새에서 벗어난 것만으로도 숨통이 트였기 때문이었다.

"어머니께서 오셨군요!"

"그러하다. 너는 무탈했느냐?"

무엇보다 이 탑에는 나의 아들도 남아 있었다. 아직 이름조차 지어주지 못한 아이였다. 이 아이에게만은 이름을 남겨주고 싶었다.

오랜만에 본 아들은 몇 달 보지 못했던 사이에 덩치가 제법 커졌다. 몸은 굵어지고 목소리가 낮아졌으며 근력도 강해졌다.

하지만 아이의 체형은 못생긴 거인의 탑에 갇혀 지냈던 탓인지 수렵 생활로 다부져진 그런 체형이 아닌 그저 커다랗고 무겁기만 한 물살에 가까웠다.

달라진 것은 아이만이 아니었다. 못생긴 거인이 지배하는 탑도 많은 것들이 바뀌었다. 공장으로 끌려가기 전까지 짧은 시간만 머물렀던 곳이지만 그럼에도 여러 차이가 눈에 들어왔다. 탑의 곳곳에는 그들의 숭배대상을 기념하는 종교적인 상징물이 늘었으며 인간이 걷기 좋도록 길이 따로 놓이기도 하였다.

"거인. 어머니께 식사하실 것을 드려."

[h10b5p1? k1gr1cg1cb0d1f4.]

아이가 고함치자 못생긴 거인이 곧 쿵쿵 커다란 발소리를 내며 달려왔다. 그러고는 저번과 같이 납작한 돌 위에 공장에서 가공된 고깃덩어리를 올려다주었다. 나는 기가 찬 표정으로 못생긴 거인을 노려보았다. 얼마 전에 약을 탄 미끼로 나를 꾀어 공장으로 보냈던 주제에 어찌 감히 또? 아들은 나의 경멸 어린 시선을 보고는 먼저 음식을 먹어 보임으로써 나를 안심시키려 했다.

"안심하세요. 안전한 음식이에요."

"우둔한 것. 안전 따위가 문제이겠느냐. 너나 내 명줄을 저것이 쥐고 있다는 것이 문제이지. 이제까지 너의 끼니를 저것이 챙겼느냐?"

아이는 말없이 고개를 끄덕였다. 어쨌든 나라고 이 상황에서 더 굶을 수는 없었다. 공장에서 당한 수술로 몸은 지쳐 있었고 거인의 탑 안에는 사냥할 짐승들도 보이지 않았으니까.

결국, 억지로 못생긴 거인이 마련해준 음식을 먹는 사이, 나는 놀랄 만한 풍경을 목격하게 되었다.

[k33f00f051h5ff10?]

"알았다. 어머니? 거인이 저를 부르니 잠시 가볼게요."

"아가, 어찌 네가 기계어를 아느냐?"

"자꾸 들으니까 몇 개는 외우게 되었어요."

아들은 뒤도 돌아보지 않고 대답하면서 기계거인의 목소리가 나는 곳으로 달려갔다. 나는 낭패감에 어찌해야 할지를 알 수 없었다. 내가 공장에 갇혀 있던 사이 나의 아이는 기계거인에게 길들여졌다. 그리고 이는 나에게도 머지않은 미래였다.

＊

나는 당분간이나마 탑에서의 생활에 적응하기로 했다. 뒤틀린 거인과 공장의 거인들에게 받은 상처가 낫기까지는 무리를 하지 않는 편이 낫다고 판단했기 때문이었다.

탑은 변화무쌍한 공간이었다. 건물은 수시로 그 구조와 지형이 바뀌었다. 어딘가에서 기이한 소음이 멈추지 않고 흘러나왔으며 못생긴 거인은 그 소음의 변화에 맞춰 의미를 알 수 없는 동작을 반복하고는 했다.

못생긴 거인은 나나 아이를 맞이한 것에 크게 흥분한 기색이었다. 다른 기계거인들과는 달리 인류에게 봉사해야 한다는 본능을 또렷하게 보존한 개체였던 것이다. 거인은 그가 점령하고 있는 탑 안에 아마 인간의 모습에서 본을 땄음이 분명한 우상들을 가져다놓기 시작했다. 단, 인지구조는 크게 뒤틀렸는지 우상의 모양새나 색은 엉망이었다.

그리고 겉보기로는 거인이 나나 아이를 섬기는 모양새였을지 모르나 주도권은 기계거인에게 있었다. 식량 창고나 정비소는 물론이거니와 탑에서 미궁으로 나가는 통로까지 많은 곳이 나와 아이가 갈 수 없도록 통제되었다.

[g1b1g30c9k3k50j5q1hc0d1c100fr1k0d9f0fb306]

못생긴 거인은 탑 바깥의 미궁에서 서식하는 기계거인들과는 달리 많은 면에서 불안정한 모습을 보였다. 특히 이 거인은 시와 때를 가리지 않고서 허공에 대고 중얼거리고는 하였다. 그러다가는 꼭 나의 아이를 품으로 끌어안고는 울기 일쑤였다.

나로서는 이 거인이 계속해서 눈물을 흘리는 이유가 무엇인지 종잡을 수 없었다. 그저 조용히 벽에 기대앉아 있다가 커다란 눈에서 커다란 물방울을 뚝뚝 떨어뜨리니 그 연원은 짐작하기 어렵고, 못생긴 거인 또한 이 탑 바깥의 거인들과 마찬가지로 미쳐버렸다는 사실만 다시 한 번 확인할 뿐이었다.

＊

비록 이 탑은 나가는 길이 굳게 봉쇄가 되었지만 기계거인을 피해 지낼 수 있을 정도로 넓기도 했다. 못생긴 거인은 평소 낮에만 생활하였다. 덕분에 나는 낮에는 탑의 구석진 곳에 숨어서 휴식하다 새벽이 되어 거인이 정지하면 그때 천천히 탑 안을 탐험하며 지낼 수 있었다.

문제는 나의 아이가 경계할 줄을 모른다는 점이었다. 이 경솔한 것은 말도 통하지 않는 저 못생긴 거인에게 마음을 허락하고 말았다. 그 결과 아이는 비대하게 살이 찌고 어눌하게 말했으며 성인답게 행동하는 방법을 배우지 못하였다.

나는 아들에게 미궁에서 살아남는 법을 더 일찍 가르치지 못한 것을 후회하였다. 대모님이 나에게 그러하셨듯이 인류의 휘황찬란했던 황금기와 기계거인의 반란으로 인한 몰락에 대해서 가르쳤어야 했으나 때는 이미 늦은 것이었다. 나는 이 아이가 실패했음을 어떤 사건 뒤에야 깨달을 수 있었다.

"거인아. 나 좀 봐. 나 좀."

[510? c7c1b1h5b5j0p3v3?]

그날 나의 아이는 못생긴 거인에게 다가가 거인의 발을 끌어당겼다. 기계거인은 무릎을 꿇은 뒤 몸을 숙여 그 큼지막한 얼굴을 아이에게 갖다 대었다. 그러고는 기계어로 무언가 떠든 뒤 아이를 두 손으로 어루만졌다.

"불경하다! 지금 무슨 짓을 하고 있는지 알고는 있는 게냐?"

"어머니?"

나는 못생긴 거인이 아이를 안고서는 입을 맞추려는 모습을 보고 놀라 거인의 손을 찰싹 때리고는 아이를 끌고 왔다. 불결하고 망측한 일이었다. 기계거인이 섬겨야 할 인간에게 구애를 하다니?

아들은 무슨 일이 일어난 것인지 모르는 눈치가 아니었다. 아무리 어린아이라고는 해도 이것이 구애의 신호라는 것을 모를 리는 없었다. 문제는 이 아이가 그 신호를 부정하지 않고 되레 즐겼다는 것이었다.

나는 아이를 끌고서는 다른 방으로 내달렸다. 내가 평소에 잠을 자던 그 좁은 방은 탑의 지하 최하층에서도 가장 구석진 곳이어서 덩치가 큰 거인의 손길이 닿지 않았다. 기계거인은 당황한 듯했지만 우리를 쫓진 않았다.

"수치를 알아라!"

"어머니. 제가 왜…."

"너의 어미는 전사다. 그리고 나의 피를 이은 너 역시 전사가 되어야 할 몸이다. 그런 네가 어찌 저따위 미물에게 재롱을 떠느냐?"

"저는…."

"시끄럽다!"

아이는 울먹이기 시작했다. 마치 젖먹이나 다름없는 꼬락서니였다. 나는 이렇게까지 퇴행적인 모습에 어찌할 바를 몰랐다. 이 아이를 어찌 가르쳐야 할지 혹은 그것이 가능이나 한 일인지

고민하는 사이 아들은 나를 피해 방 밖으로 달려나갔다.

"거인아! 거인아! 어머니가 나 혼냈어!"

말도 안 되는 투정을 부리면서 울부짖는 아이의 모습을 보고 있자니 어처구니가 없어 나는 그만 할 말을 잃고 말았다. 대모님께서 말씀하셨던 인류의 몰락이 어떤 것인지 이런 형태로 실감하게 되리라고는 상상도 하지 못한 일이었다.

선조들은 기계거인을 만든 뒤 그들에게 길든 나머지 스스로를 지탱하던 문명마저 붕괴시키고 말았다. 그들도 나의 아이처럼 퇴행하여 누구의 피도 마셔본 적이 없는 어린아이처럼 굴었으리라.

이후 나는 인간의 오만과 어리석음에 대한 회의로 상념에 빠지고는 했다. 아들과는 다시 말을 섞지 않았다. 내 일과는 오로지 이 탑에서 벗어나서 미궁으로 돌아갈 탈출로의 탐색밖에 남지 않게 되었다.

＊

오랜 관찰과 조사 끝에 나는 탑에서 탈출하여 미궁으로 돌아갈 수 있는 구역 몇 군데를 발견했다. 그중 하나는 탑의 꼭대기에 있는 온실이었다. 그곳은 미궁의 탑 중에서도 드물게 사방이 유리로만 이루어진 공간이었다.

이 탑의 거인은 인간에 대해 봉사한다는 본능 외에도 구세계에서 거인들이 명령을 받았던 작업들을 기억하고 있었다. 그중 하나가 바로 온실에서 미궁의 백류석 밑에 갇힌 숲을 복원하는 작업이었다. 그는 온실에서도 건강하지 않은 나무가 있으면 탑을 둘러싼 벽에 화분을 얹어 빛을 쬐어줄 정도로 작업에 열성이었다.

온실의 유리벽은 이음새가 단단히 붙어 있었지만 몇 군데 기계거인의 키로만 닿을 곳에 바깥 공기를 들여보내기 위한 거대한 창이 달려 있었다. 나는 혹시라도 못생긴 거인이 창을 닫지 않고서 나가는 경우가 있지 않을까 기대하며 온실을 찾고는 했다.

창이 열려 있던 적은 단 한 번도 없었지만 그럼에도 나는 실망하지 않았다. 비록 창이 닫혀 있더라도 탑 바깥 미궁의 풍경을 바라볼 수 있다는 것만으로도 안심되었기 때문이다. 나는 내가 아직 이 탑에서의 유폐 생활에 길들지 않았다고 확인해야만 했다.

그런 와중에 하루는 반가운 손님을 맞이하기도 했다. 내가 첫 번째 사내와의 사이에서 만든 아이, 오로메가 미궁을 탐색하다 내가 갇힌 탑 근처를 지나게 된 것이었다. 우리는 유리창을 사이에 두고 안부를 나누었다.

"시로아시. 이곳에 갇히셨습니까?"

"오로메. 오랜만이구나."

"이 탑에 갇힌 어리석은 인간에 대한 소문은 익히 들었습니다만 그 인간이 당신이라고는 상상도 못 했군요."

"여전히 오만하구나."

"성질이야 제 어미를 닮지 않겠습니까?"

"농지거리는 그쯤 해두어라. 나는 곧 나갈 것이다. 뒤틀린 거인에게 입은 상처가 낫기만을 기다리고 있을 뿐이다."

오로메는 첫 번째 사내와의 사이에서 만든 아이 중에서 사냥꾼의 자질이 가장 빼어난 아이였다. 내가 이름을 붙여주고 떠나보낸 뒤 몇 번인가 마주친 적은 있지만 이렇게 길게 대화를 나눈 것은 처음이었다.

"이곳에 갇힌 이가 하나 더 있다 들었습니다만."

"너와는 아비가 다른 동생이다. 그놈은 글렀다. 거인에게 길들여졌다."

"당신의 아이답지 않군요. 하지만 오히려 잘된 일인지도 모릅니다."

"무슨 삿된 소리냐?"

오로메는 그 큰 눈동자를 이리저리 굴리며 한참 동안 단어를 고르다가 겨우 말문을 열었다.

"산류비 님께서 돌아가셨습니다."

"대모님이?"

"그렇습니다. 뒤틀린 거인은 당신이 숨은 이후 더 미쳐 날뛰기 시작했습니다. 얼굴에 흉터가 생겨 원한을 품은 모양입니다. 비가 오는 밤이면 미궁 곳곳을 수색하며 인간들을 학살하였고 어느새 그 범위가 해등로까지 넓어졌지요."

오로메는 나의 추궁에 당시 일어난 사건을 상세하게 전해주었다. 내가 뒤틀린 거인에 의해 큰 부상을 입고 어디론가 끌려갔다는 소식에 대모님은 경계령을 내리셨다 한다.

하지만 이런 경고에도 불구하고 사냥을 하다 발을 다친 바 있는 타타리가 뒤틀린 거인에게 그 은신처를 발각당했다 한다. 비가 오는 밤이었는지라 그만 발자취를 남기고 말았다는 것이다.

뒤틀린 거인은 나로 인해 겪은 실패를 다시 한 번 겪지 않으려고 이전보다 더 긴 손톱을 달고 나타났다 했다. 타타리는 노련한 사냥꾼이었지만 한쪽 다리를 저는 상태에서 악에 받친 기계거인을 상대하지는 못했다.

결국, 대모님께서는 타타리가 무사히 도망칠 수 있도록 뒤틀린 거인에게 덤벼들어 그 주의를 돌리셨다 한다. 손가락이 셋 달린 그 손이 뒤틀린 거인에게 쥐어뜯길 때까지 말이다.

"시로아시. 당신이 타타리보다도 훈련된 사냥꾼임은 저도 인정합니다. 기계거인을 상대로는 저 위대한 산류비 님보다도 큰 공적을 올리셨다는 것도 알고 있습니다. 하지만 그 상대가 뒤틀린 거인이어서는 누구라도 승리를 장담하지 못합니다. 인간끼리 싸울 때조차도 신장과 체중의 차이는 승부를 결정짓는 요소들입니다. 그런데 기계거인과 인간 사이의 격차는 실력으로 메울 수준이 아닙니다. 부디 상황이 수습될 때까지 이 탑에 계십시오."

"경솔한 것 같으니. 네가 나에게서 구세계의 인류가 어떻게 몰락하였는지를 듣지 않았더냐? 지금도 이 탑 안에서는 나의 아들이 비굴하게도 기계거인에게 끼니를 구걸하고 있다!"

"그러면 어떠합니까?"

나는 유리창 너머에서 탄식하는 옛 딸을 바라보았다. 오로메는 조롱하는 기색도 없이 담담하게 비굴한 현실에 대해 변명하기 시작했다.

"구세계의 영광이라고는 하나 몇 세대 전의 이야기입니다. 저 기계거인으로부터 이 별을 되찾는다 하여도 이 역시 몇 세대는 지난 후의 이야기이지 않겠습니까?"

"받아내야만 할 핏값을 지우라는 말이냐?"

"시로아시. 미궁의 다른 이들에게 듣자 하니 이 탑의 거인은 비록 우둔하나 심성은 바르다고 합니다. 몸을 귀히 여기십시오."

"네가 그토록 나를 생각하는 줄은 몰랐구나."

오로메는 나의 비아냥에도 불구하고 표정 하나 바뀌지 않았다. 오히려 더욱 진지하게 나의 마음을 돌리려고 하였다.

"얼마 전의 일입니다. 저는 당신이 그러하셨던 것처럼 아이를 가졌습니다. 하지만 도무지 이 미쳐버린 거인들의 나라에서 제 아이를 기를 자신이 없더군요. 뒤틀린 거인이 주로 활동하던 곳은 제 근거지와 가까웠으니까요. 그래서 제가 어찌하였는지 아십니까?"

"어쨌지?"

"주변을 수소문해 아직 인간을 숭배하는 법을 잊지 않은 기계 거인의 탑을 찾아 그 앞에 버려두고 왔습니다. 그 거인 역시 미쳐 있습니다만 끼니는 구할 줄 압니다. 당신이 산류비 님을 대모로 모신 것처럼 그 아이들이 그 거인을 대모로 모실지도 모르지요. 저의 이름 모를 동생이 그러한 것처럼 말입니다."

오로메는 여전히 단단한 바위처럼 굳은 표정이었지만 그 손만은 파르르 떨고 있었기에 분을 삭이고 있음을 알 수 있었다. 나는 무참한 기분이 되어 나의 가장 뛰어났던 핏줄을 바라보았다.

오로메는 오만하지만 그 오만함이 부끄럽지 않을 만큼이나 눈부신 재능을 가진 아이였다. 하지만 그 아이는 자신이 나로부터 이름을 받아 사냥꾼이 되었던 것과는 달리 자신의 아이에게는 이름을 줄 수 없는 길을 택했다. 그 아이는 수치를 무릅쓰고 안간힘을 다해 이제까지 꺼내지 못한 한마디를 뱉었다.

"시로아시. 나는 나를 낳았던 당신만큼 강하지 않습니다. 지금의 당신 또한 나를 낳았던 당신만큼 강하지 못합니다. 그만 현실을 받아들이십시오."

✳

[q12ch1f14bj01k0b1ck1b50v3vc30.]

"못생긴 거인이여."

오로메와 헤어진 얼마 뒤의 일이었다. 그날은 비가 내렸다. 나는 각오를 다진 뒤 탑의 중심부로 찾아갔다. 그곳은 거인이 스스로를 정비하는 곳이었다. 탑의 주인은 또 무슨 연유에서인지 벽을 바라보며 눈물짓고 있었다.

저 못생기고 우둔한 거인은 항상 탑 어딘가에 숨어 지내던 내가 그에게 다가온 것에 적잖이 놀란 눈치였다. 거인은 커다란 눈으로 더 많은 눈물을 흘리면서 나를 맞았다.

나는 그의 발치로 다가가 그 발에 입을 맞추었다.

[20k5gh51g7j9c0f0c0?]

"자네가 한결같이 인간을 위했음을 나는 이미 알고 있었지."

[0k307f0l0cb72?]

"서툰 방식이라도 힘이 닿는 데까지 인간을 지키고 또 보살핀 게야."

나는 고개를 들어 높은 곳에 위치한 거인의 얼굴을 바라보았다. 오로메가 말했던 것처럼 우둔하지만 그래도 바른 심성이 느껴지는 표정이었다.

거인은 조심스레 손을 뻗어 내 머리에 얹었다. 나는 별다른 굴욕도 느끼지 않고 거인이 나를 쓰다듬도록 내버려두었다.

"나는 어디까지나 그대에게 객식구나 다름없었지. 그럼에도 자네는 성심껏 나에게 봉사하였고. 이제 그대의 깊은 후의에 사의를 표하고자 하네."

[51v0c1b1gd5... j1k0cx0b3d5d510?]

"이후의 일은 그대에게 부탁함세."

바깥의 빗소리가 더욱 세차게 울리기 시작했다. 나는 도망치듯이 거인의 품에서 빠져나왔다. 그러고는 한때 오만했던 딸의 충언을 되새겼다. 그 아이의 말이 맞다. 나는 더 이상 오로메를 낳았던 그 시절의 나만큼 강하지 못하다. 현실을 받아들여야만 할 때다.

✳

"시로아시."

"돌아가지 않았구나. 잘 해주었다."

"고작 저의 세 치 혓바닥을 몇 번 굴린 정도로 당신의 오만함이 꺾이리라는 생각은 애초에 한 적이 없습니다."

오로메는 어두운 밤의 그림자 속에 숨은 채 짧게 비아냥거렸다. 나는 높은 경도의 유리벽을 단도로 타고 오르느라 지친 상태였지만 아이에게 웃어줄 여유 정도는 남아 있었다.

뒤를 돌아보자 못생긴 거인이 가꾼 온실이 보였다. 못생긴 거인은 하루에 한 번은 온실의 창을 열고 환기를 한다. 거인이 늘 바로 옆에 있었기에 그 틈을 타고 창을 빠져나가는 것은 무리였지만 창 바깥의 누군가가 창이 완전히 닫히지 않게 걸림돌을 놓는 정도는 가능했다.

나는 오로메를 만나고는 못생긴 거인이 창을 열었을 때 창틀에 몰래 걸림돌을 놓기를 주문했다. 그리고 이 아이는 훌륭하게 작전을 수행했다.

"아직 이름을 붙이지 않은 아이는 두고 오셨습니까?"

"그렇다. 그 아이의 이름은 못생긴 거인에게 나 대신 지으라 한 참이다. 네가 말했던 바와 같이 그 아이도 그편이 더 행복할 것이다."

오로메는 내 목소리에서 치욕을 읽어냈지만 긴말은 하지 않았다. 나는 별이 가득한 밤하늘을 바라보았다. 공기에서 나는 시큼한 냄새로 조금 전까지 내렸던 산성비의 기색을 느낄 수 있었지만, 곧장 다시 비가 내리지는 않을 것 같았다.

"탑 안에 갇혀 있었더니 바람을 읽기 어렵구나. 네 보기에 언제 또 새벽비가 내릴 것 같으냐?"

"철이지 않습니까. 사흘 안에는 비 소식이 있을 겁니다."

"주어진 시간이 많지 않구나."

나는 오로메와 함께 탑의 외벽을 타고 내려갔다. 탑의 외벽에는 온갖 종류의 파이프들이 혈관처럼 연결되었기에 온실의 유리벽을 오를 때보다는 훨씬 수월했다.

하지만 오랜만에 탑 바깥에 나오니 익숙하던 것들이 익숙하지 않게 다가왔다. 오로메가 보기에도 나의 움직임이 예전 같지가 않았는지 답지 않은 충언을 할 정도였다.

"진심으로 거인 사냥에 나설 생각이십니까? 승산이 없는 싸움이지 않습니까?"

"받아내야 할 핏값이 있지 않느냐."

오로메의 말이 맞았다. 나는 과거와 달리 기계거인의 위협 속에서 아이를 기를 만큼 강하지 않았다. 시간이 흐를수록 나는 더약해지기만 할 것이다. 어쩌면 저 유리벽을 타오르지도 못하게될 정도로도.

그러니 아이를 못생긴 거인에게 맡긴 지금이 거인 사냥을 시도할 수 있는 마지막 기회였다. 나는 이 기회를 놓칠 생각이 없다.

✳

오로메의 계산대로 사흘째가 되는 밤에 새벽비가 내리기 시작했다. 나는 피난처를 돌아다니며 동포들이 무사한지를 확인하고뒤틀린 거인의 행적에 대해 수소문했다.

촉을 곤두세우고 있는 것은 나뿐만이 아니었다. 동포들 덕에뒤틀린 거인의 위치는 곧장 특정할 수 있었다. 다행히 뒤틀린 거인은 내게 익숙한 곳에 있었다.

"나는 홀로된 아이로 태어났으나 해등로의 지배자 산류비의 은혜로 그의 딸이 되었으며 이윽고 이름을 받아 노해로의 전사가 된 시로아시다!"

[73v0t1fg73cd30!]

나는 석벽의 위를 달려서 곧장 뒤틀린 거인의 목덜미를 붙잡았다. 뒤틀린 거인은 비가 내리는 미궁을 거닐며 다음 사냥감을 찾고 있었지만 자신이 사냥감이 되리라고는 상상조차 못 한 듯했다. 그러지 않고서야 내가 석벽에서 그 거인의 어깨 위로 뛰어올랐을 때 그렇게나 꼴사나운 비명을 질렀을 리 없으니까.

깡마른 몸과 가느다란 목 그리고 큼지막한 머리까지 뒤틀린 거인의 것이 확실했다. 무엇보다도 고약한 얼굴에 내가 단도로 찔러 새겨준 흉터가 이를 증명했다. 나는 다시 한 번 단도를 그 흉터에 박아 넣었다.

[0b10j10r0b1!]

알고는 있었지만 이 단도로는 치명상을 입히기 어려웠다. 그나마 목을 노려야 승산이 있을 터이나 큼지막한 머리에 숨은 목을 찾아내기란 쉬운 일이 아니었다.

내가 주춤한 사이 뒤틀린 거인은 이번에도 나를 들어다 석벽으로 던졌다. 예상한 일이었기에 나는 어렵지 않게 석벽에 부딪히지 않고 바닥을 굴러서 충격을 완화했다.

뒤틀린 거인이 고통으로 울부짖는 사이 나는 다시 한 번 석벽을 타고 올라갔다. 거인 사냥에서 고지를 점령하는 것은 무엇보다 중요하다. 오로메가 지적했던 바와 같이 기계거인과 인간 사이에는 신장과 체중 차이가 크다. 여기에서 하나라도 차이를 좁혀야만 했다.

나는 전력으로 석벽 위를 달려 자리에서 벗어나려 했다. 뒤틀린 거인은 괴성을 지르면서 미친 듯이 쫓아왔다. 그러면서도 커다란 바위를 주워 던지기까지 하였으나 내 잽싼 몸놀림에 한 번도 나를 맞추지는 못했다.

곧 내가 처음부터 결전의 장소로 점찍었던 곳에 도착했다. 바로 미궁에서 못생긴 거인이 지배하는 탑으로 가는 길목이었다. 앞선 싸움은 모두 이곳까지 뒤틀린 거인을 끌고 오기 위한 미끼에 불과했다.

내가 올라탄 석벽은 그 높이가 뒤틀린 거인의 머리 위를 훌쩍 넘길 정도였다. 다른 지역의 석벽은 뛰어올랐을 때 고작 기계거인의 어깨에 타오를 수 있지만 이 지역에서라면 손쉽게 그 머리 위를 노릴 수 있었다.

"내가 너를 사냥한다!"

[k7b3!]

나는 불시에 뛰어올라 뒤틀린 거인의 목을 노렸지만 이 상황을 기다리던 것은 나만이 아니었다. 뒤틀린 거인이 내가 뛰어드는 순간을 노려 그 기다란 손톱으로 나의 배를 찌르고 만 것이다.

결국, 나는 기절할 것 같은 격통에도 불구하고 한 번 더 뛰어올라 맞은편의 석벽 위로 올라가야만 했다. 뒤로 물러나려 했지만 장애물에 부딪혔다. 나는 내장을 쏟아내지 않도록 숨을 골랐다.

거인은 나를 쫓아 석벽에 오르려고 하였다. 둔중한 무게 때문에 바로 오르지는 못했지만 바위를 받침으로 삼아 곧 그 위에 올라올 것이 분명했다.

[0j10r0h1cd9j0q50f9fl4g3bb5g1fb30v3!]

"사의를 표한다."

[d730k4!]

"너의 어리석음에."

나는 뒤틀린 거인이 용을 써가며 벽을 오르려고 할 때 온 힘을 다해 내가 부딪혔던 장애물을 벽 쪽으로 밀었다. 그 장애물은 바로 무겁고도 단단한 화분이었다. 평소와는 달리 석벽이 비에 젖었기에 가까스로 내 힘으로도 밀쳐낼 수 있었다.

퍼석, 하고 둔탁한 소음이 났다. 내가 밀친 화분이 뒤틀린 거인의 머리통을 직격한 것이었다. 제아무리 기계거인이라도 이만한 질량의 충격에는 이겨낼 도리가 없었는지 뒤틀린 거인은 신음 소리와 함께 바닥으로 떨어졌다.

이 석벽은 못생긴 거인이 지배하는 탑의 석벽이었고 그 위에는 볕을 쬐기 위해 놓은 화분들로 가득했다. 그 높은 벽으로 신장의 차이를, 무거운 물건으로 체중의 차이를 지우면 되는 것이었다.

"끝났다…."

나는 두개골이 깨진 채 바닥에 쓰러지고는 체액을 쏟아내는 뒤틀린 거인의 모습을 확인한 뒤 안도의 한숨을 쉬었다. 거인 사냥에 성공한 것이었다.

그렇다 해도 이는 반쪽짜리 성공이었다. 나 역시 배를 찔렸으니 말이다. 피가 빗물을 타고 석벽을 적셨다. 나는 죽을 것이다.

대모님과 이름조차 받지 못한 나의 아이들이 그러하였듯이.

[1c0j10h4b300g7j9c... 3? 251! 251g7j9c0f02!]

죽음을 마주한 순간 탑의 문이 열리고는 그 안에서 못생긴 거인이 뛰쳐나왔다. 못생긴 거인은 문밖으로 나와 뒤틀린 거인의 두개골이 박살 난 꼴과 그 옆 석벽에 쓰러진 나를 보고는 괴성을 질렀다.

[251b510cl1cq1lk3ls5h473c70b1k1!]

못생긴 거인은 이번에도 눈물을 흘리면서 나를 품에 안았다. 그러고는 무슨 뜻인지도 모를 기계어로 떠들어대기 시작했다.

소란스럽기는. 겨우 죽음을 맞이하게 될 참인데 이렇게나 정신 사납게 굴다니. 나는 언제나 기계거인들의 이 교양 모르는 태도가 질색이었다. 구세계의 인류는 최소한의 교육조차 하지 않은 것인가?

[d1q100d1... h0s10g7c30h3ck4j3b9f3qk0k7bk0c1cq9fb32.]

그나마 만족스러운 것은 구세계의 인류가 기계거인을 설계하면서 발열 기관을 많이 달아놓았다는 점이었다. 밤새 쏟아진 비로 인해 내 몸은 차게 식었기에 기계거인이 품에서 나는 온기는 제법 반길 만했다.

나는 고개를 들어 못생긴 거인의 이마에 입을 맞추었다. 그것의 이름은 이제 나기미조였다. 이 우둔한 기계거인은 영문을 모른 채 눈물을 폭포처럼 쏟아냈다. 한심하기 짝이 없는 꼬락서니.

구세계의 영광은 끝이 난 지 오래였고 인류의 역사도 곧 종언을 맞이할 것이다. 이 별은 스스로의 사명과 본분을 잊어버린

어리석고 추악한 괴물들의 소유가 될 터이다. 하지만 그럼에도 불구하고 나는 이 눈물 많은 거인이 밉지 않았다.

　나는 마지막으로 눈을 감으며 그렇잖아도 못생긴 얼굴이 눈물로 범벅되어 더더욱 못생겨진 거인에게 축복을 내렸다. 부디. 부디 이 눈물이 많은 거인의 앞날이 그만큼이나 따스하고 사랑스럽기를.

남극
낭만담

✦ 2019년 《냉면》(안전가옥) 수록

1

남극의 오로라는 이런 상황에서마저 아름답더라고요. 어두운 밤하늘을 무대로 끊임없이 춤을 추며 빛나는 자기장의 파도. 이렇게나 추위와 굶주림 속에 괴롭기만 하더라도 이 광경에는 위안을 받네요.

저는 다시 한 번 세연 씨를 바라보았어요. 그러고는 말없이 다독여주었지요. 아무리 그래도 이렇게나 열심히 말도 못 꺼내는 모습을 보면 그게 좀, 미안하잖아요. 지금 이 상황이 세연 씨 잘못인 것도 아니니까요. 그런데 당사자는 그렇게 생각하지는 않는 것 같아서 좀 그렇더라고요.

세연 씨는 한숨을 푹 쉬고는 저를 따라 차 지붕 위에 드러누웠어요. 그러고는 저랑 같은 하늘을 바라보았지요. 별이 쏟아질 것만 같은 저 하늘을요.

세상에. 저는 이제까지 '별이 쏟아질 것만 같은'이라는 관용구가 진정 무슨 의미인지 감도 못 잡고 있던 것이더라고요. 지금 세연 씨와 제가 바라보는 하늘은 정말이지, 검은 종이 위에다 설탕 자루를 쏟아 부은 것처럼 무수한 별들이 반짝거리고 있었거든요.

"죄송해요."

"괜찮대두. 세연 씨 때문이 아니잖아."

그야 그렇죠. 남극 대륙에서 냉면 한 그릇을 먹으려다 이 모든 시련과 불운 그리고 고통을 겪게 되리라는 것을 과연 그 누가 상상할 수 있었겠어요?

저와 세연 씨는 그렇게 고장이 난 설상용 개조 차량 위에 누워 까마득한 얼음 절벽 틈새로 보이는 극지대의 밤하늘을 바라보게 되었습니다. 남극 장보고기지에서 출발한 구조대가 저희를 찾아오기를 기다리면서요.

"그러네요. 우라지게 많아요."

2

일의 발단은 이렇습니다. 저는 작년 말부터 개인적으로 준비하던 프로젝트가 하나 있었어요. 그리고 촬영 중에 추운 곳에서 촬영하면 좋겠다 싶은 장면이 떠오르더군요. 하지만 독립영화 감독이라는 것이, 그중에서도 또 다큐멘터리 감독이라는 것이 어디 로케에 들 비용을 마련하기 좋은 직업은 아니더라고요.

그래서 이를 어쩌나 발만 동동 구르던 중에 정부에서 예술가들을 대상으로 극지 연구소에서 두 달 정도 머물며 이런저런 취재를 할 기회를 주는 지원사업이 있다는 것을 알게 되었어요.

당연히 바로 지원을 했고, 어찌어찌 복잡하고 귀찮은 서류작업의 산을 넘어 이렇게 탁, 남극 세종과학기지보다도 더 깊숙한 내륙에 위치한 남극 장보고기지에 머물게 되었지요.

"남극을 보고 싶어 하시는 작가님들이 의외로 숫자가 많더라고요. 몇 년 전에는《미생》을 그리셨던 윤태호 작가님도 오셨었어요."

"장그래가 남극도 간대요?"

"어… 저도 그때는 연구원이 아니었어서 잘 모르겠어요."

"그렇구나."

그리고 이 남극 장보고기지에서 저는 저의 방짝이자 빙저호를 연구하는 과학자 세연 씨에게 많은 도움을 받게 되었지요. 4인실을 배정받기는 했지만 여자 대원이 많지 않아서 두 사람만 쓰라는 이야기에 가급적이면 성격이 맞는 사람이랑 방짝이 되기를 바랐는데.

"세연 씨."

"…네? 네!"

"나 씻으러 갈 건데 같이 가자고."

"네! …네?"

이렇게 뜬금없이 대화가 막히는가 하면.

"……."

"……."

"……."

"……."

"……."

이렇게 평범하게 대화가 막히기도 하였죠.

세연 씨는 남극 장보고기지에 빙저호를 연구하러 왔다고 했어요. 남극의 두꺼운 빙하 밑에 가끔가다가 호수가 생기는 경우가 있는데 그게 빙저호래요. 수백 미터에서 수 킬로미터 두께의 얼음층 아래에 외부와는 완전히 고립된 생태계가 있다는 것이지요.

그렇잖아도 고립된 남극 대륙에서 한 번 더 고립된 빙저호를 연구한다니. 언제나 대학 도서관에서 모니터와 논문들만 마주했을 법한 인상의 세연 씨에게 어쩜 그렇게 어울리는 연구 주제가 있는지 그저 놀랍더군요.

사실 세연 씨의 첫인상은 전혀 이런 이미지가 아니었어요. 배구선수 같은 키에 바싹 탄 피부만 봐서는 완전히 아웃도어파로만 보였는데. 이제 와 생각하면 그 수줍음 가득한 미소에서 눈치를 챘어야 싶어요.

알고 보니 키 크고 어깨도 넓은데 밥은 굶기 일쑤라 몸은 깡말랐고 바싹 탄 피부도 남극 대륙의 강렬한 자외선 탓이었더라고요. 그 외에는 그저 뭐 인도어파. 그냥 인도어도 아니라 인도어온베드파.

세연 씨가 불편했다는 이야기는 아니에요. 탁구공처럼 대화의 소재가 핑, 퐁, 핑, 퐁 이어지지 않는 경우가 있더라도 세연 씨는 저에게 무척 친절했거든요. 다만 한국-파리-호주-칠레로 이어지는 여행길에서 다른 대원들이랑 더 친해지기도 했고, 남극 대륙까지 들어가는 쇄빙선 아라온호에서 같은 방을 쓰면서도 좀 데면데면 했다 보니까요.

여하튼 프로젝트를 진행하기 위해 오기는 했는데 그 준비 과정에 있어 약간의 착오가 생긴 나머지 필요한 물건들이 아직 도착을 하지 않았더군요. 그래서 제 일정은 도착하자마자 붕 뜨고 말았어요. 그러자 세연 씨는 같은 탐사대 대원으로서, 또 방짝으로서 남극까지 와서 멍 때리는 저를 위해 고생스러운 계획 하나를 제안하더군요.

"저… 언니. 잠깐 괜찮으세요?"

"응, 왜요?"

"제가 이번에 김 박사님이랑 근우 씨랑 같이 2박 3일로 탐사를 가거든요."

"응, 그런데?"

"혹시 시간이 비신다면… 저희랑 같이 가셔서 운석 찾는 일 좀 도와주실래요?"

"진짜? 나, 나 할래! 나 데려가! 그런 일이면 제가 부탁드리고 싶죠!"

아니 그게. 그때는 진짜 조금 낭만적으로 들렸거든요.

3

"우 감독이 다큐멘터리 감독이면 빙폭이나 빙탑 같은 걸 봐야하는데. 아니면 크레바스라든가. 되게 멋져."

"김 박사님은 자주 보셨어요?"

"나야 월동대원으로도 있었으니까 꽤 봤지. 운 좋으면 나중에 한번 같이 가자고."

"어딘데요?"

"있어. 전에 나 고립되었던 곳."

"아, 거기…."

김 박사님은 남극에 자주 오셨던 만큼 별별 사건사고를 당하고 또 저지른 사람이라고 하더군요. 그중에서도 근래 가장 큰 사고가 몇 달 전 설상차가 전복되어서 같이 차를 탔던 연구대원 한 분이 크게 다치고 김 박사님도 오랜 시간 동안 오지에서 고립되어야만 했던 일이었다고 해요. 그런 곳으로 촬영을 가라니, 심성도 곱죠.

팀의 대장이라고 할 수 있는 김 박사님은 지구물리대원이었어요. 월동대원으로 지낸 적도 몇 번이나 있는 베테랑이기도 했지요. 몸집이 왜소하지만 그래도 눈에는 생기가 넘쳐흐르는 학자님이시고요. 끼고 계신 안경의 도수가 어찌나 높은지 눈이 좁쌀만 할 정도로 작게 보이는 것이 참 그분 성격이 보이는 지점이랄까요. 가끔은 그 작은 눈에서도 묘한 빛이 흘러나온다는 점이 특이나요.

"우 감독은 우리한테 그런 데 데려가달라고도 안 하네. 남극에는 뭐 찍으러 온 거야?"

"남극에서 밥 먹는 거 찍으려고요."

"원, 농담도."

"진짠데? 박사님, 저기 튀어나왔다."

김 박사님은 자동차의 운전대를 돌렸어요. 눈 위라고는 해도 무척이나 매끄럽게 코너를 돌더군요. 4인용의 작은 차였지만 개조되어 큼지막한 바퀴가 달려서 운전하기는 쉽지 않은 모양새였는데 말이에요. 저도 딱히 제 프로젝트를 설명하고는 싶지 않아 창밖의 새하얀 설원을 바라보았어요.

세연 씨의 권유가 있던 다음 날, 저는 K-루트 탐사 제3조에 속하게 되었어요. 그러고는 다른 조들과 함께 캠프1까지 이동했지요. K-루트 탐사조라고 말하면 무척 거창한 느낌인데, 내용 자체는 일종의 캠핑이나 다름없었지요.

K-루트 탐사조는 남극 세종과학기지, 남극 장보고과학기지에 이은 세 번째 과학기지 건설 후보 지역을 둘러보는 임무를 맡고 있었거든요. 본격적인 탐사가 시작된 것은 아니라서 저 같은 외부인도 쉽게 잡무 및 견학을 목적으로 합류할 수 있었어요.

우리 팀, 그러니까 제3조는 김 박사님과 근우 씨와 세연 씨 그리고 저 이렇게 4인 구성이었어요. 좋게 말하자면 초심자 팀이고 나쁘게 말하자면 '멀리 가기는 귀찮아' 팀이었지요.

저희 말고 다른 탐사조는 헬기를 타고 나가서 일주일 가까이씩이나 캠핑을 하며 후보지를 물색한다고 해요. 하지만 제3조는 그렇게까지 하기에는 아직 남극 생활이 익숙하지 않거나 너무 익숙해서 이제 와 굳이 더 뭘 하고 싶지 않은 사람들의 모임이었어요.

"남극 풍경이야 내셔널지오그래픽 같은 곳에서 천문학적인 설비로 촬영한 작품들이 넘쳐나잖아요. 우 감독님은 우 감독님 작품세계 챙기셔야죠. 첫 작품이 팔도 생활사를 다룬 거였던가요?"

"그렇죠. 애초에 제 장비 정도로 찍은 영상은 그쪽 판에서는 영상 취급도 안 해줄 걸요? 내 장비는 어쩌면 근우 씨가 가져온 장비보다도 못할지도 몰라."

"어쩌면이 아니라 더 비싼 물건이 맞습니다."

"부럽게 자랑은."

근우 씨는 웃으면서 카메라를 들어 보였어요. 아닌 게 아니라 제 카메라보다 2.5배는 더 비싼 물건이더라고요. 제 것도 그래도 공모전 상금을 탈탈 털어서 투자한 물건이었는데 말이죠. 근우 씨는 언제나 선크림을 한가득 바르고 마스크도 열심히 쓰고 다녀서 남극에서 생활하는 사람이라고는 상상하기 어려울 만큼 피부가 하얬어요. 체형도 김 박사님과는 달리 약간 포동포동했고 인상이 참 선했지요.

근우 씨는 건설전문대원이었어요. 다른 대원들과는 달리 학계에 소속된 연구자는 아니었고요. K-루트 사업의 결과로 만들어질 제3기지 건설과 관련해 현대건설 측에서 미리 파견 나온 자문위원에 가까웠어요. 그래서 근우 씨가 갖고 온 사진기나 카메라 등이 모두 다 최신형의 회사 장비들이었지요.

김 박사님과 근우 씨는 오래도록 알고 지낸 사이였다고 해요. 근우 씨는 남극 장보고과학기지 준공 당시에도 참여한 베테랑이었거든요. 김 박사님도 공사 당시에 남극에서 계속 지내셨기 때문에 인연이 이제까지 이어졌다고 하고요. 그때가 2010년대 초였다니 이후로 김 박사님이나 근우 씨 모두 커리어가 제법 쌓여, 두 사람 모두 이번 K-루트 사업에서도 나름의 중책을 맡게 되었대요.

근우 씨는 이 좁디좁은 남극 장보고과학기지 안에서 유일하게 제 작품을 본 적이 있는 사람이기도 했어요. 저 같은 신출내기 다큐멘터리 감독의 입봉작을 챙겨봤다면 자기가 씨네필까지는 아니라고 말하는 씨네필의 단계조차 이미 넘어선 사람이죠. 이 사람도 참 신기해요. 도대체 그걸 어떻게 찾아본 거지?

"그런데 연구소 사람들만 남극 오는 게 아니었어요? 기업 사람들도 오고 그래요?"

"연구자들만큼은 아니지만 관계자들이면 다 오지. 저번에는 현대자동차에서 싼타페로 양산차 최초로 남극 횡단하고 그랬는걸. 그때 그 자동차들 남극 기지에 다 기부하고 그랬어."

"어? 저 주차된 차 중에서 싼타페 못 본 것 같은데요?"

"에이, 그게 몇 년 전인데. 남극 같은 극지 환경에서 자동차는 좀 과장되게 말해서 다 소모품이야. 우리가 타고 있는 차도 남극 환경에 맞게 만들어진 특수품에 정비도 꾸준하게 받고 있지만 한국에서만큼 오래는 못 써."

"그렇구나."

"그렇지."

우리는 이런저런 잡담을 나눴지만 세연 씨는 조용히 입을 다물고 창밖만을 바라보더군요. 어쩌면 진지하게 남극 대륙에 떨어진 운석을 찾고 있는 것일지도 모르겠다 싶었어요. 저도 딱히 무슨 말을 건네기는 애매해서 앞좌석의 두 사람과 계속해서 대화했고요.

세연 씨의 설명으로는 남극 대륙 같은 곳에서 운석을 발견하기 좋대요. 왜냐하면 다른 대륙에서는 떨어진 돌덩어리를 봐봤자 이게 운석인지 그냥 원래 있던 돌인지 알 수가 없지만 남극은 하얀 설원 위에 무언가가 떨어져 있다면 땅에서 솟아난 것이 아닌 하늘에서 떨어진 것이리라 쉽게 짐작할 수 있기 때문이라나요.

그렇다는 이야기는 결국 남극 대륙에서 운석을 찾아내는 방법은 하얀 설원을 내내 노려보다가 검은 점이 하나 보이면 그게 운석이리라 기도하며 일일이 확인하는 수밖에 없다는 것이지요. 세연 씨는 어쩌면 저렇게 열심히 할까 싶을 정도로 창밖만 노려보는 일만 하더라고요.

물론 이 고급인력들, 정확히 말하자면 저를 제외한 이 고급인력들이 이렇게 하는 거 없이 자동차 창밖만 바라보는 드라이브를 하려고 나온 것은 아니에요. 어디까지나 운석 탐사는 방금 이야기했던 K-루트 탐사조들이 각지를 조사하면서 겸사겸사 운석도 하나 줍고 그러면 좋다는 정도의 겸사겸사 주어진 임무였으니까요. 무엇보다 저 같은 비전문가도 할 수 있으니까 세연 씨가 권해주었던 것이고요.

"그러면 제3기지 건설지 후보지는 기준이 뭐예요? 풍수지리? 배산임수?"

"뭐 그 비슷하지."

"진짜?"

"아니, 진짜로 풍수지리를 따진다는 이야기가 아니라… 우 감독 지금 국내 최고의 연구자들을 무슨 미신쟁이로 보나. 주변 지형을 보고 따질 게 많다는 점에서 풍수지리랑 비슷하기는 하다는 거야."

"그러니까 뭘 따지느냐 싶은 거죠."

"여러 가지죠. 일단은 태양열 발전에 유리하다. 지진파 검사를 해서 지반이 얼마나 튼튼한지 확인을 한다. 물자를 들이기 좋아야 한다. 이 정도가 건설 측에서 고민할 요소들이에요."

"거기다 이번에 K-루트 사업에서 가장 큰 목표라고 할 수 있는 게 빙저호 연구이기도 하거든. 우리 세연이가 하 박사랑 하고 있는 거. 그래서 빙저호 연구에 좋은 입지를 찾아야 해. 가급적이면 남극 장보고기지보다도 더 남극 내륙 쪽으로 깊이 들어가려고도 하고 있고. 주변 생물종에 위협을 주지 않아야 해서 입지 찾으면 환경평가도 받을 거고."

"뭐가 많네요."

"아직 본격적으로 시작한 것도 아니니까 크게 신경 쓰지는 말고 마음 편하게 캠핑 간다고 생각해요. 후보지를 아직 제대로 좁히지 못한 단계라 이렇게 소인원으로 여기저기 구경 다니며 살피는 정도니까요."

"그래도 남극 땅까지 와서 부동산을 고민하게 될 줄은 몰랐네요."

결국 이 상황에서 일개 독립 다큐멘터리 감독인 제가 할 수 있는 일이란? 열심히 창밖을 바라보면서 혹시나 무언가 검은 점을 발견하기만을 비는 수밖에 없었지요.

세연 씨. 배신이야. 운석 찾는다는 게 이렇게 재미없는 일이라는 것까지도 설명해줬어야지. 이렇게 구박이나 하려고 옆자리에 앉은 세연 씨를 바라봤는데, 에휴. 이 친구는 뭐가 또 좋은지 마냥 웃고 있더라고요.

4

"언니, 선크림 바르셨어요?"

"응. 아까 나오면서."

차에서 나오자마자 기지개를 쫙 켰어요. 엄청나게 강렬한 햇살이 제 얼굴에 아주 직격타를 날리더군요. 세연 씨가 괜히 선크림 이야기를 꺼낸 게 아니지 싶었어요. 공기가 좋기도 하고 눈밭에 빛이 반사되기도 해서 그렇대요.

아주 오랜 드라이브였지요. 서울에 있을 때 장거리 드라이브를 안 했던 것도 아닌데 남극에서의 이동은 또 다른 방식으로 사람을 지치게 만들더라고요. 게다가 저희가 운전하는 방향은 내지 쪽으로 더 들어가는 길이었던지라 설원 외에는 딱히 뵈는 것도 없어서 뭐 보는 재미도 없었거든요. 그리고 아마 당연한 이야기겠지만 운석 비슷한 뭐 하나도 발견하지 못했고요.

하지만 뭐가 됐든 사람이 일단 먹고는 살아야 않겠습니까. 저희가 탐사하기로 한 지역까지는 아직 한참 남았지만 다들 슬슬 배가 고픈 듯하여 잠깐 차를 세우고는 식사 및 티타임을 갖기로 했습니다.

"텐트도 칠까?"

"귀찮은데."

"얼마 안 걸려. 차만 타니까 허리 결려. 텐트 안에서 밥 먹고 잠깐 쉬다가 가자."

"맞아요. 게다가 차도 끓일 거잖아요."

세연 씨는 말없이 차에서 텐트를 꺼내 설치를 하더군요. 제가 귀찮다고 말을 꺼내놓고 세연 씨한테 일을 떠넘기는 것 같아 부랴부랴 달려가 설치하는 걸 도왔지요. 그 텐트는 일반적인 텐트가 아니라 남극 기지 보급물자여서 그런지 최신형에 완전 고급 텐트더라고요. 덕분에 설치하는 건 정말 간단했어요.

저와 세연 씨 그리고 근우 씨가 텐트를 치는 사이 김 박사님은 물을 끓이셨어요. 공기부터가 까끌까끌한 남극에서는 식사할 때 뜨거운 차나 커피, 최소한 물 정도는 반 필수적이거든요. 건조하기 그지없는 극지의 공기에 포근한 차향이 더해지자 조금은 숨쉬기가 편해지더군요.

그날의 점심은 샌드위치였지요. 조리장님이 다들 나가는데

요리하기 귀찮다고 대충 싸주신 거. 어차피 우리 캠핑 나가면 며칠은 일이 편해지실 텐데도 참. 뭐 워낙에 뭘 해도 맛있게 만드시니까 크게 불평할 일도 아니었지만요.

5

"그러고 보니 아까 결국 대답을 못 들었네. 우 감독이 찍으려는 게 진짜 남극에서 밥 먹기야?"

"우 감독님 작품은 톤이 항상 차분한데. 생활관 찍으시는 게 목적이면 그럴 만해요."

"우리 생활관이 뭐 차분한가. 맨날 아이돌 노래 틀고 음주가무하느라 바쁘지."

"그건 그래."

식사가 마무리된 뒤 티타임용 스몰토크의 주인공은 결국 남극 장보고기지의 신입 대원인 제가 되기 마련이더군요. 다들 두세 달씩 한 건물 안에 갇혀서 지냈으니 서로에 대해서는 얼마나 잘 알 것이며 저 같은 신출내기는 또 얼마나 반갑겠어요. 이것도 다 숙명이려니.

"네. 밥 먹는 거 찍으려고요. 남극에서 밥 먹는 것만이 아니라 다른 오지에서도 한국 사람들이 있는 곳은 다 찾아가서 어떻게 살고 있는지 보는 게 테마예요."

"히말라야에 김치찌개 잘하는 집 있다더라."

"아마존에는 3대째 이어지는 순두부 가게가 유명하다던데요."

"와. 내가 참 남극에서 폭력 사태를 벌일 수도 없고. 있죠. 제가 귀여운 세연 씨를 봐서 넘어갑니다, 진짜."

이 사람들이 자연스럽게 헛소리를 내뱉는 걸 듣다 보면 이것도 놀잇거리가 전혀 없는 남극대륙에서 살아남는 재주겠거니 싶더라고요. 책이나 게임이나 드라마는 어느새 다 시시해졌는데 허허벌판의 남극대륙에서 차를 끓여다 수다를 갖는 기분은 제법 질리지가 않거든요.

"그런데 막상 남극까지 오기는 했는데 서울에서 먹는 거랑 크게 다르지가 않더라고요. 배신당한 느낌. 먹은 거로 서운한 적이 없네요."

"저번에는 꿔바로우도 먹었는걸요."

"박 조리장님이 잘해. 양식이나 중식도 괜찮은데 한식은 특히 잘해."

"여러분은 다들 남극에 와서 가장 맛있게 드신 음식은 뭐였어요?"

다들 골똘골똘 고민을 하더군요. 남극 사람들이 즐길 재미가 정말로 뭐 없기는 해서 남극기지는 먹는 재미만큼은 확실하게 챙겨주거든요. 괜히 남극을 무대로 한 음식 영화가 나오고 그러는 게 아녔어요.

가장 먼저 입을 연 사람은 의외로 김 박사님이었지요. 아무래도 취향이 있어 보이는 사람은 아니었는데 말이죠. 먹을 것도 조리장님이 주시는 대로 잘 드시고 그래서 그냥 그러시려니 했는데 의외로 먹을 거에 대한 고집이 강하시더라고요.

"냉면이야."

"냉면?"

"네. 냉면."

"남극에서?"

"남극에서."

"조리장님이 언제 냉면도 해주셨어요? 저 한 번도 먹어보지 못한 것 같은데."

"조리장이 한 건 아니고. 내가 직접 끓여 먹었지. 다른 사람이 뺏어 먹을까 봐 나만 몰래. 언제 연이 닿으면 우 감독한테도 내 한번 대접할게."

모두 감탄의 눈을 하고서는 김 박사님을 바라봤어요. 이 사람, 손매가 야무지게 움직이는 타입은 아니라고 봤는데 말이지요. 그런데 아예 문명사회와 괴리된 이 남극 대륙에서 냉면처럼 품이 많이 가는 음식을 조리해 먹었다니. 어쩐 풍취랄지 낭만이랄지 뭐 그 비슷한 감정마저 느껴지더라고요.

김 박사님은 자연스레 냉면을 좋아한다는 사람들이 으레 그러하듯 주야장천 기나긴 냉면스플레인을 읊으셨지요. 그리고 그 눈에는 평소에는 가끔씩만 나타나던 그 생기가 팽팽히 돌기 시작했고요. 먹을 거 이야기하기가 그렇게 신이 나나?

"내가 전국팔도를 다 돌아다니면서 냉면을 먹어봤어. 세상천지에 자기가 냉면 고수라고 하는 양반들이 널렸지만 나처럼 남극까지 와서 냉면을 해먹은 사람은 또 없을 거야. 추울 때 먹는 냉면이 진짜 냉면인데, 남극만큼 추운 곳에서 먹어본 사람이 있다던?"

"남극 냉면이면 뭐 달라요? 펭귄으로 육수를 내기라도 하셨어요?"

"펭고기를 주로 쓰는 냉면집 때문에 그런 말을 하는가 본데 펭귄은 지방층이 두꺼워서 맛이 다를 거야. 그렇다고 뭐 내가 진짜 펭귄으로 냉면을 해먹었다는 이야기는 아니고. 내가 뭘 해먹었어도 허가 없이 펭귄을 조리해 먹었다고 고발을 당해서 남극에서 쫓겨날 위험을 감수하면서까지 여러분 앞에서 자랑할 만큼이나 멍청한 사람도 아니잖아."

이렇게까지 말하면 강하게 해먹은 사람 같이 들리죠.

"고수를 자처하는 하수들이 꼭 냉면에서 법도를 따지지. 냉면에 가위질하면 안 된다, 겨자나 식초도 안 된다, 그릇도 놋그릇이 아니면 안 된다, 젓가락이 나무젓가락이라니 나를 죽일 셈이냐, 아주 시끄럽다고. 진짜 냉면은 그렇지 않다면서. 하지만 세상 냉면에 진짜와 가짜를 가르는 기준이 뭔데? 지가 뭔데 남 먹는데 이래라 저래란가?"

자기도 아까 냉면스플레인 잘만 했으면서. 김 박사님의 눈에 돌던 생기는 이제 슬슬 광기로 분류해도 될 정도였어요. 그 얄쌍한 목에 핏대마저 섰더라니까요.

"그 사람들은 존재하지도 않는 전통을 따르고 또 만들어내지. 애초에 그치들의 목적은 맛있는 냉면을 먹는 게 아닌 거야. 그저 자기가 잘났다 잘난 척을 하고 다른 사람들을 깎아내릴 기회만을 엿보고 있는 거라고. 북한의 실향민들을 생각하고 그 사람들이 지켜온 전통을 따르라지만, 아니 아지노모토에 전통이 있으면 뭐 얼마나 대단한 전통이 있다는 건가?"

"아지노모토가 뭔데요?"

"일본 MSG 조미료요. 한국으로 치면 미원."

"아, 미원!"

"맞아! 그 잘난 맛에 산다는 냉면원리주의자들 중엔 감칠맛을 어떻게 내는지도 모르고 냉면에 들어가는 MSG조차 부정하는 치들이 있지. 애초에 차가워야만 하는 냉면 육수에서 감칠맛을 잡아내기 위해서는 MSG만큼 효과적인 게 없는데도 말이야. MSG가 나쁜 게 아니야. 나쁜 재료를 MSG로 얼버무리려는 장사치들이 나쁜 거지. 아지노모토는 맛의 본질이라는 뜻이야. 미원도 한자를 약간 다른 거 쓰기는 하는데 그 의미는 비슷해. 하지만 이는 무척이나 겸손한 표현이라고도 할 수 있지. 우리 인간을 비롯한 지구상의 생명체들은 대부분 단백질 덩어리들이야. 무수하게 쌓인 아미노산의 조합들이라고. MSG가 정확히 무슨 단어의 약자인지 아나? 글루탐산 일나트륨. 아미노산 중 하나인 글루탐산으로 맛을 냈다는 거야. 즉 이 성분은 맛의 본질, 맛의 뿌리라는 표현으로는 부족해. 생명의 본질이라고 해도 과언이 아니라고. 생명은 바로 감칠맛이야!"

이거 기립박수라도 쳐야 할까 싶었는데 말이죠. 김 박사님은 열변을 토하신 것으로는 모자랐는지 폐와 위장마저 토해낼 정도로 강하게 기침과 헛구역질을 하기 시작하셨어요. 어딘가 몸이 갑자기 안 좋아지신 듯했어요. 저희는 당황해서 김 박사님을 모셔다가 설상차 안으로 이동했지요.

김 박사님은 그렇잖아도 체구가 작은 편이라 남극의 차디찬 공기를 견딜 지방이 모자라지 싶었어요. 겨우 뒷좌석에 김 박사님을 누일 수 있었지요. 하지만 김 박사님은 계속해서 남극 장보고기지에 연락하려는 저희를 막으셨어요.

"김 박사님. 기지로 돌아가셔야 해요."

"아니, 아니야… 잠시만 쉬면 괜찮아질 거야. 내가 저번에 고립된 이후로 약간 체력이 떨어져서 그래. 쉬면 괜찮아질 거야…."

"아녜요. 우선 의사한테 진찰부터 받으셔야죠. 지금 기지에 연락할게요."

"하지 마!"

근우 씨는 깜짝 놀란 눈으로 김 박사님을 바라보았어요. 직전까지 당장에라도 숨이 넘어갈 것 같던 노인이 버럭 화를 내면서 근우 씨 손을 내리치고는 무전기를 뺏어갔으니까 놀라지 않을 수 없었을 거예요. 저나 세연 씨도 나름 화기애애하던 분위기가 갑작스럽게 이리 바뀐 것에 당황해 어쩔 줄을 몰랐고요.

하지만 무엇보다 여기서 가장 깜짝 놀란 사람은 다른 누구도 아닌 김 박사님이었던 것 같아요. 근우 씨나 저희를 천천히 바라보는 그 눈빛에는 당혹감만이 아닌 후회와 공포 그리고 체념이 섞여 있었거든요. 태어나서 처음으로 누군가에게 화를 내본 사람처럼 자신이 한 일이 믿기지 않은 눈치였어요.

"김 박사님, 건강을 생각하셔야죠. 남극 같은 곳에서 크게 몸상하시면 어쩌시려고요."

"괜찮아… 괜찮아… 이번 연구만 마치고는 돌아갈 테니까…."

"김 박사님…."

도대체 그놈의 연구라는 게 뭔지. 그때는 상상도 못 했지요.

6

그날 점심을 먹고 저희는 또 자동차로 한참을 달렸어요. 김 박사님을 모시고 남극 장보고 기지에 돌아가려 했지만 김 박사님의 결사반대로 가던 길을 그대로 가게 되었고요. 일전 남극에서 고립되었을 때 약간의 병을 얻으셨는데 큰 문제는 아니라고 하시더군요. 조금만 쉬면 금세 좋아진다고, 지금 기지에 돌아가면 한국으로 강제 송환될 텐데 그럴 수는 없다고 애원하셨거든요.

그 참에 운석이라도 찾을 수 있지 않을까 창밖이나 보려고 했는데 맨눈으로 설원을 바라보면 안 좋다고 하더군요. 남극의 강한 햇빛이 눈에 반사되어서 해를 입을 수 있다는 것이었어요. 아니, 그렇다면 세연 씨는 점심 때까지 왜 그렇게 창밖으로 고개를 돌리고 있던 것인지 참.

도착한 뒤로는 또 가볍게 이른 저녁을 해먹었죠. 대단한 요리는 하기 어려우니 라면을 끓여 먹었고요. 샌드위치보다는 잘 넘어가기는 했는데. 으, 남극이 오염되지 않도록 잔반을 남기지 않는 것이 중요해서 국물까지 싹 비우느라 힘들었어요. 양은 그렇다 치고 너무 짜서.

희소식은 김 박사님의 상태가 크게 호전되었다는 것이었어요. 어느새 기운을 다 차리셨는지 식사도 남김없이 깨끗하게 그릇을 싹싹 비우시더라니까요. 식사를 마친 뒤 김 박사님은 다시 설상차 안에 들어가 쉬시고 근우 씨만 후보지를 둘러보며 지반이 어떻다느니 산세가 어떻다느니 풍수지리를 보는 지관처럼 떠돌았지요.

근우 씨가 지세를 살피는 사이 저는 운석을 찾는 작업을 했어요. 좋게 말하면 운석을 찾는 작업이고 솔직하게 말하면 눈이 상하지 않게 선글라스를 끼고서 땅바닥만 노려보고 있었다는 이야기지요. 그 외에 제가 할 수 있는 일은 하나도 없었거든요. 그저 이 넓은 남극대륙 어딘가에 운석 하나가 떨어져 있지 않을까 기도나 할 뿐이었죠.

물론 세연 씨도 수색 작업을 함께하기는 했지요. 근우 씨가 제3기지 건설 후보지를 찾는다면 세연 씨는 그 후보지 주변의 빙저호 연구 후보지를 찾는 것이 임무였으니 저처럼 당장 할 일이 없었거든요. 여전히 데면데면하기는 했지만 뭐, 남극의 일몰은 별다른 말이 없는 편이 좋을 정도로 아름다우니까요.

"우라지게 많네…."

그리고 곧 해가 지고 밤이 오면, 이렇게까지 많을 일인가, 싶은 무수한 별빛 아래에 서면, 세연 씨처럼 조용한 사람마저도 감탄의 한마디를 꺼내게 되더군요. 저는 어쩐지 이 귀한 광경을 놓치기에는 조금 아깝겠다는 생각에 그만.

"밤마다 이런 하늘을 볼 수 있다 생각하면 어떻게든 남극에 남아 있으려는 김 박사님 마음이 이해가 가지 않는 건 아닌데 말이에요."

"에?"

"아… 예쁘다고."

"…네?"

"밤하늘이."

"아, 네…."

이 길쭉하고 눈망울도 크면서 겁까지 많아 기린을 닮은 인간에게 말을 걸어버렸지 뭡니까.

"김 박사님은 월동대원도 하셨다죠? 1년 내내 남극 기지에 있는 대원. 이런 밤하늘을 보고 살 수 있다면 월동대원도 나쁘지 않을 것 같아요."

"남극에는 낮이 계속되는 백야 기간이 있는데요."

랠리가 1분도 이어지지 않는 이 대화의 핑퐁 어쩔 거냐고 진짜. 결국에는 근우 씨에게 눈빛 레이저를 쏘아 어떻게든 대화에 참가시켜서 뻘쭘함을 날려버리도록 강제해야만 했죠. 근우 씨는 무슨 죄냐고 또.

"김 박사님은 남극이 체질이세요. 아예 팔자라고 할 정도예요. 조난을 당한 뒤에도 다시 남극에 오셨을 정도니 말 다 했죠."

"왜 그렇게 남극이 좋다셔요?"

"항상 하시는 말씀이 이 세상에서 담배 맛이 가장 좋은 땅을 찾으라면 남극 장보고기지 앞이라나요. 남극의 차고 건조한 공기가 담배 태우는 데 딱이래요."

하기야. 건조하고 시원하고 바람 잘 불고. 저야 담배를 피우지 않았지만 얼음뿐인 남극에서 자그마한 불꽃이 종이를 태우면서 연기를 만드는 모습에는 니코틴보다도 중독적인 무언가가 있는 것 같았어요.

"게다가 요즘 한국이 흡연자보다 비흡연자 위주로 정책이 바뀌었잖아요. 그래서 담배를 피우려면 건물 밖으로 나가야 하는데 이게 또 미세먼지다 뭐다. 하늘도 매캐해선. 김 박사님 지론으로는 한국에서 미세먼지에 매연 마시면서 다닐 바에는 남극에서 담배 한 갑 태우면서 지내는 편이 아마 폐에 좋을 거래요."

"세상에, 말도 안 되는 소리인데 말이 되는 거 같아."

"그렇죠."

근우 씨가 대화의 물꼬를 잘 틀어준 것이 얼마나 고맙던지요. 근우 씨랑 세연 씨는 어쩜 이렇게 다르지? 남극에는 세연 씨처럼 누구와도 대화하지 않고 며칠이고 지낼 수 있는 사람이 어울릴지 모른다는 생각이 들다가도 근우 씨처럼 어떤 토픽으로든 몇 시간이고 떠들 수 있는 사람이 어울릴지 모른다는 생각도 든다니까요.

"근우 씨는 어쩌다 남극까지 오셨어요?"

"저 다이어트 하러 왔어요. 여기서는 신진대사가 활발해져서 살이 잘 빠진데."

"와, 진짜?"

"날이 추우면 체온을 유지하려고 사람이 소비하는 칼로리가 많아진다잖아요. 그래서 그거 믿고 왔죠. 효과 있다고 하니까."

"있었어?"

"없었어."

그야 그렇겠죠. 사람 몸이라는 게 영악해서 항상성을 유지하려고 하거든요. 오히려 극한의 환경에 처했다는 위기의식 때문에 식욕이 늘어 살이 더 찌지 않을까? 저만 해도 남극에 도착하고는 일주일 만에 2킬로그램이 쪘거든요. 저 원래 그렇게 체중에 변동이 심한 편도 아니었는데.

"우 감독님은 다른 오지도 많은데 왜 굳이 남극부터 오셨어요?"

"국가지원사업비에 의존하는 독립다큐 감독이라? 그리고 여기 오면 모기는 없을 것 같아서 왔어요. 저번 여름에 그렇게 시달렸는데 남극이면 추우니까 모기도 없을 거 아냐."

"영리한데?"

대화가 이렇게 흘러가니까 자연스레 눈길이 조용히 입을 다물고서는 미소만 짓고 있는 사람한테 가더라고요. 그러니까, 세연 씨한테.

"세연 씨는요? 어쩌다 남극 장보고기지까지 오게 되셨어요?"

"빙저호 연구하러⋯."

"아니, 그거는 이미 아는데. 그래도 꼭 남극이어야 했던 이유 같은 거 없어요? 김 박사님처럼 어떻게든 남극에서 냉면을 드셔야 한다든가."

"빙저호 연구는 꼭 남극이어야 해서⋯."

저는 노력했다. 그건 인정하자.

7

"언니, 춥지는 않으세요?"

"괜찮아요. 핫팩도 붙였고."

밤이 되어 주변 지역을 탐사하기 어려워졌기에 우리는 두 조로 나뉘어서 텐트 안에 들어가 누웠어요. 김 박사님과 근우 씨의 남자 텐트, 저와 세연 씨의 여자 텐트. 사람 숫자에 맞지 않게 커다란 텐트여서 눕기는 편했지요. 램프 불도 약하게나마 켜놓으니 제법 분위기도 살더라고요.

남극에서의 캠핑이라길래 얼마나 추울까 겁을 한껏 먹었는데 의외로 견딜 만한 정도였어요. 아주 추우면 차 안에서 자면 되는데 그 정도는 아니더라고요. 저희가 자리 잡은 이곳보다 더 추울, 남극 대륙 더 깊숙한 곳에 가신 분들은 내부가 엄청 넓은 설상차를 타고 갔을 테니 아예 그 안에서 주무셨을 거예요. 하지만 저희는 이 정도 보온으로도 충분했어요.

나중에 세연 씨한테 듣기로는 남극이어도 계절에 따라 한겨울의 서울보다 지내기 좋을 때가 있대요. 더욱이 텐트도 극지 환경을 고려하고 만든 물건인 데다 저희가 들어간 침낭과 몸에 붙인 핫팩도 성능이 무척 좋아서 얼어 죽을 일은 없겠다 싶었지요.

"바람이 새어 들어가거나 하지는 않으세요?"

"응. 침낭 꽉 조였어. 게다가 침낭 위에 패딩도 올려놓았는걸요."

"추우시면 말씀해주세요. 차 키 드릴게요."

"아니야. 그렇게 춥지 않아서 이 정도 날씨면 대여받은 패딩만 입고 자도 견딜 수 있겠다 싶어요."

"몇 년 전까지는 기지에서 대여해주는 패딩에 바람이 새고 그랬어요."

"진짜? 왜?"

"그때도 방한용으로는 최고급품을 대여해주기는 했어요. 그런데 공무원들이 패딩 위에 태극기를 오버로크로 반드시 박아야만 한다고 우기는 바람에 틈이 생겼거든요. 국위선양을 위해서는 꼭 그래야만 한다고 그랬대요."

"세상에나. 그 사람들 진짜 정서적으로 문제 많아."

어휴. 웃네요 웃어. 세연 씨랑 하루에 10시간을 넘게 붙어 있었는데 이제야 세연 씨가 웃더라고요. 이 정도면 친해질 수 있겠다는 신호겠지 싶더군요. 그래서 좀 더 스몰토크를 시험해봤죠.

"기지에서 오로라 보여요?"

"가끔은요."

"운석은 주울 수 있기는 해요?"

"네. 남극 장보고기지가 있는 테라노바 베이는 운석 발견이 잦은 편이에요."

"펭귄 자주 보나요?"

"가끔요. 냄새나고 더러워요."

"이렇게나 귀여운 사람이 그렇게나 귀여운 생물한테 그렇게 말하기야? 직접 봤는데도 펭귄이 안 귀여워요?"

"펭귄한테 뺨 맞아보신 적 있으세요?"

쉽지는 않더라고요.

"아, 그러고 보니 근우 씨 출발하기 전에 신 팀장님이랑 같이 계시던데. 둘이 사귀는 사이죠?"

"네."

"어쩐지. 서로 바라보는 눈빛이나 스킨십이나 되게 자연스럽 더라고요. 그러면 두 분은 사귀는 사이셔서 여행 겸 업무로 남 극까지 온 건가?"

"아니요. 아마 기지에서 지내시면서 사귀셨을 거예요."

"와. 그렇구나. 근우 씨 어쩐지 얼굴 가리는 거 마스크 같은 그거 바바라바도 막 열심히 쓰고. 하얀 피부 남겨서 애인한테 잘 보이려고 그랬구나."

"바라클라바요?"

"응, 그거."

그래서 만고불변의 스몰토크 소재 다른 사람들 연애 이야기 카드를 꺼내야만 했지요.

"그런데 세연 씨는 둘이 사귀는 거 용케 알았다. 연구만 하는 줄 알았는데."

"남극기지가 좁다 보니 소문도 빨라요."

"기지에서 연애하는 사람들 많아요?"

"네. 생활 대부분을 공유하다 보니까 잘 맞는 사람들이 나오 더라고요."

여기서 '그러면 세연 씨는요?'라고 물어보고 싶은 충동과 그 랬다가 돌아온 답변에 따라 남은 한 달하고도 반을 방짝과 서먹 하게 지낼 수 있다는 우려가 합쳐져서 뭐라 말이 안 나오더라 고요.

"다들 참 용케도 남극까지 와서 사람 사귀고 그런다. 도대체 뭐로 꼬시지?"

"간식 같은 걸 선물한다고 하더라고요. 남극에서는 먹는 재미 가 가장 크다 보니까요. 김 박사님처럼 누구도 알아차리지 못하 게 몰래 냉면까지 끓여 드시는 분까지는 가지 않아도 다들 먹을 걸 소중히 생각하거든요. 그래서 호감을 표시할 때도 간식으로 한대요."

"와, 진짜? 부럽다."

"출출하시면 초콜릿이라도 드릴까요?"

저는 고개를 돌려 세연 씨를 바라보았어요. 침낭 안에 들어가 있기도 했고 램프 불도 약해서 얼굴이 잘 보이지는 않더군요. 하기야 이 사람이 무슨. 저는 다시 바로 눕고는 텐트의 천장을 바라보았지요.

"아뇨, 늦었는걸. 내일 주시면 감사히 먹을게요."

결국, 짧은 스몰토크도 이렇게 끝이 나나 싶었는데.

"언니는 진짜 모기가 싫어서 남극으로 오신 거예요?"

"응? 왜요? 안 돼?"

"그게… 남극 기지에도 모기는 있을 때가 있거든요. 물자에 벌레 알들이 붙어서 오고 기지 안은 실온에다가 생활 오수도 있어서 모기가 없을 환경은 아니거든요."

"아이고, 그렇겠네. 나 망했네."

그렇게 몇 문장이 텐트 안을 더 오가다, 저와 세연 씨 모두 조금씩 밀물처럼 올라오는 잠기운에 찬찬히 잠기었지요.

8

저 저랑 세연 씨 그리고 김 박사님 셋은 이제 빙저호 탐색을 위해 출발합니다. 오바.

캠핑의 두 번째 날, 원래 K-루트 탐사 제3조는 2인 1조로 팀을 나누기로 했어요. 기지 후보지를 봐야 할 김 박사님과 근우 씨는 첫 번째 날의 야영지에 머물고 저와 세연 씨는 빙저호 탐색을 위해 차를 타고 주변을 둘러볼 예정이었지요.

하지만 김 박사님을 야영지에 계시라고 하기에는 또 염려되어서 차 안에 모시기로 하였죠. 반드시 2인 이상이 다 같이 움직여야 하는 것이 남극에서의 철칙이기에 근우 씨는 제2조의 야영지로 자리를 옮겼고요.

근우 씨를 제외한 저희 3조는 2조의 야영지를 떠나며 이렇게 무전기로 출발에 대해 보고했어요. 남극에서는 기지 안이 아니면 폰을 쓸 일이 없으니까 무전기를 써야만 한다더군요. 그래서 출발 전 차에 타고는 무전기가 잘 통하는지 확인을 했지요.

근우 씨 무전을 하면서 끝에, 오바 붙이는 건 남극기지에서도 10년 전에 유행이 지났습니다. 오바.

저 유행은 돌고 도는 겁니다. 오바.

근우 씨 알고 계실지 모르겠는데 무전 내용은 남극 장보고기지 사람들도 다 듣고 있습니다. 오바. 헛소리는 자제해주시길 요청 드리는 바입니다. 오바.

저 몰랐습니다. 오바.

근우 씨 앞으로 주의해주십시오. 오바.

저 남극 장보고기지에 전달할 사항이 있습니다. 근우 씨 코를 너무 심하게 곱니다. 오바. 도대체 얼마나 얇은 텐트를 지급하였기에 서로 다른 텐트에서 자는데도 옆 텐트에서 코를 고는 소리가 들립니까. 오바. 귀염둥이 세연 씨와 세연 씨만큼은 귀엽지 않은 저의 안정적인 수면을 보장하기 위해 더욱 두꺼운 텐트의 지급을 요청하는 바입니다. 오바.

기지 현재 지급된 텐트보다 두께가 두꺼운 텐트는 지구상에 존재하지 않습니다. 오바. 근우 씨 코골이를 차단하려면 간이 컨테이너가 필요합니다. 오바.

2조 팀장님 근우 씨가 기지에 돌아가면 두고 보자고 전달하시라네요. 오바.

이렇게 평화로운 남극의 하루가 다시 한 번 시작되었습니다.

9

"남극 세종기지가 1기지죠? 남극 장보고기지가 2기지고."

"맞아요. 북극에는 다산기지가 있고요."

"다 남자들 이름에서 따왔네."

"그러게요."

단둘이서 밤을 보내서 그런가. 탐사 둘째 날에는 그래도 세연 씨와 이래저래 대화를 나누기가 수월해졌어요. 애초에 남극 장보고기지에서 방짝으로 지내기는 했지만 이제까지는 생활반경이 겹치지는 않았었죠. 하지만 이번 외출에서는 제법 오래도록 얼굴을 맞대고 앉아 있으니 세연 씨도 나름 대화를 시도하더라고요.

더욱이 두 번째 날의 주된 일정은 우리 둘만의 남극 대륙 드라이브였죠. 근우 씨는 2조 야영지에 남았고 김 박사님은 근우 씨 코골이 때문인지 건강 때문인지 뒷좌석에서 주무시면서 숨만 쉬고 계셨으니까요. 세연 씨만 제 옆에 앉아 첫 번째 날처럼 창밖을 바라보며 딴청도 하지 못하고 대화에서 도망칠 구멍을 찾지도 못했지요. 그날 자동차든 대화의 내용이든 운전대를 잡은 사람은 저였어요.

"K-루트 사업 이후에 지어질 기지는요? 이름 정해졌어요?"

"제가 알기로는 아직 안 정해졌어요."

"다음 기지 이름으로는 누가 좋을까? 세연 씨는 생각한 사람 있어?"

"없어요."

"여성, 한국인, 남극… 김연아? 남극 김연아과학기지?"

그래서 이런 실없는 농담으로부터도 도망칠 수 없었지요. 아니, 남극 김연아기지는 진지하게 괜찮은 아이디어라고 보지만요. 김연아는 한국을 대표하는 빙상의 여왕이잖아요. 이 사람만큼 빙저호 연구를 위해 설립하는 기지에 어울리는 인물이 있기나 하겠어요?

저는 천천히 운전대를 돌려 눈앞의 튀어나온 부분을 피했어요. 그날 저희 3조에 할당된 차량은 설상용으로 바퀴가 커다랗게 개조된 차량이었어요. 전날 쓰던 설상차는 2조가 쓰게 두고 왔고요. 어쨌든 그날 저희가 탄 차도 설상차만큼은 아니었지만 일반적인 차량에 비해 눈밭이나 빙판을 달리기가 훨씬 편했지요.

"언니는 운전 무척 잘하시네요."

"그런가?"

"김 박사님이 태워주실 때보다 부드럽게 돌았던 것 같아요."

"아하하, 대단찮은 수준인데. 그게 애초에 영화판에 있다 보면 이것저것 할 줄 알아야 하는 게 많거든요. 그중에서도 대형 차량 운전 정도야 기본 중의 기본이죠. 전에 근우 씨가 봤다는 그 영화 찍을 때도 용달차 끌고 전국팔도를 돌아다니면서 지역 사투리 화자들을 취재했어요."

세연 씨는 놀란 눈으로 저를 바라보았어요. 이 사람이 영화판이 얼마나 인간의 노동력을 갈아서 만드는 것인지 전혀 생각하지 못했던 게 분명하더군요. 남극에서 지내는 연구원들의 근무처도 물론 극한환경이긴 하지만 영화판도 그에 못지않은 동네인데 말이지요.

"이번에는 오지의 식문화라고 하셨죠? 저는 일상적인 다큐멘터리는 본 적이 없어요."

"음. 네. 하기야 과학자 선생님이시니까 뭐. 그런데 전 그 평범한 것들이 제 작업에서의 일관된 테마였던 것 같아요. 그저 그랬던 것들. 이게 나쁘다는 의미로의, 좋지 않다는 의미로의 그저 그랬다는 것이 아니라요. 그저 그랬던 것들. 이론적으로는 정합성이 떨어질지 모르지만 그때는 그저 그렇게 되었고 그래야만 했던 것. 뭐 그런 것들의 이야기를 하고 싶어요."

"어렵네요."

"대한민국 최고 두뇌로 선정되고는 남극으로 와서 과학실험 하는 사람이 이런 헛소리가 뭐가 어려워요, 하하."

영화 이야기가 나와서 그랬는지 대화는 좀 더 쉬워졌어요. 물론 제 영화 이야기는 계속하기 부끄러워서 남들 영화 이야기로 돌리는 정도의 수고는 들었지만요. 같이 수다 떨기에 좋은 작품들은 분명 있으니까요.

세연 씨는 영화를 많이 본 편은 아니지만 그래도 유명한 작품들은 얼추 알고 있더라고요. 남극 대원들이 영화나 드라마를 그렇게 많이 본대요. 와이파이가 느리니까 스트리밍 서비스는 쓰지 않고 외장하드에 여러 작품을 꾹꾹 눌러 담아가는 식으로요.

저는 일단 말이 막히면 그 사람이 어떤 작품을 좋아하는지 물어보고 제가 모르는 작품이더라도 은근슬쩍 잘 아는 분야라는 식으로 아는 척 대화를 이끌어나가는 재주가 있어요. 인간관계 면에서 창작자가 가질 수 있는 어드밴티지라고나 할까요? 계속 이런저런 영화들로 수다를 떨다 보니 세연 씨는 대화가 즐거웠는지 평소의 쑥스러움이 어느새 가셨더군요.

"남극 생활이 좋은 체험이 되면 좋겠네요. 제가 도울 수 있는 일이 있다면 뭐든지 도울게요."

"고마워라."

10

우리는 곧 빙저호 탐사 후보지에 도착했어요. 남극 드라이브에서 좋은 점을 꼽으라면 역시 차가 막힐 일이 없다는 정도가 아닐까? 블리자드가 몰아칠 때는 꼼짝도 못 한다지만 날씨가 좋은 날에는 그럴 걱정도 없었지요.

결국, 하는 일은 그 전날과 크게 다르지 않았어요. 차이점을 꼽으라면 남극 대륙을 네 사람이 뽈뽈거리며 돌아다니던 것이 한 사람은 차 안에서 골골대며 자고 있고 두 사람이 뽈뽈거리는 것으로 스케일이 축소된 정도였으니까요.

빙저호 전문가인 세연 씨는 누구누구네 3대손 못자리를 보느라 골머리를 앓는 지관처럼 멀리 보았다가 가까이 보기를 반복했고, 운석 비전문가인 저는 어디 500원짜리 떨어진 거 없나 살피는 어린아이처럼 어디 운석 하나 떨어진 거 없나 둘러보기를 반복했어요.

"세연 씨."

"네, 언니."

"뭐 봐요?"

"…땅?"

세연 씨는 주인이 간식을 쥐고 있는 손을 실수로 세게 문 강아지처럼 난처한 표정을 짓더군요.

"미안. 내 질문이 별로였어요. 음… 그러니까 빙저호 탐사 후보지로 적합한지를 가늠하기 위해 이 근방 지리의 어떤 점에 주목하고 계시느냐에 대해서 여쭤봤어요."

최선을 다해 학구적인 말투로 물어봤지요.

"아… 물자를 배송할 캠프 1에서 교통은 어떠한지. 지반이 설비들을 올릴 수 있을 정도로 튼튼할지. 이런 것들이 가장 중요하고요. 100톤짜리 장비를 옮기고 또 설치해야 하거든요. 거기다가 근방에 다른 동물들의 서식지가 있으면 후보지에서 제외해요."

"크게 뭐가 필요하지는 않구나. 난 또 세연 씨가 차 트렁크에서 무슨 커다란 기계라도 꺼내서 땅을 뚫거나 뭐 그런 공사라도 할 줄 알았지 뭐예요. 그럼 이 빙판 아래에 빙저호가 있다는 것은 어떻게 알고 왔어요?"

"NASA랑 ESA, 그러니까 유럽우주국의 인공위성 데이터를 사용했는데요. 이 인공위성으로 지상에 레이저를 쏴서 지형도를 그릴 수가 있거든요. 그런데 이 지형도를 그릴 때 고도차가 생기는 경우가 있어요. 그리고 이렇게 고도차가 있을 때 빙저호가 있을 가능성이 크고요. 아니면 움푹 들어간 지형 위주로 살피기도 해요. 이런 방법들로 후보군을 좁히면 지진파를 탐색해서 빙저호가 진짜로 있나 없나를 확인한 뒤 다시 후보군을 더 좁힐 거예요. 하지만 본격적으로 빙저호 유무를 확인하기 전에 그 후보지에 사람들이 들어가도 될지, 설비들이 들어가도 될지를 따지는 단계가 지금 저희가 하는 일이고요."

저는 세연 씨가 하는 말을 하나도 이해하지 못했지만 고개는 끄덕였어요. 그 기백에 넘어가기도 했지만 무엇보다 이 사람이 이렇게나 생기 있게 말을 할 수 있는 사람이었어? 이렇게나 긴 문장으로 말을 할 수 있는 사람이었어? 하고 신기하더라고요. 신이 나서 재잘거리는 모습이나 입 모양이 쉼 없이 바뀌거나 하는 모습도 재밌었고요.

"빙저호는 왜 연구해요?"

"제 논문 주제라서…?"

"아니, 그게 아니라…."

"지도교수님이 권해주셔서…?"

"제 말은, 빙저호의 연구가 인류 사회에 어떻게 봉사를 하느냐는 질문이었어요."

"아."

어렵다 정말.

"제가 하는 빙저호 연구는 언니한테 부탁드린 운석 연구랑 비슷해요."

"운석?"

"네. 운석 연구에는 다양한 목적이 있긴 하지만 그중에서 무척 중요한 용도가 우주생물학 연구를 위한 자료로써 사용되는 것이에요."

"우주생물학?"

"우주생물학이라고 하면 조금 거창한데 하는 일은 망원경보다는 현미경이 필요한 일이에요. 운석에 붙은 암석미생물을 조사하거든요. 지구와는 다른, 우주라는 가혹한 공간에서 어떻게 미생물이 살아남을 수 있는지를 연구하기 위해서지요. 그런데 빙저호 연구에서도 마찬가지의 일을 해요. 2천 킬로미터 두께의 얼음 대지 아래에, 태양빛도 비치지 않는 닫힌 세계에서 사는 미생물들이 있거든요. 이후 건설될 제3기지의 목적도 이 미생물들이 어떻게 고립된 공간에서 독자적인 생태계를 성립했는지를 알려고 하는 것이고요."

"아…."

"이 빙저호를 연구할 때는 관측을 하려다가 빙저호가 오염되지 않도록 주의해야 해요. 애초에 닫힌 세계, 고립된 공간이기에 연구를 하려고 하는데 연구 도중 오염이 되면 생태계가 파괴되기도 하고 연구의 의미도 사라지니까요. 예전에 러시아에서 빙저호를 연구하다가 시추기의 부동액이 빙저호를 오염시키는 바람에 크게 난리가 났었지요."

"그렇구나, 연결되는 것 같네요?"

"네. 실용적으로는 결빙방지 단백질을 분석해 냉해 피해가 작은 작물을 만들거나 피부미용에 좋은 화장품을 만들거나 할 수 있겠죠. 실제로 남극의 식물들을 활용한 화장품이 전에 나오기도 했어요. 이런 실용적인 문제를 떠나 학문적으로는… 무척 재밌고요."

그러고는 배시시 웃는데. 아. 이 사람은 이 일을 가슴 깊숙한 곳에서부터 좋아하고 있구나 알 것 같은. 그런 얼굴이었어요.

"빙저호는 왜 연구해요?"

"네?"

"아, 이번에는 빙저호의 연구가 인류 사회에 어떻게 봉사를 하느냐에 대한 질문 아니라. 세연 씨가 왜 빙저호를 연구하는지 여쭌 거예요. 하시는 말씀을 들으니까 세연 씨가 논문 주제로 빙저호를 고른 데에는 교수님의 권유 이상의 의미가 있을 것 같아서요."

"어… 귀여워서?"

귀여워서?

"조금 전에도 말씀드렸지만 빙저호 연구에서 중요한 것은 관측하다 빙저호를 오염시키지 않는 것이라고 했잖아요. 저는 그 과정이 귀여웠던 것 같아요. 수천만 년이나 외톨이로 지냈던 누군가를 만나게 되었는데, 너무 궁금하고 정말 보고 싶은데 결코 상처는 주지 않으려 하는. 누군가를 있는 그대로 지켜주고 싶어 하면서도 또 동시에 알고 싶어 어떻게 다가가야 할 줄 몰라 당황하는."

"어… 귀엽네요?"

순식간에 분위기가 어색해졌어요. 저렇게나 나이를 먹어서 저렇게나 순수한 사랑 고백이라니. 제가 저랬던 적이 있었던가 과거를 되돌아보게 되기도 했어요. 카메라 렌즈 너머의 피사체들을 바라볼 때 저렇게나 애정했던 적이 있었던가? 아니요. 전혀 없었지요.

"저… 이렇게까지 떠든 거 처음인 것 같아요."

"하하, 이런 날이 있으면 뭐 어때요. 세연 씨는 연구 잘할 수 있을 거야. 이렇게나 좋아하는데 뭐든 못하겠어요?"

"정말 그렇게 생각하세요?"

"물론이죠. 저도 가급적 많이 돕고 갈게요."

"아니에요. 저야말로 언니 많이 도와드려야죠."

세연 씨는 의도치 않게 속을 전부 내보인 것이 부끄러웠는지 말수가 확 줄어들더군요. 아마 이 사람 그때 남극 장보고기지 와서 어제까지 나랑 나눴던 모든 대화보다 더 많은 단어를 말했을 거예요. 이 정도는 봐줘야겠죠.

11

"우 감독과!"

"세연의…?"

"목소리가 작다. 다시. 우 감독과!"

"세연의…."

"요리 시간!"

박수. 박수. 박수. 짝짝짝. 세연 씨는 남극까지 와서 도대체 이게 무슨 꼬락서니인가 싶은 표정이었지만 뭐 제가 신경을 쓸 일은 아니죠. 저는 세연 씨 혼자서 땅을 노려보며 다니는 사이 오늘 메뉴의 밑 준비를 마쳤어요.

이번에 함께 할 메뉴는 바로 냉라면이었지요. 고작 라면이냐고 하지는 맙시다. 남극 대륙의 캠핑장에서 제가 뭘 먹어야 만족하시겠어요? 바다사자? 누구 잡혀갈 일이라도 있게요?

"식초에 간장에⋯ 엄청 본격적이네요?"

"맞아요. 전날 김 박사님이 냉면 이야기를 하신 바람에 남극에서 차가운 면 요리를 해먹어야겠다는 사명감이 들었지 뭐야. 게다가 김 박사님이 챙겨 오신 아이스박스 안에 조미료도 있더라고요. 이 할아버지 진짜 혼자서 냉면 끓여 드셨나 봐."

저희는 그렇게 소박한 남극에서의 냉라면 파티를 시작했죠. 냉라면 1인분의 레시피는 라면 1봉지, 설탕 1큰술, 식초 2큰술, 간장 2큰술. 라면 수프에 조미료를 녹이고 차게 식히기. 면은 삶아서 차게 식히기. 사실 육수 만드는 공정은 세연 씨가 도착하기 전에 마쳐놓았으니 면만 삶으면 되었어요.

세연 씨는 쪼그려 앉아서 제가 물을 끓이는 모습을 바라보더군요. 김 박사님은 아직도 차에서 골골대시니까 빼고. 저는 세연 씨가 그릇들을 준비하는 사이 세연 씨에게 이런저런 말을 붙였지요.

"어제 있잖아."

"네."

"세연 씨가 그랬잖아. 남극 기지 사람들은 좋아하는 사람 꼬실 때 먹을 거로 한다고."

"네."

"그 이야기가 내 다큐멘터리의 테마랑 정확히 맞아떨어지는 이야기지 싶었어. 먹을 거라는 게 원래 그렇잖아요? 생활의 기반. 문화의 출발점."

보골보골보골. 슬슬 물이 끓어오르는군요. 냄비에 면을 넣으면 이제는 면이 삶아지기만 기다릴 시간이 되겠지요. 어떤 사람들은 라면을 절반으로 쪼개서 넣던데 저는 그냥 넣습니다. 둘의 차이가 뭐 있기는 해요? 애초에 라면 끓이기는 최소한의 노동을 넘어서는 순간 라면의 본질에 위반한다는 것이 저의 지론이라고요.

"보면 사람들 참 먹을 거 좋아한다니까요. 만나서 하는 말도 '밥 먹었어?'고 헤어지면서 하는 말도 '언제 또 밥이나 먹자!'잖아요. 식사는 사교의 단위라고 할 수 있겠지요. 결국 내 삶을 타인과 어느 만큼이나 나누고 있느냐의 단위는 함께 한 식사로 측정할 수 있다고 봐요."

"그래서 차기작의 테마를 오지의 식문화로 하신 거예요?"

"응. 우리가 일평생 먹은 음식의 무게를 생각해봐요! 내가 숫자가 약한데 톤 단위로 세야 할 정도 아니에요? 아빠가 내 몸이 구성되는 데 기여한 건 고작 정자 하나만큼의 무게뿐인데 생색은 오지게도 내잖아. 하지만 맥도날드와 노랑통닭 그리고 하겐

다즈가 저한테 저지른 만행을 보라고요. 내 인생의 무게는 이 작자들이 더해주었고 내 인생의 무게를 덜 사람은 나와 같이 식사를 하는 사람들뿐이지요."

일장연설을 하는 사이 면이 얼추 익었어요. 남극이기도 하고 차갑게 헹구기도 할 거라 좀 오래 끓였죠. 결코 제 수다가 길어져서가 아니라요. 저는 미리 준비했던 찬물에 면을 헹군 뒤 물기를 쫙 빼주었어요.

마지막으로는 육수를 담은 그릇에 면을 넣기만 하면 끝. 양파라든가 콩나물이라든가 청양고추라도 있었으면 좀 더 깊은 맛이 나왔겠지만 남극에서 캠핑하면서 거기까지 준비할 수는 없었네요.

"그래서 남극 기지 사람들이 누구 꼬시려고 먹을 거를 준다는 이야기가 더 재밌게 들렸던 것 같아. 오지 중의 오지인 남극 거주자들의 이 식문화는 사실 인류 보편적인 행위잖아요? 나는 너를 좋아해. 그러니까 내가 가진 것을 나누어 먹자."

"…무슨 말씀이신지 알 것 같아요."

"알 것 같나요? 내가 세연 씨 얼마나 좋아하는지?"

저는 빙그레 웃고는 면이 불어터지기 전에 재빨리 한 젓가락 휘휘 저어다 한입에 집어삼켰어요. 으, 짜릿한 맛. 과연 남극의 차가운 공기가 찬 면을 만나서 그 풍미가 색다르더라고요.

알기는 뭘 아는가 싶은 세연 씨도 제가 맛있게 우물거리는 모습을 가만히 지켜보더니 곧 저를 따라 젓가락질을 시작했어요. 한 젓가락에 면을 이만큼이나 집어다가 후루룩후루룩 먹성도 좋게 비우더군요.

"맛이 어때? 내가 이렇게 고생해서 냉라면까지 끓여줬는데."

"춥다…?"

여러분. 이 사람 이거 어쩌지.

12

"냉라면을 해먹었어? 재료는 어디서 나서?"

"김 박사님이 꿍쳐둔 아이스박스에서요."

"잘도 찾았네. 뭐 또 조리실에서 훔치면 되니까 상관은 없는데 내 냉면 이야기를 듣고 고작 냉라면이라니. 부족하지 않아? 내가 몸만 좀 나아지면 두 사람한테 꼭 제대로 된 냉면을 대접할 테니까 그리 알라고."

"상냥도 하셔라."

세연 씨가 아직 주변 지세를 살피고 있는 사이, 저는 김 박사님이 염려되어서 잠시 차가 있는 곳으로 돌아갔어요. 김 박사님은 여전히 눈이 약간 풀려 있는 상태이긴 하셨지만 그래도 다행히 목소리에는 힘이 돌아오셨더군요.

저는 제 몸도 녹일 겸 김 박사님도 열량 보충시켜드릴 겸 일하느라 고생하는 세연 씨한테도 갖다줄 겸 차를 끓이고는 김 박사님과 차 안에서의 간략한 티타임을 가졌어요. 저는 그때 세연 씨의 '빙저호 연구는 귀엽다' 이론에 대한 김 박사님의 고견을 듣고자 청했고요.

"세연 씨다운 관점이군."

"그렇죠? 개 되게 귀엽지 않아요?"

"내 관점에서 빙저호 탐색에서의 오염 문제는 제국의 식민지 배 같은 건데 말이야. 바다 건너에서 찾아온 방문자가 온갖 오염물질을 뿌리고는 실험을 하겠다며 동포들을 납치해 가니까."

"어쩜 김 박사님은 사람이 그리도 꼬이셔서."

"달리 말하면 외계에서의 방문이라고 할까? 화성침공 같은 거 말이야. 이게 나쁜 일만은 아니야. 우 감독 듣기에는 내 성격이 꼬여서 나온 말로 느껴지겠지만 어떤 학자들은 생명의 기원에는 우주 너머에서 지구로 떨어진 운석이 연관되어 있다고 보기도 한다고. 외부에서의 침략. 그건 내부의 변화를 강제하고 진화로 이어지는 큰 동력이야."

"그래서 남극에서 운석을 찾아다니는 거예요?"

"응. 평범한 운석이면 1그램에 3,000원 정도 하기도 하고."

"그러면 1킬로그램에 300만 원?"

김 박사님이 후후 차에 입김을 불어 마시기 좋게 만드는 사이 저는 300만 원으로 할 수 있는 일들의 리스트를 작성했어요. 어디 그냥 산에 가서 수석 주워오는 것보다 돈이 되겠더군요. 운 좋게 어디 뭐 1킬로그램짜리 두세 개만 줍더라도 그게 어디야? 되지도 않는 다큐멘터리 찍는 것보다는 살만할 테니까요. 아예 이참에 전직해서 남극에서 돌만 캐고 다니거나 아예 운석 주우러 다니는 내용으로 다큐멘터리 내용을 바꿀까 고민마저 했죠.

제가 되지도 않는 산수 실력으로 어떻게든 덧셈과 뺄셈을 반복하는 사이 김 박사님은 흥겨운 표정으로 창밖을 바라보셨지요. 다행히 어제의 그 발작으로부터 거의 회복되신 듯싶었어요.

"뭘 놀라. 1그램에 3,000원이라는 이야기는 어디까지나 평범한 화석의 경우라고. 화성에서 온 운석이면 1그램에 20만 원 정도 하려나. 달에서 온 운석이면 그보다 수십 배는 더 나갈 거야."

"수십 배! 로또다!"

"물론 우리는 남극 장보고기지 소속이기 때문에 발견해도 국가 소유물이 된다는 정도는 이해하고 있지?"

"1할은 떼어줘야 하는 거 아녜요?"

그때 저는 머릿속으로 이제까지 봤던 모든 추리소설에 나온 트릭들을 떠올리고 있었지요. 아니, 김 박사님을 살해하고 세연 씨와 시체를 은닉한 뒤 운석을 둘로 나누거나 할 생각은 아니었고요. 애초에 운석 비슷한 모래알도 줍지 못한 상황이잖아요. 그래도 1킬로그램은 무리더라도 100그램 정도는 어떻게 남몰래 가져갈 방법이 있지 않을까 고민하게 되더라고요.

물론 어디까지나 망상이었어요. 망상. 저는 법을 어겨서 운석 밀수꾼이 될 정도로 대담한 사람도 아니에요. 뭣보다 어디에다 팔면 되는지도 모르잖아요. 그래도 다들 로또 긁으면서 1등 하면 뭘 하며 놀까, 정도의 상상 정도는 하잖아요. 무엇보다 망상은 어떤 차에든 어울리는 다과니까요.

"그러니까 이따 세연 씨 오면 우 감독이 잘 좀 말해서 여기 말고 한 군데 더 가보자고. 내가 봤을 때 여기는 2조가 수색한 후보지보다 영 못해. 그러니 운석이든 후보지든 좀 더 수색하면 좋잖아."

"그래도 돼요?"

"본부에 허락만 받으면 안 될 게 뭐 있어. 그리고 우 감독 아직 세연 씨랑 데면데면하지? 이왕 나온 김인데 더 친해지고 가면 좋잖아. 원래 그러려고 나온 거 아니었어?"

"그렇기야 하죠."

"좋아. 결정한 거다?"

13

가고 가고 또 가고. 저와 김 박사님은 세연 씨와 남극 장보고 기지를 설득해서 예정에 없던 후보지를 한 곳 더 둘러보기로 결정했어요. 그 결정은 곧 끝없는 남극대륙 드라이브로 이어졌죠. 어렸을 때 했던 꿈 대륙이라는 게임이 좀 이런 느낌이었던 것 같은데. 그냥 막 빙판 위를 계속해서 가는 거.

이번에는 운전석은 제가, 조수석은 김 박사님이, 뒷좌석은 세연 씨가 차지했어요. 다음 후보지는 계획하지 않았던 곳인지라 GPS 위성지도만이 아닌 김 박사님의 경험과 기억에도 의존해야 했기에 이렇게 자리를 바꿔 앉게 되었지요. 하지만 김 박사님은 운전 보조를 잘하시는 편은 아니었어요. 후보지에 다가갈수록 무언가 고민이 되시는지 도통 저나 세연 씨에게는 별말을 건네지 않았거든요.

저희는 김 박사님의 건강을 염려해서 오래 이동하지는 않을 생각이었어요. 남극 장보고기지에서도 예정에 없던 탐사를 반기지 않는 눈치였고요. 1시간 안에 후보지에 도착할 수 없었다면 아마 이 일정 변경은 불가능했을지도 모르겠네요.

"위성으로 확인해보니 슬슬 11시 방향으로 틀어서 직진하면 되겠어."

"알겠습니다. 남극이라 길도 없는데 어떻게 훤히 아시네요?"

"그야 지평선 너머에서 연구대상이 나를 부르고 있기 때문이지."

"오···."

김 박사님은 냉면에 대해 열변을 토하실 때와 마찬가지로 자신감이 넘치는 표정으로 저와 세연 씨를 바라보았어요. 오랜 경험으로 단련된 연구자의 연륜이려나. 세연 씨의 눈빛은 불신 때문인지 약간 흐려지더군요.

"늙은이가 이런 헛소리를 했을 때 믿지 좀 마. 젊은 친구들이 늙은이 헛소리에 구박을 안 하면 늙은이들은 자기 헛소리가 진짜인 줄 착각하게 된다니까. 연구대상이 나를 부른다는 거야 농담이고. 나야 이 근처를 잊기 어려워서 그렇지."

"안 믿었어요. 내가 귀여운 세연 씨를 봐서 그냥 넘어간 거지. 그런데 여기가 김 박사님이 전에 와보신 곳이에요?"

"언니. 이 근처가···."

"응. 내가 송 팀장이랑 조난되었던 구역이잖아."

갑자기 분위기 《마션》. 아니, 《마션》보다는 좀 더 독하죠. 제가 듣기로 송 팀장이라는 분은 김 박사님과 같이 조난을 당했다가 그만 크게 다치셔서 다시는 남극에 돌아오지 못하는 상태라고 들었거든요. 게다가 김 박사님 말씀으로는 월동대원까지 지냈던 자기가 이렇게 건강이 상한 것에는 그 조난의 경험 탓이 컸다고 하고요.

세연 씨의 눈빛이 흐려졌던 것은 제가 지뢰를 밟거나 김 박사님이 지뢰를 터뜨리거나 할까 봐 염려되어서 그랬던 것 같아요. 역린이라고 하기까지는 어렵지만 어쨌든 누군가에게 반영구적인 후유증을 남긴 조난과 고립은 흥겹다고 하기 좋은 대화 소재는 아니니까요.

저희는 결국 침묵의 바다에 갇힌 채로 남극의 얼음대륙 위를 쭉쭉 미끄러져 나갔어요. 한 50분 정도 지났을까. 저나 세연 씨는 점점 피곤해져만 갔는데 김 박사님은 오히려 그 반대였어요. 어르신 기운도 좋지.

"우 감독. 여기서 3시 방향으로 틀고 좀 더 가보자."

"알겠습니다."

"거의 다 왔어."

목표 지점에 거의 다 온 덕분일까요? 김 박사님은 어느 순간부터 세세하게 여기로 가라 저기로 가라 지휘를 하셨어요. 그러고는 차창 너머로 보이는 산맥이나 바위 등을 놓치지 않도록 집중하기 시작하셨지요.

저희는 방향을 이리 틀었다 저리 틀었다 가끔은 아예 왔던 곳을 되돌아가기도 하면서 길을 찾았어요. 김 박사님은 사내친목을 도모하기 위해 주말 산행을 강행한 부장님처럼 거의 다 왔다는 말을 반복하셨고요. 나이 많은 남성이 말하는 '거의 다'라는 수사는 '나도 몰라' 정도로 해석하면 되지 않을까 제 안에서 논문을 작성하던 사이에.

"아, 스톱!"

"어쿠쿠, 뭐야? 우 감독, 왜 멈춰?"

"그야 당연하죠! 바로 앞에 이렇게나 넓은 크레바스가 있잖아요? 제가 브레이크를 밟는 게 1초도 늦었으면 최소한 앞바퀴는 걸릴 뻔했다고요."

저는 눈으로 덮인 땅 사이로 얼핏 보인 크레바스를 바로 앞에서 발견하고 강하게 브레이크를 밟아 겨우 차를 멈춰 세웠어요. 하마터면 천 길 낭떠러지에 차를 떨굴 뻔했던 것이었지요.

우리는 놀란 가슴을 쓸어내리며 창밖을 바라보았어요. 그곳에는 금이 간 비스킷처럼 대지를 갈라놓은 크레바스가 큼지막하게 입을 벌리고 있었어요. 몇 년 전 어떤 영화제에서 봤던 대지미술의 한 작품보다도 더 커다란 균열이었지요. 이 넓은 얼음 대륙을 가로지르는 흉터에는 제법 숭고한 맛이 있었어요.

"휴… 장관은 장관이네요."

"내가 우 감독한테 크레바스 한번 보여준다고 했는데 이렇게 보여주게 되었네. 자, 보라고. 연구할 가치가 충분하지 않아?"

김 박사님은 자신만만한 태도로 저 크레바스의 위용이 자신의 것인 마냥 뽐내었어요. 아저씨 허풍이려니 넘어가려 했는데.

그 순간 저와는 달리 세연 씨만은 이 상황의 모순점을 알아차렸더군요.

"주변에 이렇게나 큰 크레바스가 있으면 빙저호를 연구하기에는 적합하지 않은데요?"

"그래, 하지만 내 연구에는 도움이 되거든!"

저와 세연 씨 두 사람이 영문을 몰라 하는 사이 조수석에 앉아 있던 김 박사님은 운전석의 저에게 달려들어 운전대를 가로채려고 하셨어요. 그러고는 제 발을 밟아 그 아래의 액셀 페달을 꽉 누르셨지요. 저는 깜짝 놀라 어떻게든 운전대를 붙잡고 브레이크를 밟으려고 했지만 김 박사님은 그 체구에서는 전혀 나올 수 없을 무시무시한 괴력으로 운전의 주도권을 빼앗으셨고요.

"아니… 뭐 하시는 거예요? 이러다 저희 떨어진다고요!"

"우 감독, 내가 하려는 게 바로 그거야!"

김 박사님은 제 몸을 밀쳐 공중으로 살짝 들어올리기까지 했어요. 그러자 브레이크 페달을 밟고 있던 저의 발이 떨어져 저희가 타고 있던 차량은 곧장 사르투스의 입처럼 벌려진 크레바스에 뛰어들고 말았지요.

"바로 이거라고!"

14

"언니… 괜찮으세요? 정신이 드시나요?"

기절할 것 같은 격통 속에서 깨어나니, 기절할 것 같은 격통이면 깨어나면 안 되는 거 아닌가 하는 의문이 들더군요. 골똘히 고민하는 제 눈앞에는 어느새 조수석으로 자리를 옮긴 세연 씨가 걱정 가득한 얼굴을 하고서는 저를 바라보고 있었고요. 그리고 그 얼굴에는 걱정만 담겨 있지는 않았어요. 멍과 타박상도 제법 적잖은 지분을 차지하고 있었지요.

저는 신음을 아주 기이일게 흘리는 것으로 저의 생존을 증명하였어요. 고개를 돌려보니 얼음 바닥이 보이더군요. 다행스럽게도 저희가 탄 차는 크레바스에 떨어진 뒤 2, 30미터 가량 추락했음에도 불구하고 바닥 1미터 가량 위의 양 빙벽 사이에 아슬아슬하게 끼인 상태였어요.

만약 밑으로 갈수록 빙벽 사이의 틈이 넓어졌다면 저희는 남극에서 천국으로 또 신원을 옮겨야 했을 거예요. 지금의 저희는 빙벽에 끼어 미끄러진 덕에 충격이 분산되어서 덜 다친 모양새였으니까요. 아니, 평화로울 남극에서 도대체 무슨 정신으로 자동차로 번지점프를 하게 된 거야?

"어떻게 반 정도는 챙긴 것 같아. 세연 씨야말로 다친 데 없어요? 괜찮아?"

"타박상 조금… 뒷좌석에 앉아 있기도 했고 안전벨트도 하고 있었던 덕분에 크게 다치지는 않았어요. 언니는요?"

"나도 에어백 덕분인지 아니면 아픈 걸 느끼지 못할 정도로 혼이 나가서인지 모르겠는데 아프거나 하지는 않아요… 맞다, 김 박사님은?"

"제가 일어났을 때는 이미 차 안에 안 계셨어요."

"그 영감님은 도대체 무슨 생각이신 거야…?"

계속해서 이상하게 구신다 생각은 하긴 했다만 설마 이렇게까지 이상하게 구실 줄이야. 저와 세연 씨는 어떻게든 낑낑대면서 크레바스 양 벽에 끼인 자동차 밖으로 빠져나왔어요. 1미터 남짓한 높이를 뛰어내리자니 정말 아찔한 기분이 들더군요. 조금이라도 더 자동차가 미끄러졌으면 바닥에 입맞춤했을 테니까요.

차 안에만 걸려 있다가 단단한 얼음 바닥을 밟으니 겨우 현실 감각이 돌아오더라고요. 시계를 확인하니 크레바스에서 떨어진 지 2시간 정도는 지난 뒤였어요. 조금 더 지나면 해가 질 시간이었지요. 어떻게든 한숨을 돌리려는 차, 세연 씨는 기겁을 하고서는 신음 같은 한마디를 흘렸어요.

"바닥…?"

"바닥에 무슨 문제 있어요?"

"여기가 자연적으로 만들어진 크레바스라면… 이렇게 걷기 편한 바닥은 말이 되지 않아요. 그리고 이 밑을 보세요."

세연 씨는 손가락으로 우리가 위에 올라가 있는 빙판을 가리켰어요. 과연 세연 씨가 지적한 대로 이 바닥은 도시의 아스팔트처럼 매끄럽지는 않고 울퉁불퉁한 부분이 있기는 했지만 무척이나 평탄한 바닥이었어요. 더욱이 무엇보다도….

"바닥에 깔린 불투명한 빙판 아래에… 보이는 저 문양들… 무엇이라고 생각하세요?"

"문양 같기도 하고… 아니면 이집트의 상형문자 같기도 하고?"

이 빙판은 무언가 정체 모를 건축물 위에 깔린 것이 분명했지요. 아마 우연히 드러난 건축물의 표면에 눈이 내리고 그 눈이 녹았다 다시 얼기를 반복해서 만들어진 빙판이었던 것 같아요. 흐릿하게나마 얼음 너머로 기원을 알 수 없는 문자가 돋을새김으로 조각된 석판 바닥이 보였기에 그렇게 짐작할 수밖에 없더군요.

세연 씨는 경악한 표정으로 저의 팔을 붙잡았어요. 하기야, 우리는 이제까지 그 누구도 알지 못했던 고대문명의 유적 위에 서 있었던 것이니까요. 아니, 김 박사님만은 아마 알고 계셨겠지요. 그러지 않고서야 우리를 이곳으로 어떻게든 데려오려고 작전을 짜지도 않으셨을 테고요.

"세연 씨, 빨리 남극 장보고기지에 연락해! 이거 제가 잘은 모르지만 세기의 발견 아니에요? 남극대륙에 숨겨진 고대문명의 건축물이라니!"

"세기의 발견 맞아요. 맞는데…."

"맞는데?"

"전파가 통하지를 않아요. 아예 전자기기 대부분이 먹통이 되었어요. 이 크레바스 안은 전부 무슨… 방해 전파라도 나오고 있는 것 같아요."

저는 급하게 주머니 안에 들어 있던 스마트폰을 꺼내보았어요. 어차피 남극이라 전파가 닿지 않아 게임이나 하려고 들고 다니던 차였는데, 역시나. 세연 씨가 말했던 대로 제 스마트폰은 영문을 모를 버그로 작동이 되지 않고 있더군요.

그제야 저는 이 얼음계곡 안에 흐르고 있는 불쾌하고 음산한 기운을 느낄 수 있었어요. 남극에서 느낄 수 없는 비정상적인 한기 속에 있음을 깨달았거든요. 날카롭게 얼어붙는 추위가 아닌 음습하게 스며드는 추위. 위를 바라보니 크레바스의 틈새 사이로 석양이 지고 있는 하늘이 보였어요. 이제 곧 밤이 온다는 신호였지요.

"구조까지 얼마나 걸릴까요?"

"전파가 닿지 않아서 당분간은 어려울 거예요. 그리고 무엇보다…."

"무엇보다?"

"크레바스 안에 있다는 것을 알려야 하고 또 구조대가 올 때까지 견뎌야 하는데, 신호탄과 연료가 보이지를 않아요. 아마 김 박사님이 가져가신 것 같아요."

"그렇다면…."

"네. 김 박사님을 찾아야 해요."

저희 두 사람은 차에서 이런저런 물품을 배낭에다 챙겼어요. 그러고는 한 손에는 랜턴을, 다른 한 손에는 삽을 들고서는 크레바스의 안쪽을 수색하기로 결심했지요. 얼음 바닥 위에 떨어진 핏자국을 따라. 저희를 여기까지 인도한 김 박사님을 찾아. 더욱더 깊고 어두운 곳을 향해서.

김 박사님이 흘린 핏방울은 마치 메트로놈처럼 그 간격에 따라 김 박사님의 속도를 보여주는 듯했어요. 그 간격은 점차 멀어지기만 해, 가면 갈수록 김 박사님의 걸음걸이가 빨라졌음을 짐작할 수 있었지요. 도대체 이만큼이나 피를 흘리고 있는 사람이 어떻게 이런 속도로 달렸는지. 그것도 이 추운 남극의 크레바스 안에서 말이에요.

저희는 곧 김 박사님이 도대체 어디를 향해 이렇게 달려갔는지를 알게 되었어요. 핏방울의 궤적은 크레바스 깊숙이, 저희가 밟고 있는 이 건축물의 더 밑으로 들어갈 수 있는 구멍으로 이어졌더군요. 그 문도 달리지 않은 입구는 어찌나 커다란지 마치 영화에나 나올 법한 거대 괴수의 아가리처럼 위협적으로 벌려진 채 저희가 그 안으로 꿀꺽 삼켜지기만을 기다리고 있었지요.

저희는 입구 가까이에 다가갔어요. 열린 지 몇 달 되지는 않았는지 그 바닥에는 고작 30센티미터 가량의 얼음 턱이 쌓여 있었어요. 입구 안쪽은 저희가 여기까지 오면서 밟았던 그 얼음이 쌓인 바닥과 마찬가지로 돋을새김의 상형문자가 빼곡하게 새겨진 석판으로 벽이 세워져 있었고요.

"이거… 안에 뭐가 없으면 그때는 그것대로 섭섭하겠는데?"

"뭐가 있을 것 같으신데요?"

"산더미처럼 쌓인 금은보화와 마법의 양탄자 그리고 램프에 갇힌 로빈 윌리엄스요."

저는 아무 말이나 뱉은 뒤 조금씩 떨리기 시작한 세연 씨의 손을 꼭 붙잡아주었어요.

15

　수수께끼의 건축물 안에 대한 첫인상은 우선 넓고 높다는 것이었어요. 아마 이 크기에 다른 특별한 이유가 없다면 이 건축물에서 거주했던, 혹은 거주하는 생명체의 크기는 사람보다 훨씬 크기 때문이리라 짐작할 수 있었지요. 저와 세연 씨 두 사람은 거대 생명체의 둥지를 헤매고 있는 것이었어요.

　저희는 거석으로 이루어진 이 건축물의 일부밖에 보지를 못했어요. 걷는 이들이 헤매도록 설계된 미궁처럼 길이 굽이지기도 했고, 저희가 가진 랜턴으로는 이 더럽게 큰 건물의 윤곽을 세세히 살필 수도 없었거든요. 다만 얼음에 갇힌 이 건축물의 옥상이나 앞서 살폈던 입구처럼 계속해서 기하학적인 형태의 문자 비슷한 무늬가 어느 곳에나 새겨져 있다는 정도만은 질릴 정도로 보고 있었지요.

　기분 탓일지도 모르겠지만 미궁 안에서는 지린내가 났어요. 육식동물이 곳곳에 소변을 보아 영역표시를 한 것처럼요. 저야 남극의 다른 곳을 많이 보지는 못했지만 펭귄 군락지라도 가지 않는 한 이 대륙에서 맡을 수 있는 냄새는 갓 내린 눈송이의 신성한 물기뿐이었는데 말이에요. 오랜 시간이 지나서야 후각이 마비되어 익숙해질 그런 냄새였죠.

　"여기는 빙저호가 아니라 빙저미궁이네요."

　"그러게요. 김 교수님의 목적은 아마 이 미궁이었겠어요. 핏자국을 보세요. 미궁 안에서나 밖에서나 거침이 없어요."

"아예 생각이 없어서 그럴 수도 있지. 그냥 마구잡이로 뛰어다니고 있는 거 아냐? 사탕 한 봉지 다 먹어치우고 슈거 하이온 초등학생처럼."

아닌 게 아니라 김 박사님이 흘렸을 핏방울은 어디 웅덩이가 지기는커녕 점점이 이어지기만 했어요. 이 미궁을 강아지 산책장에 처음 간 멍멍이처럼 쏘다니면서 한 번도 멈추지 않았다는 이야기겠지요.

하지만 저희는 김 박사님처럼 미치지 않았으니 그럴 수야 없더군요. 세연 씨는 조심스레 김 박사님의 핏방울 자국을 발견할 때마다 그 벽에 삽을 그어 표식을 남겼어요. 헨젤과 그레텔이 빵조각을 흘렸다가 새들이 그 표시를 다 먹어치워 길을 잃었던 선례를 피하기 위해서라고나 할까요?

"그냥… 돌아갈까요, 언니?"

"왜요? 무서워요?"

"네. 소름 돋아요. 그리고 차라리 크레바스 밑으로 돌아가서 구조대가 저희를 빨리 찾아내기를 기도하는 편이 더 안전할 것 같아요."

"그러면 김 박사님은요?"

"사실 지금 가장 무서운 사람은 김 박사님이지 않나요?"

세연 씨의 두려움이 이해가 가지 않는 것은 아니었어요. 이 건물은 마치 불쾌지수를 높이려는 목적으로 건축된 것 같았으니까요. 어떻게 남극인데 이렇게 공기가 습한 데다 질척거리기까지 하는지. 어쩌면 이 건축물에는 습도나 뭐나 이런 것들을 조절하는 장치가 있는 것일지도 몰라요. 거주민들에게 있어서는 이 습기가 쾌적한 환경이라거나 하는 이유로요.

"무엇보다 이 장소는 빙저호나 다름없어 보여요. 짐작할 수도 없을 만큼이나 오랜 세월 동안 외부와 격리되어 있던 것 같아요. 저는 이곳에 이렇게 무방비하게 있고 싶지 않아요."

"저희가 빙저호 연구의 실패사례처럼 이 공간을 오염시키는 게 걱정이에요?"

"반대예요. 저희가 이곳에서 오염이 될 경우가 무서워요. 언니에게 탐사팀에 합류해보라고 권한 사람은 저잖아요. 어떻게 걱정을 하지 않을 수 있겠어요."

그제야 감이 오더군요. 이곳은 일종의 빙저호였어요. 그리고 우리가 오염시킬까 걱정하기보다는 우리가 오염될까 걱정해야 할 상황이었지요. 세연 씨가 빙저호 연구를 좋아하는 이유와는 달리 전혀 귀엽지 않은 곳이기도 했고요.

무엇보다 저희는 그 귀엽지 않게 오염된 사람이 아닐까 싶은 용의자도 알고 있었지요. 김 박사님은 제가 아는 한 누구보다도 오염되었다는 표현이 어울리는 상태였으니까요. 이 무저갱에 저희를 끌고 온 장본인이자 저희보다 앞서 조난을 경험했으며 명백하게 광기에 빠진 환자잖아요.

"그래도 더 가야 할 것 같아요."

"왜요?"

"아마 김 박사님은 저번에 조난 당하셨을 때 이 미궁에 발을 들이신 게 맞을 거예요. 헤매지도 않고 이 미궁을 찾아낸 것을 보면 분명해요. 그런데 남극 장보고기지에서 이 미궁의 존재를 몰랐다는 이야기는, 김 박사님은 이 미궁에 빠졌지만 동시에 탈출한 사람이기도 하다는 이야기일 가능성이 커요. 그렇잖아요. 만약 그랬다면 김 박사님은 크레바스 밑에 빠졌으면서도 구조대가 이 크레바스 안을 수색하기 전에 지상으로 올라왔다는 거죠. 우리는 김 박사님을 찾아서 그 방법을 알아내야 해요."

결국 우려에도 불구하고 저희는 걷기를 멈추지는 못했어요. 발길을 되돌리지도 않았고요. 한번 발을 들인 상황에서 관성을 지우고 왔던 길로 되돌아가기란 쉽지가 않지요. 그러면서 몇 번의 갈림길을 꺾어야 했는지, 또 그 갈림길마다 어찌나 무시무시하게 생긴 조각상들을 자주 보아야 했는지 몸과 마음이 피곤해지더군요.

세연 씨가 이 이야기를 들으면 동의하지 않겠지만 저는 제가 이 탐사팀에 합류를 한 것이 다행이라고 봐요. 아마 제가 이곳에 오지 않았다면 세연 씨는 혼자서 이 모든 상황을 감당해야 했을 테니까요. 남극대지에 숨겨진 고대유적에 미친 박사와 단둘이 고립되는 일이 달가울 사람이 어디 있겠어요?

그렇게 10분인가 더 걸었을 무렵이었을까. 아니, 10분보다 더 되거나 10분에 턱없이 모자라거나 했을지도 모르겠어요. 어두운 곳에서 아무 말도 하지 않으며 계속해서 걷다 보니 시간 감각이 무뎌졌거든요. 어쨌든 저는 무언가 이상하다는 것을 깨닫고 조심스레 세연 씨의 손을 잡았어요.

"세연 씨."

"네, 언니."

"불 꺼. 조용히."

그러고는 세연 씨의 귓가에다 아주 작게 속삭였지요. 저는 랜턴의 불을 끄고는 스마트폰을 꺼내 약한 불빛만을 내었어요. 여전히 영문 모를 버그로 제 기능을 하지는 않았지만 일단 화면에 불은 들어왔으니까요. 제가 조심스레 움직이니 세연 씨도 랜턴의 불을 끄고는 목소리를 작게 해 저에게 물었어요.

"무슨 일이에요?"

"냄새."

"냄새?"

세연 씨는 입에다 손을 가져가 막더군요. 아무런 소리도 나지 않게 하려고요. 제가 맡았던 그 냄새를 맡은 거예요. 눅눅하고 끈적하고 질척한 그런 기분 나쁜 냄새였지요. 저희는 분명 방금까지 이 미궁의 지린내에 익숙한 상태였어요. 그런데도 무언가 다른 냄새를 맡았다면 그곳에는 분명 환기용으로 설치된 무언가가 있든가 아니면 냄새를 낼 만한 무언가가 있든가 두 가지 경우 중 하나 아니겠는가 싶더군요.

미약한 불빛에 의지해서 누군가가 흘리고 지나간 핏자국을 노려보며 걷기란 어찌나 피곤하기 그지없는 일인지. 저희가 한 걸음 한 걸음 발을 내디딜 때마다 냄새의 근원지에 조금씩 다가가고 있음을 코로 알 수 있었어요.

"자네들 발소리 다 들려."

그리고 골목 하나 너머에서, 저희를 부르는 김 박사님의 목소리가 들렸어요. 그 목소리는 지쳤고 아픈 사람의 특유의 피로함이 담겨 있었지만 어딘가 기대감과 흥분 또한 느껴졌지요.

저와 세연 씨는 서로의 얼굴을 바라보았어요. 어쩌지? 어쩔까요. 어쩔 수 없지 않아? 어쩔 수 없네요. 눈과 눈으로 빠르게 대화를 나누었지만 둘 다 만족하기 어려운 결론을 내리는 것이 고작이었지요.

"안 잡아먹으니까 겁먹지 말고 나오라고."

김 박사님은 모퉁이 너머에서 이 한 문장을 던지더니 킬킬거리면서 웃더군요.

16

"아까 낮에는 미안하게 됐어. 그게 내 단점이야. 눈앞에 목표 하나가 딱 보이면 눈 딱 감고 돌진하는 버릇이 내 단점이야. 어디 아프거나 그렇지는 않지?"

"덕분에요."

저희가 다시 만난 곳은 강당처럼 넓은 공간이었어요. 이제까지 미로를 헤매면서 처음으로 통로가 아닌 방에 들어온 것이었지요. 겁을 먹어 랜턴의 불을 껐던 저희와 달리 김 박사님은 아주 환하게 조명을 켜고 계셔서 그 공간의 윤곽이 어렵지 않게 짐작이 되었어요.

김 박사님은 지친 모습으로 땅바닥에 앉아 계셨어요. 피를 계속해서 흘리셨으니 이상할 일은 아니었지요. 옷 군데군데는 어디서 뭐가 묻은 것인지 잔뜩 더럽혀져 있었고요. 김 박사님의 트레이드 마크였던 안경은 한쪽 알이 깨졌는지 렌즈 너머로 좁쌀처럼 보이던 눈이 찹쌀 정도로 보였지요.

세연 씨와 저 둘이서 덤벼들면 어떻게 제압할 수 있지 않을까 싶었지만 그 아이디어는 바로 포기했어요. 옆에 커다란 도끼를 한 자루 놓아두셨더라고요. 남극 장보고기지의 설상차마다 보급용으로 들어 있던 작업용 도끼였죠. 저나 세연 씨에게는 고작 삽밖에 없었으니 함부로 덤벼들지는 못하겠더군요.

덤벼들기 어려운 이유는 도끼뿐만이 아니었어요. 도끼 하나로도 살벌한데 김 박사님 옆에는 그보다도 더 살벌하게 생긴 커다란 덩어리가 놓여 있었어요. 그리고 그 앞에는 언제 이런 물품을 챙겨왔는지 놀랄 정도로 많은 조리기구가 놓였고요. 냄비 안에서는 알고 싶지 않은 무언가가 팔팔 끓고 있었지요. 저희가 맡았던 그 누릿한 냄새는 저 냄비 안에서 나는 것임이 분명했어요.

"이건 뭐예요?"

"육수를 끓이지."

"무슨 육수요?"

"내가 기회가 닿으면 남극에서만 먹을 수 있는 냉면 한번 대접해주겠다고 했잖아."

"펭귄냉면이라고 말해주세요. 펭귄냉면이 아니어도요."

"우 감독은 재치가 있어서 좋아. 그런데 펭귄냉면은 아니야."

아무리 식탐이 많더라도 자동차에 탄 채로 크레바스에 번지점프를 하려고 들 정도로 많기란 어려운데 말이지요. 저는 세연 씨에게 손을 뻗어 꼭 잡았어요. 저인지 세연 씨인지 아니면 둘 다인지 마주 잡은 두 손에는 떨림이 느껴졌어요. 김 박사님이 준비한 냉면이 펭귄냉면이 아니라면 아마 이 근방에서 재료를 구했을 가능성이 크지요. 그리고 그 재료로 보이는 덩어리를 보노라면 떨림이 멈추지를 않더라고요.

"셋이서 먹기에는 냄비가 작아서 나는 아까 한 번 끓여 먹었어. 일인분 또 끓인 건 잘 식혀다가 이 보온병에 넣었고. 한 번만 더 끓이고 나서 차가 있는 곳으로 돌아가자고."

"조명탄은 김 박사님이 챙기셨어요?"

"응. 우 감독이랑 세연 씨 일어나는 거 기다렸다가 출발하기도 그렇고. 그렇다고 나 사라진 사이에 남극 장보고기지 사람들이 오면 그건 그것대로 곤란하고. 많이 놀랐겠어. 하지만 걱정하지 말라고. 볼 일은 얼추 다 봤으니까."

김 박사님은 그렇게 말하며 웃으셨어요. 저나 세연 씨 역시 억지로 그에 맞춰 미소를 지었고요. 김 박사님은 광기에 의해, 저랑 세연 씨랑은 공포에 의해 지은 웃음이니 옆에서 보기에는 영 아니었을 거예요.

어색하게 화기애애한 분위기를 연출하는 사이 저는 티 나지 않을 정도로만 김 박사님이 옆에 눕혀 둔 커다란 덩어리를 살폈어요. 과연 저걸 생물체라고 분류해도 좋을지 모를 괴물이었지요. 길쭉한 원통형의 몸체를 감싸고 있는 피부가 검다 못해 금속성의 질감을 갖고 있었거든요.

거기다 어디까지나 눈대중이지만 그 괴물의 길이는 2미터가 조금 되지 않을 정도로 커다랗고 폭은 1미터를 살짝 넘는 듯했어요. 곳곳에 살이 패인 자국들을 보니 아마 김 박사님이 네다섯 근 정도 떼어다 육수 재료로 삼은 게 아닌가 싶더군요. 여기에 날개인지 지느러미인지 모를 널판 다섯 개가 달려 있었는데 부채처럼 접힌 모양이었어요.

원통형의 몸체 한쪽 끝에는 식물의 구근을 연상케 하는 부위가 있었어요. 저 개인적으로는 저 부위가 부디 얼굴 부분이길 기도했어요. 아가미처럼 뻐끔거리는 긴 틈새가 있기도 했고 그 부위 끄트머리에 달린 불가사리 모양의 기관에는 내장으로 이어지리라 짐작되는 구멍이 있었는데 그 안에는 오돌토돌 이빨 같은 가시가 박혀 있었거든요. 저 부위가 만약 항문이라면 도대체 저렇게 흉악하게 생긴 항문에서 어떤 끔찍한 걸 쏟아낼지 걱정하지 않을 수가 없었지요.

그리고 그 구근에 달린 불가사리를 연상케 하는 기관이 달린 쪽이 아닌 다른 쪽 말미에는 기분 나쁘게 꿈틀거리는 촉수가 스무 다발은 넘게 달려 있었어요. 그 촉수의 다발 몇은 아마 김 박사님이 잘라다가 냄비에 넣었는지 길이가 들쭉날쭉한 편이었고요.

"아쉽지만 면은 인스턴트 면으로 해놨어. 남극에서 괜찮은 면을 뽑기란 쉬운 일이 아니거든. 그리고 나처럼 어설픈 아마추어가 제면해서 만든 면보다는 공장제 면이 대중적인 입맛에는 더 맞을 거라고 봐."

"애초에 육수에 들어간 재료가 대중적인 편이 아니니 좀 더 실험적으로 가셔도 좋았겠지 싶기는 하네요."

"그런가?"

물론이죠. 그렇고말고요. 그랬다면 저나 세연 씨 두 사람 다 김 박사님이 남극까지 와서 자가제면으로 냉면을 끓여 먹을 미친 사람이라는 것을 진즉에 알았을 테니 이 크레바스 깊숙하게 숨겨진 지하미궁에 끌려올 일도 없었잖아요. 김 박사님이 이렇게 배려 깊은 방향으로 미친 사람이라는 것은 김 박사님에게나 저와 세연 씨 모두에게 불행한 일이었지요.

김 박사님은 저의 비아냥을 비아냥으로 받아들이지 못했는지 은근히 기뻐하는 구석마저 내비치면서 정체불명의 생명체의 고깃덩이를 고아내고 있는 냄비를 바라보았어요. 보글보글 끓는 냄비 때문에 김 박사님의 한 알밖에 남지 않은 안경에 김이 서린 모습이 어찌나 섬뜩하던지.

"나는 냉면이 좋아."

"말씀하시지 않아도 알 것 같네요."

"냉면을 먹기 위해 태어났다고 해도 좋아."

김 박사님은 뜬금없는 고백 뒤에 기나긴 한숨을 푹 쉬었어요. 아니, 지금 이 상황에서 한숨을 쉴 사람은 누가 봐도 저희가 아니었나 싶었는데 말이죠.

"어느 순간 그렇게나 냉면을 좋아하는 내 삶에 대해 회의가 들더라고. 냉면이 뭐겠어? 차가운 면 요리잖아. 하지만 이렇게 찬 온도를 유지하면서 냉면의 감칠맛을 내려면 필연적으로

MSG가 들어가야만 해. MSG가 나쁘다는 이야기는 아니야. 소위 자연적인 재료라는 것으로 MSG 한 스푼만큼의 감칠맛을 내기 위해서 얼마나 많은 자원과 수고가 드는지 알아? MSG는 환경보호를 위해서라도 필요해. 그럼에도 불구하고 내가 회의가 드는 건 바로 이거야. 왜 우리 인류의 몸은 이렇게나 과도하게 감칠맛을 욕망하는 형태로 설계되었을까? 생태계에서 구하기 불가능할 감칠맛에 어떻게 그리도 환장하는 것일까?"

"무슨 말씀인지는 알겠어요. 하지만 현대 사회에서 식탁에 오르는 단맛이나 짠맛도 감칠맛만큼이나 인위적인 맛이지 않나요?"

"역시 우리 세연이라니까. 잘 짚었어. 하지만 단맛과 짠맛 그리고 감칠맛 사이에는 분명한 차이가 있지. 인류의 역사에서 당분과 염분은 자연적으로 구하기 어려운 영양분이었어. 자연에서 구할 단맛으로 흔히 과일을 떠올리고는 하는데 요즘 과일과 몇만 년 전의 과일의 당도가 같지 않은 건 알고 있지? 게다가 과일은 계절을 타. 오래전에도 벌들이 꿀을 모으기는 했지만 꿀은 쉽게 구할 수 있는 식재료는 아니었지."

"감칠맛은 다르다는 이야기세요?"

"응. 수렵 시절에 사냥을 하며 드는 품이 21세기의 편의점에 들어가는 정도의 수고와 비할 바는 아니겠지만 단백질은 당분이나 염분에 비해 그렇게까지 구하기 까다로운 영양소는 아니었다고."

저는 김 박사님과 세연 씨 둘이서 뜬금없는 요리 이론에 대해 논의를 주고받는 모습에 기시감을 느꼈어요. 김 박사님이 냉면에 대한 지론을 설파하셨을 때와 비슷한 분위기였지요. 저는 두 사람이 대화에 집중한 사이 혹시나 터질지 모를 불상사를 대비해 삽자루를 쥔 손아귀에 더 힘을 주었어요. 김 박사님은 제가 한껏 긴장한 모습은 알아차리지 못하고 계속해서 수업을 이어 나가셨고요.

"그럼에도 불구하고 왜 우리의 육체는, 우리의 본능은 이렇게나 아미노산을 강하게 열망하도록 설계되었을까? 유전적인 오류였을까? 아니, 그럴 리는 없겠지. 내 고민은 한 가설에 이르렀어. 혹시 우리는 단지 과거에 먹었던 음식을 잊어버린 것은 아닐까? 그 음식의 흔적을 다른 어딘가에서 찾을 수 있지 않을까? 그리고 나는 남극에서 그 대답을 찾았어. 봐. 이 생물체를!"

"저 괴물이요?"

"우 감독은 과학자가 아니라서 그렇게 볼 수도 있어. 내 눈에는 그저 아직 연구가 진행되지 않은 생물로 보이지만."

"생물이기는 해요?"

"송 팀장도 처음에는 우 감독처럼 말했지."

아주. 아주 불길한 예감이 들더군요. 저는 송 팀장이라는 분은 뵌 적이 없어요. 왜냐하면 그분은 제가 남극에 오기 전에 김 박사님과 함께 남극에서 조난을 당하셨다가 구조된 뒤 아직까지 병원에 계신 분이었으니까요. 오래도록 병원 신세를 진 사람이 병원 신세를 지게 될지 모를 저와의 비교 대상이 되는 상황을 길조로 여기기는 어렵죠.

"저번에 송 팀장이랑 나랑 이 근방을 조사할 때 이 생물체를 발견했어. 어찌 된 영문인지는 몰라도 크레바스 위로 기어 올라와 우리를 위협하기에 냅다 차로 들이박아 죽여버렸지. 덕분에 차가 고장이 나는 바람에 남극대륙 한복판에 조난당하게 되었고 말이야. 하필 그때 블리자드가 몰아쳐서 구조는 안 되는데 어디 뭐 먹을 게 있어야지. 그래서 송 팀장이랑 나는 선택을 해야만 했어."

"점심으로 어떤 메뉴를 고를까에 대한 선택 말이군요."

"맞아. 유사 이래 인류가 단 하루도 빠지지 않고 숙고해야 했던 중차대한 과제였지. 우리의 고민은 길었지만 그만큼의 가치는 있었어."

김 박사님은 황홀하다는 표정으로 육수가 바글바글 끓고 있는 냄비를 바라보셨어요. 식욕과 성욕을 등치라 여기는 비유는 예로부터 질릴 정도로 잦았지만 김 박사님의 그 음탕한 표정을 보노라면 창작자들의 게으름을 탓할 수만도 없겠더군요.

"이 생물체는 우리 인류가 분류했던 어떤 계통과도 그 성질을 달리해. 분명 태고부터 지구의 다른 생명체와는 완전히 다른 환경에서 진화를 거쳐 왔기 때문이야. 그 환경은 어떤 곳일까? 빙하 밑 심해? 지저 세계? 아니면 우주 너머?"

"외계인이라는 이야기인가요?"

"모를 일이지. 모를 일이야. 단 하나 내 알게 된 것은 이 생물체가 기가 차게 맛있다는 사실뿐이야. 내가 이제까지 먹었던 그 어떤 고기와도 맛을 달리해. 아마도 아미노산의 구성부터가 본질적으로 지구상의 생태계와 다르기 때문이지 않을까? 하…."

쩝쩝쩝. 입맛을 다시는 소리. 김 박사님은 맛을 설명하다가

식욕이 다시 동했는지 입가에 흘린 군침을 닦고는 다시 감탄사를 이어나갔어요.

"송 팀장과 나는 이 생물체에 대한 연구를 독점하기 위해 당장은 남극 장보고기지에 보고하지 않기로 했지. 역사에 이름을 남기려면 우리가 첫 발견자보다 더 역할을 해야 하니까. 그래서 먹다 남은 부위는 아쉽지만 크레바스 밑에 버려두었지."

"그러면 이 유적은 오늘 처음 오신 건가요?"

"응? 그렇지."

"대단한데요. 어떻게 크레바스 밑을 조사해보신 적도 없으면서 이 미궁이 있다는 것을 알아차리셨나요?"

"들리거든. 누군가의 목소리가 내 귓가에서 계속해서 들려."

저는 김 박사님의 눈을 살펴보았어요. 그 확고한 눈빛에서 조현병의 징조는 읽을 수 없었어요. 무엇보다 누군가의 목소리가 이곳에 미궁이 있으리라 설득했고 그 설득에 넘어가 크레바스에 뛰어들었을 때 실제로 미궁을 찾아냈다면 그 목소리는 어떤 병의 증상이라고 보기는 어렵겠지요.

김 박사님의 말씀이 사실이라면 김 박사님이 이 미궁에서 빠져나가 크레바스 위로 올라가는 길을 알아서 구조가 빨랐던 것은 아니라는 이야기일 거예요. 세연 씨가 눈치를 챘을지는 모르겠지만 아주 안 좋은 신호였지요.

"구조된 이후로도 도무지 그 감칠맛을 잊을 수가 없더군. 인류사에 남을 획기적인 발견을 했음에도 내 관심사는 오로지 어떻게 하면 이 생물체의 고기를 한 번 더 내 입으로 씹을 수 있느냐에 있었어. 아쉽게도 송 팀장의 입맛에는 맞지 않았는지 그 친구는 아직도 병원 신세지만 나는 알았어. 나는, 아니 우리 인류는 바로 이 생물의 고기를 먹기 위해 태어난 거야!"

"김 박사님….."

"이것 참. 나 주책없지. 내가 길게 설명할 것도 없잖아? 3인 분짜리는 아직 끓고 있으니 두 사람에게 다 대접하긴 어렵지만 둘 중에 누구라도 이거 한번 먹어보라고!"

김 박사님은 옆에 놓여 있던 보온병을 열고서는 컵에다 차게 식은 육수를 붓고 갓 뽑은 면을 올린 뒤 자리에서 벌떡 일어나서 저에게 다가오셨어요. 그러고는 저의 얼굴 앞에다 컵을 턱 하니 내미셨지요. 다짜고짜 남의 설렁탕에 깍두기 국물 붓는 사람처럼 상대방의 의중 따위는 신경도 쓰지 않는 그런 단호한 태도로요.

이 동작이 보여주는 의미는 명확했어요. 저에게 공범이 요구되기를 요구하신 것이죠. 냉면 한 그릇을 대접함으로써요. 하지만 저는 정말로, 저는 정말로 이 정체불명의 생물체를 끓여다 만든 냉면을 먹고 싶지 않았어요.

"내가 어디 우 감독한테 못 먹을 거 권할 사람인가? 나 믿고 한번 쭉 들이켜봐. 정말로 맛있다는 거 알 거야. 오히려 더 달라고 그러지나 말라고."

"김 박사님. 권해주셔서 감사한데, 제가 방금 차에서 초코바를 먹고 와가지고요."

"에이, 그걸로 기별이나 되겠어? 남극 장보고기지에서 구조대가 올 때까지 시간도 오래 걸릴 테니까 지금 많이 먹어둬야 해. 어서 들어. 면 불겠다."

"저 소식하는 거 아시잖아요. 혹시 오이 넣으신 거 아니죠? 저 오이 알레르기 있는데."

"알레르기 그거 자꾸 먹다 보면 내성 생겨. 우 감독 지금 어른이 권하는데 자꾸 이러기야?"

"아니, 먹으면 두드러기 나니까."

"우 감독. 한 입이면 돼. 한 입. 아아."

하지만 제가 먹고 싶지 않다고 해서 먹지 않을 수 있는 상황도 아니었지요. 어른이 권해서는 아니었어요. 도끼를 들고 있는 어른이 권했기 때문이었어요. 기나긴 도낏자루를 흔들흔들 쥐고 있는 어른이요.

"제가 먹을게요. 저 냉면 좋아해요."

"세연 씨…?"

"어? 그럴래? 우리 세연이가 의외로 식탐이 있었구만. 우 감독은 이따 지금 끓이는 거 완성되면 줄게."

저는 깜짝 놀라서 세연 씨를 바라보았어요. 이 사람, 혹시나 자기가 나를 여기까지 데려왔다고 이상한 책임감을 느끼고 있는 거 아니야? 저는 깜짝 놀라서 김 박사님에게 손을 뻗어 기다리라고 보디랭귀지를 보였어요.

"세연 씨. 어디 감히 어른이 숟가락을 뜨기도 전에. 그렇죠, 김 박사님? 제가 먼저 먹는 게 남극에 모인 동방예의지국 사람들의 도리 아니겠어요?"

"우 감독님이랑 저랑 그렇게 나이 차이 크지 않잖아요."

"얘 좀 봐. 아까까지 언니, 언니 하더니. 김 박사님. 세연 씨가 이렇게 귀여우니까 어린 게 맞잖아요. 그죠?"

"음… 우 감독 승."

"아싸!"

저는 걱정스러운 낯빛의 세연 씨를 뒤로하고서는 조심스럽게 손을 뻗어 김 박사님이 건네시는 잔을 받았어요. 저 냉면에 뭐가 들었는지는 몰라도 먹어서 멀쩡할 것 같지는 않잖아요. 아무리 가는 데는 순서가 없다지만 그래도 고를 수가 있다면 순서대로 가는 편이 낫지 않겠어요?

잔은 제법 차갑더군요. 미궁 안이라고는 해도 남극 대륙에 있는 곳이니 육수를 끓인 뒤 가만히 내버려두기만 해도 냉동고에 넣는 것처럼 금세 차가워졌을 거예요. 김 박사님은 신이 나시는지 어깨를 들썩이며 저와 냉면이 든 잔을 번갈아 쳐다보셨어요.

세연 씨가 어떻게든 김 박사님을 만류하려는 기색이기에 저는 세연 씨 어깨에 손을 얹고 진정시켰어요. 상대방이 이성은 없고 날붙이만 있을 때는 약간의 자극이 큰 소동으로 이어질 위험이 크니까요. 세연 씨 역시 제가 왜 그러는지 짐작했는지 안절부절못하며 뒤로 물러났지요.

"우선 육수부터."

저는 숨을 크게 들이신 뒤 김 박사님이 건넨 컵을 한 모금 마셨어요. 그러자 제 입안에는 *해바라기가 항체를 기억해 나풀나풀한 돌과 서러움*이 가득했어요. 도대체 김 박사님은 어떻게 이

병뚜껑 속 함경도의 푸른 빛? 열중하는 성공은 손가락에 스물 여덟 지네를 삼켰지요. 깨진 계단에는 참기름이 싫어요.

사랑은 열 번째 서쪽의 보증이 현기증에게. 세연 씨는 가느다란 영원이 더럽히고는 나를 오늘 밤과 농후하다. 가죽의 체계가 망신이야. 문명화된 반짝임을 외쳐요. 노래가 천사를 누르고는 과망간산염을 깜빡임. 질펀한 도어락이 방학역에 날아갔고요. 불타는 도시에서 양은 잠들고 원숭이는 춤을 춘다. 냉면은 백오십으로 말하지 않아 세연 씨라도 닦아서 춤을 장전한 뒤 재생해야 해요.

17

"어때? 내 말이 맞지? 차원이 다른 감칠맛이지 않아? 이제 샘플을 챙겨다가 남극 장보고기지에 돌아가면 좀 더 연구를 해서 발표를 할 거야. 학명도 고민 중이지. 맛의 근원이나 다름없다는 점에서 아지노모토산일나트륨이면 어떨까?"

"언니? 괜찮으세요? 제 목소리 들리세요?"

소음이 메모하는 악어를 벌려놓아 은하수가 합일하고 포상은 탄약에 채워 남겨졌어요. 탐독은 어울리지 않는 오후를 헤엄쳐서 뻔했지요. 어른들은 단순한 뒤틀림. 에어캡 안에 든 소우주는 어린아이의 토사물로 매개해요. 김 박사님은 거스름돈의 여행이 사실이니까요. 자유는 침묵하게 요청해서 만났지만요.

"아니야…. 아지노모토는 일본 이름이지. 그렇다면 미원산나트륨? 이러면 너무 특정 업체를 밀어주는 것 같으니 또 아니겠어. 아! 이 맛은 존재의 근원이나 다름없잖아? 그러니 아자토산일나트륨이면 되겠다!"

"김 박사님, 뒤!"

"뒤? 뭐? 으아악!"

할까요? 외침이 건드리는 양자의 환갑이 붉게 달려요. 건강함이 올라탄 피안에는 저번 달과 증정본이 가득하다. 왕관을 쓴 개구리는 선홍빛 성궤의 주인. 19990년대에는 부족하니까요. 신의 아이는 유대인의 손녀일지도 모른다. 굴곡이 승격하는 고마워요.

노란빛 군주의 가면을 벗겨서는 안 된다. 근우 씨라면 먼저인 농도에서 감자를 군혀버렸지요. 상자를 달린다면 파자마뿐이에요. 새끼손가락은 벚꽃에 화들짝 익어가는 박수 소리. 완벽한 추종을 납부하는 함께요. 저는 비밀과 광차의 낭비니까 우호적인 구원투수는 바탕이 미끄러운 사탕을 퇴장했어요.

"언니, 정신 차려요! 김 박사님이 쓰러졌어요!"

"네까짓 게? 좋다고! 어디 덤벼보라고!"

"안 돼!"

흩날린다. 일환으로 사각형은 흉계를 17층에 부풀어요. 강점기를 높이 수상한 제자. 편집된 충성심은 길게 배려를 복숭아와 기었는데 벼락이 깔고 앉은 분침마다 물고기가 찢어졌고요. 안개꽃에 붙은 실밥에는 잉크가 구르지 않는다. 예언되지 않은

다섯 번째 기수가 창을 겨누고 2시 38분이면 명찰에 머리카락이
흘러요.

"으윽, 으…."

"언니, 꽉 잡으세요. 제가 안고 뛸게요."

격자무늬의 남십자성에 궁금한 지도를 씹은 빨래는 매끄럽게
탈출구를 간질여요. 아직 싸우다. 구름이 쏟아지는 요새에서 전
력으로 단말마. 침략하는 이발사가 빠르게 투하하는 서술은 공
적이 두꺼운 합류 속에 지네는 빼닮았어요. 고함 속의 탑마저
잠든 청금석에는 녹이 슬어요. 물방울이 오해하는 최종결정권
자가.

대퇴골에는 젓갈을 훔쳐 몰아가는 등차수열의 결론. 세연 씨
또한 서적이 동경하는 맞아요. 교활하다. 백만으로 늘어난 마이클
잭슨은 종로에서 거울 속의 그자를 불러요. 조개의 눈동자가 추
월하면 모자람. 늙은 바람이 환승해서 천칭에 가라앉았지요. 편
리는 뜨겁고 중국 도자기다운 열차의 콧바람이 집합답게 외워
서 무궁무진을 부착해.

흑연을 갈음하는 믿음만은 흩날리네요. 신기로운 분리수거와
만두피. 호두는 정기구독권에게 녹슨 관심을 사주지 부탁해요.
낙인이 숨을 쉬는 코카콜라만 도끼가 작성하세요. 갈라진 십자
가에 불이 붙어서 피어 있는 화요일마다 덜컹거리면 미사가 끝
났으니 너희는 가서 이 복음을 전하라. 미사가 끝났으니 너희는
가서 이 복음을 전하라.

18

걱정하지 마세요. 안 전해도 돼요. 제가 한 이야기에서 전할 만한 이야기가 뭐가 있겠어요. 전하지 마세요. 그리고 저 미친 거 아니에요. 정확히 말해 잠시 미쳤기는 했지만 일시적이었어요.

와. 살면서 미치도록 맛있다는 수사를 쓴 적이 몇 번 있기는 한데 사람이 진짜로 미쳐버리는 맛이 있기는 하더라니까요? 김 박사님이 끓이신 냉면의 육수를 한 입 들이키는 순간 완전히 별세계에 간 기분이었어요. 그 생물체의 아미노산 어쩌고는 몰라도 마약 성분도 들어 있던 것이겠지요.

"언니, 저한테 맞으신 데는 괜찮으세요?"

"괜찮아, 괜찮아. 이 정도는 맞았어야 제정신을 차렸을 테니까요."

저는 냉면을 먹은 뒤 20분 동안의 기억이 나질 않았어요. 기억만 나지 않은 정도니 다행이라 생각하기는 해요. 그리고 그나마 기억이 끊긴 구간이 20분밖에 되지 않은 것은 전적으로 세연 씨 덕분이기도 했지요. 제 목구멍에 손가락을 넣어 냉면을 토하도록 이끌었고 심폐소생술을 반복해 저를 겨우 살려냈으니까요.

세연 씨가 심폐소생술을 하기 위해 벗겨놓았던 옷을 다시 입은 뒤 저는 제가 맛탱이가 간 사이에 있었던 일들에 대하여 들었어요. 미궁의 괴물이 되살아나서 김 박사님을 덮쳤다는 것이었죠. 김 박사님은 도끼를 들고 그 괴물에 다시 맞서셨고요. 세연 씨는 미친 사람이랑 무서운 괴물이 한 판 붙은 사이에 배낭에 연료와 조명탄을 챙겨 넣고는 저를 안고서 자동차가 추락한 이곳으로 도망쳤고요.

겨우 자동차가 있는 곳에 도착했을 무렵에는 빙벽 사이에 끼었던 자동차가 결국에는 중력을 이기지 못해 땅바닥에 완전히 떨어진 상태였다더군요. 저희가 이 근처에 계속 머물렀다거나 차 안에 있었다면 큰일이었겠지만 지금 이 상황에서는 다행인 일이었지요. 제가 맛이 간 상황에서 이런저런 물품을 꺼내고 정돈하기 더 쉬워졌으니까요.

그 뒤로도 세연 씨의 고생은 끝이 나지 않았대요. 제가 눈을 떴어도 정신은 차리지 않은 티가 나니까 뺨을 갈기고 또 갈겨서 겨우 사람으로 만들어놔야 했거든요. 사람이 되기 어찌나 어려운지. 세연 씨는 기어코 제가 더 이상 방언을 터뜨리지 않고 교양 있는 사람들이 두루 쓰는 현대 서울말을 입에 담을 때까지 저를 두들겨 팼어요.

설명을 마치고 세연 씨가 김 박사님한테서 튄 피와 흐르는 눈물로 범벅되어서는 아주 오열을 하는데 이 황당한 목격담을 믿지 않을 도리가 없더라고요. 제가 깨어난 그때까지 세연 씨가 혼자서 얼마나 겁이 났을지 안타깝기도 했고요. 지금도 제가 다시 김 박사님처럼 되면 어쩌나 걱정이 되긴 하지만 그렇게 되지 않기를 기도하는 것 외에는 방도가 없네요.

결국, 저와 세연 씨는 구조대가 올 때까지 할 일도 없겠다, 자동차 지붕 위에 드러누워서 오로라가 휘날리는 남극의 밤하늘을 바라보고나 있게 되었어요. 텐트 안에 숨어 있을 기분은 아니었거든요. 이렇게 저희 이야기의 맨 앞과 맨 끝이 드디어 이어지게 된 거죠.

"처음에는 세연 씨가 운석을 찾으러 가자기에 낭만적인 여행이 될 줄 알았지 뭐야."

"죄송해요···."

덩치도 큰 친구가 또 울기는. 이 사람도 참 빙저호 연구자로는 실격이겠다 싶어요. 이렇게 시추 과정에서 부동액이 넘쳐흘러서야 원. 어디 남몰래 관찰자의 입장을 주지하면서 연구를 지속할 재주가 되겠나요? 결국 저는 세연 씨의 어깨에 제 팔을 둘러주고는. 머리를 토닥거려주면서 잠시 진정하라는 의미에서 가슴을 빌려주었지요.

"아휴, 그런 이야기가 아니라. 뚝! 이렇게나 귀여운 사람이 울먹이다가 눈에 동상이라도 걸리면 어쩌려고."

"언니···."

바람이 불자 저희가 앉은 쪽으로 연기가 올라왔어요. 이렇게 차에 올라타기 전에 휘발유를 뽑아다 담요에 적셔 불을 붙였거든요. 조명탄만큼은 아니어도 남극대륙에서 조난된 사람이 자신들의 위치를 알릴 신호로는 썩 나쁘지 않은 방법일 거예요. 구조대에게 먼저 발견되느냐 아니면 괴물에게 먼저 발견되느냐에 따라 그 끝의 내용이 많이 달라지긴 하겠지만 어쨌든 끝이 나기는 날 거고요.

불평불만을 하기는 했지만 지금 이 상황이 그렇게 낭만적이지 않은 것도 아니잖아요? 남극의 건조하고 상쾌한 추위 속에.

함박눈처럼 무수하게 빛나는 별들 밑에서. 서울에서 태어난 사람이라면 과연 일생에 한 번이라도 볼 수 있을지 모를 아름다운 오로라를 보고 있잖아요.

거기다 처음에는 낯가림이 심했으나 결사코 친해지고만 미인과 누워 있기까지 하니 근처에 고대유적과 괴물 그리고 그 괴물을 잡아먹다 죽은 미친 사람의 시체가 있다는 정도는 모른 척 넘어가도 되겠죠.

"하지만 이후로는 세연 씨의 미감을 믿지 않기로 결정하기는 했어."

"네?"

"빙저호 연구가 귀엽다며. 그래서 세연 씨 연구하는 거 구경하겠다고 따라왔다가 제가 목격한 것들을 정리해보라고요. 도대체이 어디에 귀엽다고 할 요소가 있는 거야?"

무지막지하게 커다랗게 갈라진 크레바스. 빙하 밑에 잠들어 있던 고대유적. 복잡한 미로. 정체를 알 수 없는 괴물. 정체를 알수 없는 괴물을 육수로 넣은 냉면. 정체를 알 수 없는 괴물을 육수로 넣은 냉면을 만든 할아버지.

세연 씨는 고개를 들어 제 낯빛을 살폈어요. 이제는 슬슬 제가 어떤 식으로 농담을 던지는 이해할 때도 되었을 텐데 말이지요. 세연 씨는 곰곰이 고민하는 듯하다가 갑작스레 새빨개진 귀를 감추려는 듯이 폭. 하면서 제 품에 그 커다란 덩치마저 던지더니.

"대신 이렇게 귀여운 저를 봐서 넘어가주시면…."

넘어가게 하지 뭐예요.

당신이
잠든 사이에

한국에서 천문학자가 되기 위해서라면 반드시 거쳐야만 하는 시련이 하나 있다. 그 시련은 바로 "천문학자만큼 세상에서 별 볼 일이 없는 직업이 또 어디 있겠어?"라는 농담을 백만 번도 넘도록 들어야만 한다는 것이다. 하지만 나는 21세기에 태어난 천문학자로서 천문학자의 삶에 무척이나 만족하고 있다. 비록 21세기 천문학자의 삶이 고대 천문학자의 삶보다 박진감이 덜 하다는 것은 부정하지 못하더라도 말이다.

고대의 천문학자라면 새벽의 밤하늘을 바라보며 별빛을 읽고 대기의 움직임을 살핀 뒤 왕의 운명과 국가의 흥망에 대해 나지막이 속삭였을 텐데. 그에 비하여 나 같은 불초 후학들은 조용히 연구실에 앉아 각지의 천문대에서 전송받은 데이터와 논문을 노려보며 카페인으로 뇌를 절인 뒤 트위터에다 귀여운 강아지와 고양이 이미지를 올리는 것이 일의 전부다.

다시 한 번 말하지만 나는 이러한 나의 삶에 불만은 없다. 고대의 천문학자라면 여름에는 모기 떼와 싸워가며 졸음을 참아야만 했을 것이고 겨울에는 차가운 밤공기 속에서 벌벌 떨어가며 고통 받았을 것이나 현대의 천문학자인 나는 어쨌든 문명의 혜택을 한껏 누리며 푹신한 의자에 앉아 일하고 있으니까. 부득불 과거로 돌아가면서까지 박진감이 넘치는 일을 하고 싶지는 않으니까.

이런 내 생각은 박진감이 넘치는 일을 하지 못하는 지금 내 상황에 대한 변명이 결코 아니다. 요즘에 내가 연구하는 주제는 라스캄파나스 천문대에서 받은 자료로 뭐라도 하는 것이다. 다들 알다시피 칠레에 위치한 이 천문대의 새 망원경에는 대한민국의 자본이 들어갔고 자본은 그 투자에 대한 결과물이 나오기를 기대했으며 그 기대는 나 같은 햇병아리 천문학자에게도 돌아갈 만큼이나 컸다.

덕분에 나는 정말로 뭐라도 해야 하게 되었고 그 뭐는 지구에서 65광년 멀리 떨어진 항성 알데바란 근처에서 얼마 전 관측된 가스 덩어리에 대한 연구다. 우주에 대한 연구라고 하면 제법 폼이 나는 듯싶으나 그렇지만도 않다. 이 가스 덩어리의 움직임이라는 것이 바로 가까이에서 보면 제법 박진감이 넘칠지 모르겠으나 결국 내 모니터에 비치는 화면은 마치 한여름 강변에서 날벌레 떼가 윙윙거리며 날아다니는 것처럼 별 볼 일이 없는 모습이니까.

무엇보다 나는 칠레에서 연구하지도 않고 대학으로 나가지도 않는다. 어차피 라스캄파나스 천문대에서 주는 자료만 있으면 내 연구에는 아무런 지장이 없지 않은가. 그러니 나는 동네 도서관에 앉아 노트북 화면을 통해 온 은하를 관망한다. 다시 한번 강조하자면 내 연구는 나의 까마득한 선배들이 전쟁이나 역병에 대해 예언했던 것에 비하면 분명 소박한 일이 맞다. 그럼에도 나는 동네 도서관에 박혀 별 볼 일 없이 화면만 바라보며 지내는 이 소박하고 목가적인 삶이 진심으로 만족스럽다.

'재우 어린이의 보호자가 맞으시지요? 연락 부탁드립니다.'

그러니까 결국 나의 문제는 내 별 볼 일이 없는 공적 영역과는 무관한, 별 볼 일이 많은 사적 영역에 있는 것이다.

✳

"재우야. 삼촌이야."

"삼촌!"

"어구야. 또 무슨 일이야."

이 걸어 다니는 코딱지가 나한테 달려와 몸통째로 날 박아버렸다. 나는 충격을 간신히 견뎌내고는 다섯 살짜리 조카놈을 안아다 들어 올렸다. 그 어리기만 하던 놈이 어느덧 4년이나 이 세상의 쓴맛을 본 뒤 이제는 이 사회가 얼마나 엉망인지를 깨닫고는 애꿎은 삼촌에게 화풀이를 시작한 나머지 내 어찌나 힘이 드는지.

그날도 나는 재우가 다니는 어린이집 담임선생님으로부터

SOS 신호를 받고서는 부리나케 도서관을 나와 조카를 데리러 가야 했다. 선생님 말씀으로는 이 녀석이 또다시 엄마가 보고 싶다고 칭얼거렸던 모양이었다. 그리고 어린아이의 눈물은 핵분열과 같아서 그 한 방울이 곧 어린이집의 모든 아이들의 오열로 연쇄반응을 일으키기도 하고.

이 핵폭발의 원인이야 명확하다. 재우의 부모 때문이다. 재우의 부모이자 나의 형과 형수님 두 양반이 재미만 보고 뒷감당은 내게 떠넘긴 것이 이 모든 소요의 원인이지 않은가?

"재우. 오늘은 왜 울었어?"

"엄마랑 아빠… 보고 싶어서…."

"그랬어? 어린이집 있기 싫어? 삼촌이랑 도서관에 갈까?"

"응…."

재우는 나에게 안긴 채 그 바가지 같은 머리를 내 어깨에 비비면서 울먹였다. 나는 결국 아이를 안아 들고는 담임선생님에게 인사를 드린 뒤 어린이집을 빠져나와야만 했다. 재우는 겨우 아는 사람을 만나 안심이 되었는지 이내 침을 흘리면서 잠이 들었다. 너도 참 고생이구나, 조카야.

며칠 전의 일이다. 오랜만에 형이 나를 찾아왔다. 답지 않게 재우를 등에 업고서. 그러고는 생활비가 든 봉투를 건네고는 한 달 동안 나더러 재우를 맡으라며 일방적으로 통보한 뒤에 바람과 같이 사라지고 말았다. 나는 허망하게 조카를 위한 살림살이를 방 안에 정돈하며 이게 무슨 영문인지를 따져봐야만 했고.

애써 형수님에게도 연락을 드렸지만 형수님은 형수님대로 나에게 재우를 잘 부탁한다는 말만 반복했다. 나는 끈질기게 형과 형수님 두 사람을 추궁하고 추궁한 뒤에야 이 뜬금없는 육아 대행의 연원을 알게 되었는데, 결국 이 두 사람은 대판 싸우고 이혼하기 직전의 상황이라는 것이었다.

두 사람은 몇 번의 다툼을 거친 뒤 마침내 한 달간의 별거 후 다시 대화하기로 합의를 보았으나 아이를 누가 맡느냐에 대해서는 쉽게 결론을 내리지 못했다고 한다. 결국 소중한 아들을 한 측이 도맡는 것은 다른 한 측이 용납할 수 없기에 상호 신뢰하는 제3자인 나에게 맡기자는 것으로 이야기가 마무리되었고 말이다.

'소중함'과 '신뢰'라는 개념을 근간부터 부정하는 이 설명에 나는 도무지 납득할 수 없었지만, 납득을 하든 말든 돌봐야만 하는 아이가 하나 생긴 셈이었다. 무엇보다 졸지에 조카를 떠맡게 된 나보다는 부모는 온데간데없이 삼촌에게 떠넘겨진 재우야말로 화를 내야 할 사람인데 내가 어찌 불평불만을 할 수 있겠는가.

✳

"맛있어?"
"맛있어."
"더 먹어."
"응."
나는 재우가 있는 쪽으로 김밥 한 줄을 밀어주었다. 결국 나와 재우는 어린이집에서 나와 도서관으로 돌아와야 했다. 급하게 나오느라 노트북을 비롯한 내 짐을 전부 도서관 사물함에 넣어두고 와야만 했기 때문이다.

게다가 집으로 돌아간다고 해도 정돈해야만 할 서류 작업이 있어 재우를 돌보기가 어려운 상황이기도 했다. 하지만 이 도서관에는 방과 후 어린아이들이 참여할 수 있는 몇몇 프로그램이 있었기에 내가 일을 하는 사이에 제대로 된 어른이 재우를 잠깐이라도 봐줄 수 있었다.

하지만 이런 프로그램들은 대부분 초등학생들이 하교한 뒤에야 시작한다. 아직 한두 시간은 더 기다려야 한다는 이야기다. 결국 나는 그때까지 기다릴 겸 재우를 도서관 매점으로 데려왔다. 김밥에 떡볶이가 다섯 살짜리 아이에게 권장되는 메뉴인지는 모르겠지만 가끔이야 괜찮지 않겠는가.

"삼촌이 있는데도 엄마랑 아빠가 보고 싶어?"

"어."

"그래. 이따가 영상통화라도 하자."

"응."

재우는 갑작스레 새 어린이집을 다니며 삼촌과 새 생활을 하게 된 탓에 스트레스가 큰지 이렇게 자주 부모님을 찾고는 했다. 나와 재우의 사이는 제법 좋은 편이었고 그렇기에 형이나 형수님이 나를 믿고 재우를 맡긴 것이었지만 그래도 삼촌이 해줄 수 있는 일에는 한계가 있었다. 어디 가끔 보는 삼촌일 때와 매일 보는 삼촌일 때 호감도가 같을 수가 있겠는가?

나는 어느새 눈물을 멈추고 열심히 포크로 음식을 찍고 먹기를 반복하는 재우를 뒤로하고서는 매대 앞으로 돌아갔다. 내 하루에서 가장 긴장되는 순간이다. 그러고는 매점의 직원분에게 다가가 눈으로 인사했다. 그분은 평소와 마찬가지로 눈부신 미소와 함께 나를 바라보았다.

매점의 직원분은 눈높이가 나와 맞을 정도로 큰 키에 시원하게 드러난 이마 그리고 간편하게 쪽 찐 머리를 하여 서글서글한 분위기가 매력적이었다. 하지만 무엇보다도 안면표정근을 아낌없이 활용하여 감정을 거침없이 드러내는 모습이 좋은 인상으로 다가왔다. 그렇다. 내가 매점에 온 것은 배가 고파서만은 아니다.

"안녕하세요."

"어서 오세요."

여기까지는 매번 실험 결과가 성공적이다. 하지만 이다음의 절차에 대해서는 실험을 설정하며 요구되는 변수가 너무나도 많다. 결국 나는 그날도 껌 한 통만을 사다가 주머니에 넣는 것이 고작이었다. 그러니 하루 치 실험은 이걸로 끝. 이 정도면 제법 괜찮은 진전일지도 모른다고 나를 도닥였지만 어디 내 예상대로만 끝나는 실험이 있던가?

"아이랑 같이 오셨네요."

나는 바싹 얼어서 점원분을 바라보았다. 아무리 변수가 많다고는 해도 이렇게나 돌발적인 상황은 염두에 두지 못했는데 말이다. 이런 경우에는 도대체 어떻게 대답해야 올바른 결과가 도출되지?

"네. 아이가 어린이집에서 아빠를 계속 찾는다고 해서요."

나의 대답은 딱히 좋은 대답이 아니었던 것 같다. 어떤 점에서 이 대답에 문제가 있었는지는 아직 파악하지 못했지만 점원분께서 내 대답을 들은 뒤 사용한 표정근을 보면 내가 무언가 잘못 말했다는 것은 분명했다.

결국, 나는 어떻게든 웃는 표정을 유지하려고 안간힘을 쓰며 재우가 앉은 테이블로 돌아가야만 했다. 그저 껌 한 통만을 쥐고서.

✳

"삼촌. 뭐 봐?"

"응? 일."

"일 뭐?"

결국, 그날 치 자료정리는 집에서 해야만 했다. TV만으로는 붙잡아둘 수 없는 재우와 함께 말이다. 도서관의 방과 후 프로그램은 고작 몇 시간으로 끝이 나니까 어쩔 수 없는 노릇이었다.

내 집은 지방민의 특권으로 연구원이 홀몸으로 살기에는 제법 넓은 편이었다. 덕분에 갑작스레 조카가 군식구로 더해졌어도 생활 수준이 급락하지 않았다. 그럼에도 재우는 넓은 거실이 아닌 내 옆에 딱 달라붙어서 장난감을 갖고 혼자 놀다가 내 노트북을 훔쳐보기를 반복했다.

"삼촌이 공부하는 거야."

"무슨 공부?"

"이상한 가스 덩어리가 우주 멀리에 있는 태양을 에워싸고 있어. 그래서 신기해서 공부하고 있는 거야."

"가스? 뿡뿡이?"

"응. 뿡뿡이."

재우는 뿡뿡이라는 단어를 꺼내면서 깔깔 웃었다. 아직은 이런 농담이 가장 즐거울 나이다. 아, 여기서 가장 즐거울 나이라고 한 것은 재우가 아닌 내 이야기다. 서른넷이면 아직 한창 방귀가 재밌을 나이다.

"왜 공부를 학교에서 하지 않고 집에서 해?"

자식이 아픈 곳을 찌르기는. 내가 연구소나 대학이 아닌 동네 도서관이나 집에서 공부를 하는 것에는 이유가 있다. 아주 대단찮은 이유가.

"삼촌이 친구랑 다퉜거든."

그 대단찮은 이유라는 것은 나라는 사람이 고작 석사 나부랭이 주제에 어디 높으신 분과 약간의 언쟁을 벌였기에 당분간 어딘가에 공식적으로 적을 두기 어려운 형편이 되었다는 것이다. 참 겁도 없었지. 도대체 내가 뭐라도 된답시고 그렇게나 소리를 질러댔다니.

나도 그 정도 연배의 분에게 조금 심했다고 생각한다. 논쟁으로 머리에 피가 쏠려 얼굴이 빨개져선 '어린 친구가 말하는 것 좀 봐!'라기에 '내가 왜 당신 친구입니까?'라고 따졌고, 뒷목을 잡고 쓰러지려는 모습을 보고서는 '이 친구 이러다 뒤로 넘어가겠네!'라고 비웃기까지 했으니. 그러니 이렇게 좌천이나 다름없이 지내는 내 처지에도 불만이 없는 거고. 이 상황에서도 내 복

귀를 위해 이런저런 연구소를 돌아가며 정치도 하시고 분위기도 조성하고 계신 지도교수님에게도 감사한 마음뿐이다.

하지만 내가 어디 소속되기는 어렵게 된 것과는 별개로 언쟁이 벌어지기 전에 신청한 정부지원사업에 합격하였으니 연구는 진행해야 했다. 그래서 부랴부랴 아무런 주제라도 잡아서 동네 도서관과 내 집에 노트북과 함께 드나들며 연구를 하게 된 것이다. 덕분에 재우를 볼 시간이 늘어났으니 아마 다 이런 상황을 위해 내가 좌천된 모양이라고 좋게 생각하고는 있다.

"싸우면 안 된대."

"누가 그래?"

"선생님이."

"그래. 싸우면 안 되지. 사이좋게 지내야겠지."

재우는 고개를 끄덕이고는 다시 장난감에 집중했다. 나에게는 모범적인 삼촌으로서의 재능이 몇 가지가 있다. 그중 하나는 지금 재우가 갖고 놀고 있는 건프라나 피규어처럼 비싸고 쓸데없는 물건들을 집 안에 잔뜩 모아놨으면서도 조카가 갖고 노는 데 써도 전혀 상관하지 않는다는 점이었다.

하지만 이건 당연한 것 아닌가? 장난감의 본질은 갖고 노는 데 있고 이 장난감을 우리 집 사람들 중에서 가장 잘 갖고 놀 사람은 재우다. 나는 재우가 내 장난감을 갖고 자기만의 세계를 만드는 광경을 보노라면 스포츠팬이 프로 선수의 활약을 보는 것처럼 즐겁기만 하다. 그날 재우의 소꿉장난 역시 하루 치 시름을 잊을 만큼의 박진감이 있었다.

"재우야."

"응."

"어린이집에서 선생님들이 어떤 거 가르쳐주셔?"

"밥 먹는 거."

"선생님이 좋아하는 사람이 생기면 어떻게 해야 하는지도 가르쳐주셨어?"

"응."

그리고 나의 그날 치 시름은 바로 매점 점원분과 제대로 된 대화를 하는 데 성공하지 못했다는 것이었다. 다른 때라고 딱히 이 시름이 없던 것도 아니지만 그날은 언제나 활달하게 움직이던 그분의 표정근에 이상이 생겼다는 점에서 시름이 더 깊을 수밖에 없었다.

나에게는 이 어두운 길을 헤매고 돌아가지 않도록 이끌어줄 목자가 필요했다. 그리고 내 주변에는 재우 말고는 달리 상담할 사람이 없었다. 물론 상담할 사람이 달리 더 있었다고 해도 나는 상담자를 고민할 때 재우를 첫 순위로 고민했을 것이다. 그 이유는 명확하다.

"좋아하는 사람이 생기면 만나서 인사를 해야 해."

"그리고?"

"자기소개를 또박또박 해야 해."

"그리고?"

"내가 너를 왜 좋아하는지 설명해줘야 해."

"또?"

"예쁘게 웃어줘야 해."

이를 보라. 재우는 인생에 도움이 되는 교훈들을 이렇게 몇 가지나 알고 있다. 나는 재우 선생님의 말씀을 받아 적으며 30대 남성 중 나 같은 사람들은 어린이집에 돌아가 사회화과정을 다시 거칠 필요가 있지 않은가 고민이 들었다. 고맙다. 재우야. 감사합니다. 재우네 담임선생님.

스승의 스승과 스승은 훌륭한데 제자는 그 가르침만 한 사람이 될까. 아직은 알 수 없는 노릇이지만 나는 괜히 마음이 놓였다. 마음이 놓이면서 또 다른 의문도 생겨났고 말이다.

"재우야."

"응."

"너는 누구 좋아하는 애 있어?"

"있어."

고금동서 남녀불문. 연애담만큼이나 흥미진진한 이야기가 또 어디 있겠는가?

"누군데? 누구야? 삼촌한테만 말해봐."

"공룡."

공룡. 공룡이라. 나는 서둘러서 내 뇌에 저장된 어린이집 명부를 검색했다. 하지만 그 안에는 공룡이라는 이름이나 별명을 가진 아이가 없었다. 나의 장난감 컬렉션 중 재우가 가장 관심을 가진 장난감이 울트라맨 괴수 시리즈이었음을 상기해보면 내 조카가 좋아하는 공룡은 그 공룡이 맞을 것이다. 재우는 아직 세상에서 공룡이 제일 좋을 나이였다. 나처럼.

"삼촌."

"왜?"

"공룡은 왜 다 사라졌어?"

"음… 내 생각에는 말이야."

"응."

"공룡은 이를 닦지 않고 잠들었기 때문에 다 사라진 것 같아."

"이를 닦지 않고 잠들어서?"

"이를 닦지 않고 잠들어서."

재우는 나의 어처구니없는 대답에 깔깔 웃고는 다시 장난감에 집중했다. 나 역시 당분간 조카와 이를 닦을 때마다 쓸 좋은 농담거리가 생긴 것에 만족하며 다시 모니터를 바라보았다.

라스캄파나스 천문대로부터 전송되는 자료에서는 어딘가 기시감이 들었다. 알데바란의 주변을 맴도는 저 가스 덩어리, 즉 뿡뿡이의 움직임에는 일정한 규칙이 있는 것이 아닐까 의심이 생기기 시작했다. 내 박자 감각이 좋은 편은 아니지만, ··—··—··, 이렇게 일정한 리듬으로 움직이고 있는 것이 아닐까 의심이 들었던 것이다.

이 변화는 일시적인가? 우연인가? 내 착각인가? 모를 일이다. 정말이지 모를 일이야. 65광년 너머에서 일어나는 일이니까. 나는 확신하지 못했다.

지도교수님은 연구자가 가장 경계해야 하는 순간은 모든 것이 자신의 이론으로 설명할 수 있다고 믿는 때라고 하셨다. 경제학자든 철학자든 디자이너든 자기에게 친숙한 분야를 익숙한 논리로 해석하는 일이야 당연하겠지만 그렇지 않은 분야에서마저 그 이론이 들어맞는다고 우기기 시작하면 엉터리 같은 소리를 하게 된다고 말이다.

그런 점에서 나는 알데바란 주변을 돌고 있는 뿅뿅이의 움직임을 미심쩍은 눈으로 바라볼 수밖에 없었다. 나는 천문학과의 연구생이지 무용학과의 실습생이 아니니까.

✳

"삼촌. 나 자기 싫어…."

"내일 어린이집에 가려면 지금 자야지."

"자기 싫어…."

재우와 같이 살면서 내가 참 못 한다 싶은 건 아이를 잠들게 하는 일이었다. 나는 재우를 침대 위에 눕혀놓고서 재우가 잠들기까지 그 곁을 지키고 있었다. 누운 지 30분 정도는 되었지만 아이는 아직 잠들 기미가 없었다.

재우네 담임선생님의 이야기에 따르면 재우가 참 순한 아이지만 낮잠 시간을 유난히 못 견뎌 하는 편이라고 하기는 했다. 그리고 이 문제에 대해서는 내 나름 세워본 가설이 있다.

"우리 집으로 갈래…."

"다음에 가자, 다음에."

"지금 갈 거야."

타향살이가 어디 쉬운 노릇인가. 더욱이 부모님과도 떨어져서 지내니 어린 나이에 얼마나 고충이 심하겠는가. 재우는 집으로 돌아가고 싶은 것이다. 나는 칭얼거리는 재우를 도닥였다. 나의 조카는 매일 밤 잠들기를 거부하고 형과 형수를 찾으면서 언제 부모님이 돌아 오냐고 따지기를 반복했다.

하지만 이는 내가 어떻게 대답하기 어려운 문제였다. 너의 부모님이 이제 서로를 사랑하지 않는다고, 부모님이 이혼해서 너를 떠날지도 모른다고, 과연 아이에게 일방적으로 이런 선고를 내리듯이 말할 자격이 나에게 있는지 확신할 수 없었다.

"오늘 자고 내일이 되면 아빠랑 영상 통화하자. 어때?"

"자기 싫어. 아빠더러 지금 오라고 해."

아이의 불면증, 더 정확히 말해 수면거부증에 대한 나의 대응책은 결국 단 하나였다. 이는 어디까지나 준 프리랜서나 다름없는 내 처지이기에 가능한 방법으로, 아이가 깨어 있는 것에 지쳐 잠들어버릴 때까지 그 옆에 있는 것이다. 정말이지 이는 어디까지나 내가 준 프리랜서니까 쓸 수 있는 단순무식한 방법이었다.

✳

결국, 다음 날 내 컨디션은 아주 엉망이었다. 아무리 준 프리랜서라고 해도 아이를 어린이집에 제시간에 맡겨야 하니 기상 시간마저 조정할 수는 없었다. 당연히 나만 아니라 재우도 길게 잠들지 못했다. 나는 어린이집에 재우를 데려다주면서 아이가 졸려 하면 그냥 재워달라고 부탁했다.

나는 어린이집을 나오면서 다시 내 방 침대로 자러 갈까 싶었지만 그럴 수 없었다. 전날 도서관 사물함에서 미처 빼 오지 못한 책들이 몇 권 있었기 때문이다. 푹 잠들고 나서 라스캄파나스 천문대에서 자료를 받더라도 사물함에 든 자료 없이는 하루치 일을 마치기 어려웠다.

뽕을 땄으면 님도 보고 싶어지는 법. 도서관 사물함에서 책을 챙기자 내 발길은 자연스레 매점으로 향했다. 그러자 매점 점원분께서 전날의 그 알쏭달쏭한 표정보다는 밝지만 예전만큼은 아닌 오묘한 미소로 나를 반겼다. 왤까.

"캔 커피 하나랑… 하음. 껌 하나 주세요."

"감사합니다. 많이 졸리신가 봐요?"

"네. 어제 아이가 잠이 들 때까지 옆에 있어줘야 했거든요."

"고생이시네요."

"뭘요."

"아이들은 다 잠들기를 싫어하는 것 같아요. 저도 어렸을 때 도통 잠들지를 않아서 부모님이 곤란해 하셨던 적이 있거든요. 주변에도 그런 경우가 많고요."

이럴 수가. 스몰토크다. 잡담이다. 지난 몇 주간 도대체 어떻게 해야 하는지조차 몰랐던 이 잡담이 고작 조카를 돌보느라 잠을 자지 못했던 것으로 출발하게 될 줄은 상상도 못 했는데. 나는 어떻게든 수면부족으로 쪼그라든 뇌가 정상적으로 가동하길 기도하며 이 스몰토크를 이어나갈 최적의 한마디를 고민했다.

"그러게요?"

최적의 한마디는 없었다.

"…예전에 어떤 책에서 읽은 건데요. 아이들에게 잠드는 것은 죽는 것과 다름이 없다고 해요. 다음 날 내가 눈을 떠 다시 하루를 시작한다는 확신을 갖지 못하기 때문이래요. 그러니 자고 싶지는 않은데 졸리면 몸과 마음이 자기 마음대로 움직이지 않으니 무력감을 느끼고 두려워 한다고도 하더라고요."

하지만 내가 최적의 한마디를 찾아내지 못한 것과는 달리 매점의 점원분께서는 최상의 여러 마디로 대화를 지속하셨다. 그 내용도 무척 흥미로워 나는 고개를 끄덕이고 그 내용에 대해만 계속해서 고민하기만 할 뻔했다.

놀라운 일이었다. 나는 심호흡을 하며 기적과도 같은 이 순간을 조금이라도 더 늘릴 방법을 고민했다. "그러게요?"보다는 분명 더 나아야만 할 것이다.

"우리 재우도 말씀하신 그런 두려움이 있었던 것 같아요. 엄마가 보고 싶다고 계속 힘들어하는데 몇 주만 참으면 곧 볼 수 있을 거라고 설명을 해주어도 이해를 못 하더라고요. 하루나 이틀 이상의 시간에 대해 감을 잡지 못하는 것 같아요."

"저런. 아내 되시는 분이 어디 가셨나 봐요?"

아내? 아내라고? 나는 이 대화가 이런 방향으로 흐를 것이라고는 상상하지 못했다. 내가 유부남으로 보였다는 말인가? 그것도 재우만 한 또래의 아이가 있을? 내가 그렇게 정상적인 삶을 살 수 있는 사람으로 여겨졌다고?

나는 이 대화를 계기로 피곤하고 지친 뇌더라도 정서적 충격을 가하면 일시적이나마 인지능력이 회복될 수 있다는 사실을 배웠다. 나는 눈을 동그랗게 뜨고는 내 주머니에서 폰을 꺼내 사진첩을 열어 보았다.

"재우는 제 조카입니다. 저는 미혼이고요. 형네 부부한테서 한 달 동안만 재우를 봐달라는 부탁을 받아서 돌봐주는 참이었어요. 그러니까 재우와 저는 아무런 관계가 없습니다. 아니, 삼촌과 조카의 관계입니다. 그 이상 그 이하도 아닙니다. 재우가 하다 질린 게임기를 저에게 물려준 관계가 있기도 합니다. 그뿐입니다."

"아아… 그러셨군요."

나의 설명을 들은 뒤 매점 점원분의 표정은 내가 그분을 처음 좋아하게 되었을 때의 그 표정으로 돌아왔다. 그리고 그 표정을 보고서 나는 모종의 가설을 떠올리고 말았다.

그리고 나는 1. 그 표정이 너무나 반가웠던 나머지 2. 부족한 수면시간으로 인한 사고능력의 저하를 감안하지 못한 상태에서 3. 가설과 수치를 연구자의 입맛에 맞게 골라서 정리하면 안 된다는 지도교수님의 충고를 잊고 4. 잠들기 전 반복적으로 지시를 받은 모종의 행동양식을 떠올리고는 5. 고스란히 입 밖으로 내뱉고 말았다.

"안녕하세요."

"네? 네. 안녕하세요."

"저는 박민성이라고 합니다. 나이는 서른넷이고 현재 P대학 천문연구소에서 진행 중인 라스캄파나스 천문대와 협력 프로젝트에 참여하고 있습니다."

"그런데요?"

"저는 당신의 표정근이 작동하는 방식이 무척 마음에 듭니다."

마지막으로는 예쁘게 웃어드리려고 했다. 성공적으로 예쁘게 웃었는지는 알 수 없었다. 이날의 이 순간을 대비해서 한 번이라도 더 웃는 연습을 해야만 했었는데. 다시 한 번 말하지만 아무래도 나를 위시로 하는 이 어설픈 30대 남성들은 유치원에 돌아가서 사회화 과정을 다시 거칠 필요가 있다.

"아하. 어쩐지."

"어쩐지?"

"박민성 씨는 저를 엄청 좋아하시거나 껌을 엄청 좋아하시거나 둘 중 하나일 거라고 생각했었거든요."

"왜입니까?"

"그야 아침 점심 저녁으로 매점에 들를 때마다 껌을 한 통씩 사가는 분을 보면 그렇게 의심할 수밖에요."

나의 이 사회화 덜 된 고백에도 불구하고 매점의 점원분께서는 태연하게 대화를 이어나갔다. 매몰찬 외면이나 혹독한 질책을 각오했던 나로서는 이 반응에 어떻게 대응을 해야만 할지 감을 잡지 못했다.

어리석은 나는 그렇게 고백을 한 뒤에는 어떻게 행동해야 할지 재우에게 배우지 않았던 것이다. 나는 지금이라도 당장 어린이집에 전화를 걸어 재우 네 담임선생님에게 이후 어떻게 해야 하는지를 여쭤보라고 말하고 싶었다.

"껌을 좋아해서 그랬습니다."

"아하…."

돌이켜보면 이 대응은 잘못된 대응이었던 것 같다.

"하지만 껌보다는 당신을 더 좋아합니다."

이 대응이라고 썩 나은 대응은 아니었지만 말이다.

✳

그 후로는 급진전이 있었다. 나와 매점의 점원분(이제는 성함
마저 알고 있다. 화영 씨) 사이의 관계가 공식적인 연인 관계로 발
전했으니까. 나부터가 놀랐기 때문에 다른 사람더러 놀라지 말
라고도 할 수 없는 일이었다. 아무리 그래도 내가 당신을 껌보
다는 좋아한다고 말한 것이 대단한 호감의 표시가 될 수는 없다
고 자체적으로 분석을 마쳤지만 화영 씨가 보기에는 신선한 맛
이 있었다고 한다.

내가 당신을 껌보다 좋아한다고 말한 나의 고백에 대한 화영
씨의 평가는 '민성 씨가 이공계라서 그러셨거니 싶었어요.'였다.
이공계 스테레오 타입에 대한 편견이 나를 구원한 것이었다. 그
덕에 나는 태양계 안에서 가장 아름다운 연인을 얻었기에 아무
런 불평을 하지 않았다. 실제로 이공계 사람들이 다 나 같지는
않더라도 나는 스테레오 타입에 대한 편견을 조장하기 딱 좋은
인물임은 맞았으니 말이다.

나와 화영 씨 사이의 관계는 무척 순조롭게 진전이 되었다.
나는 연애 경험이 없는 사람답게 화영 씨의 지휘에 전적으로 복
종했고 화영 씨는 거침없이 다음 전선으로 진격하였다. 하지만

이는 어디까지나 나의 평가지 화영 씨 개인적으로는 초보자인 나를 배려해 속도를 조절한 것이라고 했다.

나의 괴상한 고백(화영 씨의 평가다) 이후 나의 일정에 조금이나마 변화가 생겼다. 나는 아침이 되면 재우를 어린이집에 데려다준 뒤 도서관으로 직행한다. 먼저 사물함에서 자료를 꺼내고는 매점으로 가 화영 씨에게 인사를 한 뒤 열람실로 돌아와 빈자리에 앉는다. 그러고는 식사시간이 될 때까지 연구한다. 식사시간에는 화영 씨와 식사를 같이 한다. 그 뒤로는 다시 연구한다. 어린이집이 닫을 시간이 되면 재우를 데려와 도서관에서 진행하는 방과 후 프로그램에 데려다준다. 그사이 화영 씨가 퇴근하실 시간이 되면 차로 바래다드린 뒤 도서관으로 돌아와 방과 후 프로그램을 마친 재우를 데리고 집으로 돌아온다. 그리고 무척이나 충실한 하루였다고 자부한다.

그렇게 한 주 하고도 반을 보내면서 나는 화영 씨에 대해서 많은 것을 알게 되었다. 화영 씨는 독서를 무척 좋아해서 도서관에서 일하는 것이 꿈이었다고 한다. 하지만 사서가 되고 싶지는 않았다고 한다. 책을 읽는 것과 책을 관리하는 것은 완전히 다른 일이라고 생각했다는 것이다. 그래서 20대 중반까지 번 돈을 이래저래 굴리다가 도서관 매점 관리직에 공고가 난 것을 보고 재빠르게 이 자리를 붙잡았다고 한다. 아침에 출근하면 바로 책을 세 권 빌려다가 앉아서 읽고 재미없으면 다른 책을 읽는 식으로 지낸다고 한다.

처음에 화영 씨는 내가 이상한 사람으로 보였다고 한다. 하루에 껌을 세 통이나 사는 사람이 흔하지는 않으니 말이다. 덕분에 내가 화영 씨에게 호감이 있다는 것을 금방 눈치 챘다고 했다. 하지만 내가 재우를 데리고 도서관에 간 날 재우를 나의 아이로 착각했던 나머지 저러고도 유부남인가, 유부남이면서 미혼 여성을 꾀어내려는 것인가 의심이 들어 그 이후 표정근이 이상해졌다고 한다.

오해가 풀린 뒤에는 문제가 될 일이 없었다. 우리는 연인이 되었고 곧잘 어울렸다. 화영 씨는 집에도 자주 찾아왔다. 화영 씨는 재우와도 죽이 잘 맞았는데 어린아이를 대하는 일에 무척 익숙해 보였다. 말씀으로는 어릴 때부터 동생들을 돌보기도 했고 도서관에는 어린아이들도 많이 찾아오는 만큼 아이를 접하는 시간이 많았던 덕분이라고 했다.

며칠 전에는 나와 화영 씨 그리고 재우 셋이서 함께 외출하기도 했다. 재우는 부모님이 잠시 비운 그 자리에 나와 화영 씨 두 사람을 들여놓은 것 같았다. 여전히 밤마다 쉽게 잠들지는 못했지만 예전보다는 외로움을 덜 타게 되었으니 말이다. 무척이나 다행스러운 일이었다.

이제 내 별 볼 일이 많은 사적 영역에는 별다른 문제가 있지 않았다. 하지만 그렇다고 마음을 놓고 평화롭게 지낼 수만은 없었다. 왜냐하면 사적 영역의 문제가 얼추 해소되자 이제는 내 별 볼 일이 없는 공적 영역에, 항성 알데바란을 관측하는 작업에 문제가 생겼기 때문이다.

나의 연구 주제는 항성 알데바란 주변을 감싸듯이 돌고 있는

220

가스 덩어리였다. 이 뿅뿅이는 일반적으로 관측되는 성운과는 달리 그 크기가 작으면서 항성 주변에 머물러 관측하기 쉽다는 점이 나 같은 별 볼 일 없는 천문학자에게 딱 맞는 테마였다. 하지만 이 가스의 움직임이 점점 위축되고 있었다. 이러다 내 연구 테마가 항성에 빨려 들어가 타오르는 별빛의 연료로 사라지지 않을까 싶었다.

이렇게 별들이 제자리로 돌아가면 나의 몇 푼 안 되는 외부 연구원 노릇도 끝이 날 예정이었다. 관측할 대상이 없는 천문학자가 천문대나 연구소에 무슨 소용이 있겠는가? 저 가스 덩어리가 다 타오르고 나면 나는 목가적인 유배생활을 마치고 연구소로 돌아가 새 프로젝트를 맡아야만 할 것이었다.

도서관 매점에서 근무하는 화영 씨와 겨우 연인이 되었기에 나는 도무지 연구소로 돌아가고 싶지 않았다. 나와 언쟁을 벌였던, 높으시다는 그 양반과의 앙금도 아직 다 처리하지 못한 상황이기도 했다. 내가 이런 어설픈 결과물만을 갖고서 연구소로 돌아간다면 그때는 애물단지 그 이상 그 이하도 아닌 신세가 될 것이 뻔했다. 결국 나는 이 상황을 타개하기 위해 내가 이 세상에서 가장 신뢰하는 스승에게 가르침을 구하기로 결심했다.

✳

"춤을 추면서 노는 거야."

"춤을 추면서 노는 거라고?"

"응. 봐봐. 슬로우슬로우 퀵, 퀵. 슬로우슬로우 퀵, 퀵."

내가 이 세상에서 가장 신뢰하는 스승이자 나의 귀여운 조카 재우는 엉덩이를 덩실거리면서 춤을 추기 시작했다. 어린이집에서 장기자랑으로 춤 연습을 시키는 모양이었다. 나는 재우의 엉덩이가 움직이는 박자와 알데바란 근처의 가스 덩어리 뿡뿡이가 움직이는 박자를 맞춰보았다. ……—————. 비슷하다는 느낌이 들지 않는 것도 아니다.

별과 함께 리듬에 맞춰서 춤을 추는 구름이라. 만약 뿡뿡이가 의지를 가진 생명체라면 제법 그럴싸한 이야기라는 생각이 들었다. 사실이든 아니든 그 문장의 울림이 듣기 좋기도 하고 말이다. 이렇게 느낀 사람이 나 하나는 아니었는지 재우의 옆에서 곧장 또 한 사람이 춤을 추기 시작했다.

"재우는 춤추는 거 좋아해요?"

"네. 좋아해요."

"그럼 누나랑 같이 춤을 출래요?"

"같이 출래요."

그 사람은 바로 이 세상에서 가장 아리따우며 누구보다 현명한 데다 나의 연인이기까지 하신 화영 씨였다. 재우는 요즘 나보다도 화영 씨와 더 친한 것 같았다. 두 사람은 엉터리 같은 멜로디에 말도 안 되는 가사를 붙여가며 노래를 부르고 춤을 추었다. 나는 흐뭇한 마음에 폰을 꺼내 음악을 틀어주고 두 사람이 즐거이 노는 모습을 촬영했다.

재우와 화영 씨는 나라는 관객이 있어서 더 신이 났는지 깔깔 웃으며 더욱 발랄한 동작으로 춤을 추었다. 하지만 지나치게 발랄했는지 두 사람 모두 곧 숨을 헐떡이면서 거실 바닥에 주저앉고 말았다. 나는 그 모습까지 렌즈에서 놓치지 않도록 주의하며 그 옆에 앉았다.

화영 씨의 지론에 따르면 어린아이는 모욕적이지 않은 의미로 개와 같아서 하루 치 체력을 사용해야만 말썽을 부리지 않고 밤에도 편히 잠든다고 하였다. 가설을 접한 나는 재우와 나의 하루를 되돌아본 뒤 그 이야기에 설득력이 있다 판단했다. 나는 워낙에 에너지를 쓰지 않고 사는 사람인지라 재우도 나와 같이 지내면서 어린 나이의 화산처럼 뿜어져 나오는 에너지를 전부 소진한 적이 없었다. 만약 남아도는 잉여 에너지가 수면을 방해하는 것이 사실이라면 나의 조카가 또래 아이들에 비해 쉽게 잠들지 못하는 이 상황은 당연한 일이었다. 그러니 재우는 이렇게나 자신과 전력을 다해 놀아주는 화영 씨를 좋아하지 않을 수 없었다.

"누나 또 오라고 해."

재우는 꼭 화영 씨를 댁에 모셔다드리고는 같이 집에 돌아올 때마다 이렇게 말하고는 했다. 나 역시 그럴 때마다 재우의 머리를 도닥이며 알았다고 대답했다.

"재우야."

"응."

"매일 누나랑 놀고 싶지?"

"응."

"그러면 네가 잘해야 해."

"어떻게 하면 잘하는 건데?"

"따라 해봐. '누나. 안 가면 안 돼?'"

"누나. 안 가면 안 돼?"

"좀 더 귀엽게."

"누나! 앙 가면 앙대?"

"이제 그걸 누나가 돌아가겠다고 할 때마다 한 번씩 할 거야. 알았지?"

함께 다양한 전략에 대해 논의하면서 말이다.

✳

만약 알데바란 주변을 떠돌던 가스 덩어리가 재우의 생각대로 춤을 추는 것이 맞았다면 뿡뿡이는 무척이나 정열적인 성격이라고 해야 할 것이다. 며칠 지나지 않아서 뿡뿡이는 뜨겁게 타오르는 항성 알데바란에 빨려 들어갔으니 말이다.

나는 가스 덩어리의 움직임에 의구심을 품을 수밖에 없었다. 만약 중력에 의해 알데바란에게 집어삼켜진 것이라면 그 식사 과정이 내가 관측했던 것처럼 느린 속도로, 그것도 박자까지 맞춰가며 진행될 리가 없었다. 그렇기에 나는 얼마 전까지 가스 덩어리가 알데바란의 중력에 맞춰 적당한 거리에서 공전 궤도를 찾아내고 그 움직임에 안정이 찾아오리라 짐작했었다.

하지만 관측 결과는 그 정반대였으니 내가 알데바란과 뿡뿡이 사이에서 무언가를 놓쳤음이 분명해졌다. 별 볼 일 없는 천덕꾸러기 천문학자가 국가의 지원금을 받아 진행한 사업에서 이렇게나 큰 헛발질을 날렸다면 이는 이제 더 이상 '천덕꾸러기' 처럼 속 편한 표현도 쓰기 어려운 신세가 될 가능성이 생겼다는 이야기다.

아직 연구를 마치고 싶지 않았다. 나의 사적 영역을 성공적으로 유지하기 위해서만은 아니었다. 라스캄파나스 천문대로부터 받은 데이터에는 흥미로운 부분이 남아 있었다. 그것은 바로 항성 알데바란의 온도가 조금씩 올라가기 시작했다는 것이었다. 마치 그 안에 빨려 들어간 가스 덩어리가 연료 역할을 하기라도 한 것처럼 말이다.

그 외의 다른 지표들 역시 수상하기 짝이 없었다. 전자파, 중력파, 가메하메파, 딸기맛미역파 가리지 않고 온갖 기준의 관측에 있어 이 상황은 이례적이기만 했다. 나는 이 상황에 적용될 그 어떤 이론이나 가설도 찾아내지를 못했다.

뿡뿡이가 아무리 고밀도의 연료가 될 성분으로 이루어졌다고 하더라도 이렇게나 항성의 온도에 이렇게나 변화가 생긴다는 것은 이론적으로 설명이 되지 않는다. 아니, 어디까지나 지금까지의 이론으로는 설명이 되지 않는다는 이야기다. 이는 어디까지나 일시적인 현상일지도 모른다. 하지만 그럼에도 불구하고 나는 이 상황은 연구가 지속되어야 한다고 직감했다.

나는 연구소에 지금까지의 데이터를 정리한 보고서를 보내면서 그 말미에 이 이상현상의 단초가 될 만한 정보들을 적어놓았다. 가급적 연구를 더 지속하라는 지시가 내려오기를 기대하면서. 하지만 안타깝게도 나의 지도교수님은 나에게 연구소로 복귀하라는 지시를 내리셨다. 높으신 그분과는 잘 해결을 보았으니 염려하지 말라는 메시지와 함께. 돌이켜보면 보고서에 알데바란의 가스 덩어리를 지칭하는 단어로 '뿡뿡이'를 쓴 것이 패착이었던 것 같다.

✳

"그런 이유로 내일은 도서관에 늦게야 들르겠습니다."

"지도교수님 뵈러 가야 해서요?"

"예."

나는 거실에서 지도교수님으로부터 받은 메일을 확인한 뒤 내 방으로 돌아왔다. 내 얼굴이 좋지 않았는지 화영 씨께서는 표정근을 한껏 활용하는 특유의 그 푸근한 미소와 함께 나를 포옹해 주셨다. 그 품 안에서 온기를 받자 피로 따위는 금세 떨쳐낼 수 있었다.

포옹을 마친 뒤 나는 파자마 차림을 하신 화영 씨를 바라보며 위로를 얻었다. 화영 씨께서 내 방의 침대 위에서 파자마를 입고 계신 이유에 대해서는 재우의 '앙 가면 앙대?'가 나나 재우가 예상했던 것보다 훨씬 더 효과적이었다는 것으로 설명을 마치겠다.

나는 화영 씨께서 지금처럼 머리를 풀고 안경을 쓴 채 편한 복장을 하신 차림이 너무나도 아름답다고 생각한다. 그리고 이렇게나 훌륭한 사람과 내가 아무렇지도 않게 일상의 순간들을 공유하고 있는 이 현실이 무척 기쁘다.

"내일 지도교수님이랑 약속도 있는데 시간 괜찮으세요? 힘드시면 제가 재우를 어린이집에 데려다줄게요."

"아니요. 괜찮습니다. 저희 연구실 사람들은 직업이 직업이라서 그런지 다들 올빼미처럼 밤을 새우는 사람들이거든요. 그래서 약속 시각이 늦은 오후입니다. 연구실 사람들에게 드릴 선물을 사야 해서 도서관에 들르지 못하는 것이고요."

"그렇군요. 그러면 잠은 좀 덜 자도 되겠네?"

화영 씨는 그렇게 말씀하신 뒤 푹 하고 내 품 안에 파고드셨다. 그 순간 나는 상공 300미터에서 꽃밭으로 내던져진 사람처럼 갑작스레 온갖 종류의 달콤한 향기를 맡게 되어 정신을 잃을 뻔했다. 아마 이다음부터 있을 일에 대해서는 어린이집에서도 가르쳐주지 않는 것이 확실하기에 나는 이 순간 급하게 상담할 수 있을 누군가도 떠올리지 못했다.

하지만 화영 씨는 버벅거리는 나를 무시한 뒤 내 몸을 캔버스로 삼고 당신의 가느다랗고 긴 손가락은 붓으로 삼아 그림을 그리기 시작했다. 화영 씨는 붓을 하나만 쓰지 않으셨다. 둘. 셋. 다섯. 일곱. 열. 도대체 이게 가능하리라고는 단 한 번도 상상하지 못했던 스물.

간지러운 건지 흥분되는 건지 모를 감각 속에서 곧 나는 화영 씨께서 나를 집어삼키려고 하시는 것을 느꼈다. 그리고 그 순간, 나는 급하게 화영 씨로부터 떨어졌다.

"어어! 어어!"

"엥? 아녔어요?"

"아니, 아닙니다."

"나는 또 민성 씨가 재우한테 애교부리도록 시켜서 저 자고 가 도록 하시기에 맞는 줄 알았네. 미안해요."

"아닙니다. 미안하실 일이 아닙니다. 갑작스레 소리를 질러 제 가 죄송하지요. 아니라고 한 것은 문밖에 대해서입니다. 어어, 라고 한 것은 문밖에다 말을 한 것이고요."

"문밖이요?"

그제야 화영 씨께서는 문밖에서 나는 소리에 귀를 기울이셨 다. 콩콩콩. 콩콩콩. 잠에서 깬 재우가 문을 두드리면서 나를 부 르는 소리였다. 나는 다시 '어어!' 하고 재우를 어르는 소리를 낸 뒤 벗겨진 바지를 다시 입어야 했다.

✳

"재우. 너 진짜 안 잘래?"

"응."

"계속 안 자면 너 어쩌려고 그래."

"어쩌긴… 안 자는 거지."

나는 결국 화영 씨께 옆방에서 기다려달라 부탁을 드린 뒤 재 우의 방으로 갔다. 화영 씨께서 조언해주신 것처럼 모욕적이지 않은 의미로 개와 같은 조카가 낮 동안 체력을 다 쓸 정도로 활 동적인 일을 같이 했어야만 재우가 쉽게 잠들었을 텐데. 그날 나 는 연구의 연장이 어려워지면서 마음이 복잡해진 나머지 재우에 게 신경을 덜 쓰고 말았던 것이다.

하지만 나는 어떻게든 재우를 제시간에 재워야만 했다. 다음 날

에는 대학연구소로 돌아가 지도교수님과 점심식사를 할 예정이
었으니까. 이 점심식사는 내 자유로운 외부 연구원 생활에 대한
최종심이기도 했다. 그리고 무엇보다도 화영 씨께서 나를 기다
리고 있다는 이유가 가장 컸다.

"삼촌. 왜 사람은 자야만 해?"

"재우는 자기 싫어?"

"응."

이 타이밍에 나와 화영 씨 둘이서 침대 위에 누워 있기 위해서
라고 대답을 할 수는 없었다. 재우가 궁금해하는 것은 그보다는
더 근본적인 의문이었으니까.

"사람은 자기 싫기 때문에 자는 거야."

"말도 안 돼."

"정말이야. 재우는 자기 싫지? 계속 깨어 있고 싶지? 하지만
잠을 자지 않고서 밤을 새우면 다음 날 계속 졸린 채 지내게 되
잖아. 지금 재우가 잠들기 싫어하는 것 같은 기분으로 내내 지내
야만 한다고. 그러면 좋겠어?"

"그런 건 싫어."

"삼촌도 싫어. 삼촌은 내일이 오는 게 너무나 기대되고 기다려
지거든. 그래서 내일 삼촌이 멀쩡한 정신으로 깨어 있으면 좋겠
다고 생각해. 그래서 아무리 자기 싫어도 꼬박꼬박 잠드는 거야."

여기까지는 제법 재우도 납득할 만한 이야기였던 것 같다. 나
는 재우를 확실하게 재우기 위해 비겁하지만 부정적인 방법을
사용하기로 결심했다.

"그리고 지금 잠들지 않으면 산타 할아버지가 선물을 주지 않을지도 몰라."

"엄마가 산타 같은 건 다 거짓말이랬어."

"엄마가 그러셨어?"

"응. 산타 할아버지는 어른들이 아이를 자기 마음대로 하려고 만든 거짓말이니까 속지 말라고 했어. 하지만 다른 집에서는 다른 사정이 있어서 계속 거짓말을 하고 있을지 모르니까 비밀로 하라고 했어."

나는 형수님의 아이 양육법이 올바르지 싶었다. 크리스마스까지 착한 아이로 지내면 산타클로스한테 선물을 받을 수 있다는 교육은 선행이 어떤 대가를 위해서만 이루어져야 한다는 오류로 이어질 수 있지 않은가.

더욱이 산타클로스의 존재를 입증하기 위해서는 부모가 아이에게 하기에는 너무나 많은 거짓말이 요구된다. 그러니 산타클로스가 거짓말이라는 것을 미리 밝히면 굳이 이런 부담과 부정을 감당할 필요도 없다. 그저 이런 양육법을 상정하지 못한 삼촌이 조카 앞에서 망신을 당할 가능성을 염두에 두지는 않은 것 같지만 말이다.

"그러면 크리스마스에 선물은 없어?"

"가족끼리 선물하는 건 좋은 일이니까 준다고 했어."

"재우는 올해 선물로 뭐가 갖고 싶은데?"

"동생이 갖고 싶다고 했어. 그랬더니 그 선물을 받고 싶으면 내가 삼촌네 집에서 한 달 동안 있어야 한다고 했어."

나는 내 평생토록 이렇게나 잠이 깨는 이야기를 들은 적이 없었다.

✳

"그래서, 형님 부부는 지금 여행 중이시라고요?"

"예. 한 달 일정의 크루즈 탑승 2인권에 당첨이 되었다고 합니다. 제가 재우를 맡는 일을 거절하면 여행을 못 갈 것 같아서 이혼할지도 모른다고 했다는군요."

"너무했다."

나는 진실을 알고 난 뒤에도 바로 화를 내지 못했다. 재우를 재워야만 했기 때문이었다. 가까스로 재우가 잠든 뒤 나는 그대로 형에게 연락했다. 내 망할 형님은 시차 덕분인지 이 새벽에도 즉각 전화를 받았다. 호화로운 특대 크루즈 안에서.

나는 평생 쓴 것보다도 더 많은 욕설을 사용해서 형을 비난했다. 형은 그저 미안할 뿐이라는 대답과 함께 양육비를 더 넣어주겠다며 나를 달랬다. 하지만 아무리 여행이 가고 싶었더라도 어떻게 자기 자식을 동생에게 던져놓고 떠난단 말인가?

나는 좀 더 화를 내고 싶었다. 하지만 화영 씨께서 모처럼 집에 와 계시기도 했고 재우도 막 잠이 든 차였기에 더 큰 소리를 낼 수는 없었다. 결국 형과의 통화는 오래 할 수 없었다. 화영 씨는 내가 방에 돌아가자 언제나 조용하던 내가 화를 낸 이유에 대해 여쭤보셨고 나는 근간에 있었던 연원을 설명했다.

"형이 하는 말로는 이번 여행 직전까지 형과 형수님이 실제로 싸웠다고 합니다. 여행에서 진전이 없을 경우에는 진짜 이혼할 가능성도 있었다고 하는데 이 변명을 제가 믿어도 될지는 모르겠습니다."

"결과는 어떻대요?"

"재우가 이번 크리스마스 선물은 확실히 받을 거라고 합니다."

"와우."

나는 어색하게 화영 씨 옆에 앉았다. 화영 씨께서는 신이 난다는 듯 방긋방긋 웃고 계셨다. 자, 그러면 이제 무엇을 어떻게 해야 하는가. 혹은 어떻게 하지 말아야 하는가. 나는 머릿속에 펼쳐진 온갖 선택지와 그로 인해 일어날 결말들을 시뮬레이션해보았다. 하지만 나는 이 사고실험에서 가장 중요한 전제를 잊고 있었다.

"민성 씨. 재우한테 줄 크리스마스 선물은 많으면 많을수록 좋지 않을까요?"

애초에 주도권은 나에게 없었다는 그 전제를 말이다.

✳

이후 진행된 상황을 화영 씨의 동의를 구하지 않은 채 묘사한다면 이는 무척이나 부적절한 일일 것이다. 그와 별개로 나는 그 뒤에 있었던 일들을 적절하게 설명하는 개념에는 어떤 것이 있는지 잘 알지 못하기도 한다. 아니, 그런 행동을 설명하는 단어가 과연 존재하는지조차 모르겠다. 그러니 여기서는 어디까지나 내게 친숙한 방식으로 서술하도록 하겠다.

화영 씨와 나는 별이었다. 우리가 누운 침대는 두 별이 공통적인 질량 중심을 가지고 뒤엉켜서 공전하는 쌍성계였다. 나라는 별은 곧 주계열을 벗어나 적색 거성으로 팽창하였다. 나는 외피층의 대부분을 내뿜다가 질량을 상실했다. 그리고 화영 씨 또한 나의 뒤를 따라 주계열을 벗어나 적색 거성으로 진화하였다. 곧 화영 씨로부터 받은 질량들은 내 안에 강착이 되었고 나는 다시 질량이 증가하였다.

계속해서 나는 화영 씨로부터 강착이 되었다. 하지만 이 강착은 영원하지 않았기에 나는 곧 1.44 태양질량의 찬드라세카르 한계에 도달하였고 나의 플라즈마는 더 이상 전자 축퇴압을 통해 유지될 수 없을 정도였다.

결국 나의 중심핵은 온도와 밀도가 계속해 증가하다 그만 탄소발화가 일어난 나머지 탄소 핵융합이 시작되었다. 나의 중심핵은 마침내 그 긴장을 견디지 못하고 갑작스레 중력 붕괴를 일으켰으며 이로 인해 중력 위치 에너지가 발산되면서 곧 나와 화영 씨 사이에서는 이 세상에 유례가 없던 규모의 초신성 폭발이 일어나고 말았다. 내 안에서는 태양이 100억 년 동안 타오르며 쓸 에너지가 100억 배의 밝기와 함께 터져 나왔다. 그 폭발의 순간, 나는 깨달음과 함께 비명을 질렀다.

"유레카!"

"유레카? 야. 인마. 민성 씨. 잠깐만."

"유레카예요!"

"이공계라서 그런 거예요? 그래서 그런 거예요? 우리가 매번

이 싯거리를 할 때마다 내가 이걸 감당해야 하는 거예요?"

"아녜요! 그게 아닙니다!"

나는 기쁨과 함께 침대에서 뛰어오르고는 책상으로 달려가 나의 태블릿 PC를 들고 돌아왔다. 그리고 화영 씨에게 내가 그날의 보고서를 작성하면서 골머리를 썩였던 자료들의 파일을 보여드렸다. 화영 씨는 그 발달된 표정근을 사용하여 웃음과 황당함을 동시에 표현하셨다.

"곧 우리가 사는 지구가 멸망할 것입니다! 뿡뿡이 때문에요!"

"아니, 그렇게까지 못한 건 아니라니까. 처음이라면서요. 노력하고 연습하면 좀 더 잘하게 될 거예요."

"아니, 제 이야기는 그게 아니라! …그렇게 별로였습니까?"

"…차근차근 이야기하지요."

✳

구 교수 (고개를 저으며) …차근차근 이야기를 해봐. 정신 사납게 굴지 말고.

박민성 그러니까 항성 알데바란 주변에 있었던 가스 덩어리는 단순히 그 주변을 돌고 있던 것이 아니라 항성 알데바란에게 구애를 하고 있었다는 것입니다. 춤을 추듯이 돌면서요.

다음 날 나는 예정대로 지도교수이신 구 교수님의 연구실로 찾아뵈었다. 구 교수님의 연구실은 내가 대학을 나가기 전과 마찬가지로 살풍경했지만 그래서 더 정겨운 공간이었다. 나는 감회에 젖지 않도록 주의하면서 즉석에서 전날 제출한 보고서보다 더 많은 내용이 담긴 프레젠테이션을 진행했다.

구 교수님은 내가 이 연구주제에 이렇게까지 집착하는 모습에 적잖이 놀라셨던 것 같다. 하지만 나는 내 가설에 대한 확신이 있었다. 정확히 말하자면 이 가설이 연구비를 지속적으로 타낼 방편이 되리라는 확신이었다.

구 교수 그리고 그 구애는 성공적으로 섹스로 이어졌다는 것이고 말이지?

박민성 (단호하게) 예.

구 교수 (한숨을 쉬며) 박군아.

박민성 예, 교수님.

구 교수 네가 박군이 아니었으면 성희롱으로 징계위원회를 열었을 거야.

박민성 (고개를 숙이고는) 불쾌한 주장이었습니까? 제가 부족해서인지 인지하지 못했습니다. 죄송합니다. 사과드립니다.

구 교수 네가 박군이 아니었으면 그럴 거라고 했잖아. 그런데 너는 박군이고. 네까짓 게 나한테 무슨 성희롱이겠니.

잠시나마 가슴이 철렁하는 순간이었다. 나는 연구실에 갇혀만 지낸 나머지 성인에게 요구되는 사회성을 제대로 체득하지 못했던지라 이런 상황이 언제나 버거웠다. 구 교수님은 나의 부족한 점을 누구보다 잘 알고 계셨기에 내가 부족한 모습을 보일 때마다 감사히도 성실히 지적을 해주셨다.

하지만 이번에는 구 교수님이 들으시기에 그렇게까지 잘못된 발언은 아니었던 것 같았다. 나는 조심스레 이 논의를 더 이어 나갈 필요성을 느꼈다. 이제 내 가설에 근거가 될 자료들을 보일 차례였다.

박민성 (태블릿 PC에 자료 화면을 띄우고는 구 교수에게 건넨 뒤) 제가 본 것은 별의 짝짓기였습니다. 저는 이제 알데바란에 초신성 폭발-감마선 폭발과 유사한 반응이 촉진되리라 예상합니다. 기존에 인류가 관측했던 현상에 비해서는 훨씬 더 소규모에 단기간 동안 진행되겠지만요.

구 교수 오르도비스기-실루리아기 대멸종의 원인으로 감마선 폭발을 짚는 가설도 있었지. 그 가설과 네 가설이 동시에 맞아떨어진다면 인류는 이웃한 별이 조루가 아니기만을 기도해야겠네.

박민성 굳이 비유하자면 이미 사정은 마친 셈입니다. 수정의 여부를 확인하는 절차만 남았지요.

구 교수님의 표정이 어두워지셨다. 내가 말을 잘못한 것일 터였다. 나는 구 교수님의 눈치를 보았지만 구 교수님도 이 이야기를 길게 더 끌고 갈 생각은 없으신 듯 보였다.

구 교수 점점 표현이 이성애 중심에다, 한심해지기까지 하니까 비유는 그만하자. 박군아. 내가 연구자가 가장 경계해야 하는 순간이 뭐라고 했지?

박민성 모든 것을 자신의 이론으로 설명할 수 있다고 믿는 때입니다.

구 교수 맞아. 네 아이디어가 흥미로운 건 인정을 하겠어. 하지만 어디까지나 가설일 뿐이잖아? 입증되기 전까지 그 주장에 내가 어떤 지원을 해줄 수는 없어.

마침내 오늘 미팅에서 가장 핵심적인 주제가 나왔다. 나의 가설이 과연 지원을 받을 수 있는가. 또 지원을 받을 수 있다면 어디까지 받을 수 있는가. 구 교수님은 연구실적도 빼어나시지만 지원금을 타내는 데 있어서도 그 촉이 귀신같은 분이시기에 오늘 확답을 들어놓아야 했다.

구 교수님의 두 눈이 두꺼운 렌즈 너머의 나를 시험하는 듯이 바라보고 있었다. 나는 결국 제대로 된 거래는 제안하지 못하고 바로 내가 각오했던 최저치의 요구사항만을 밝혔다.

박민성 (간절한 목소리로) 관측만 하게 해주십시오. 제 가설은 현실로 입증되면 그때는 지구멸망이 돌이킬 수 없는 상황이 되는 가설입니다. 그러니 제가 만약의 사태가 터졌을 때를 대비할 수 있도록 관측만 하게 해주십시오.

구 교수 (걱정스레) 진심이야? 박군이. 연구소에는 안 돌아오고 계속 외부 연구원 생활이나 하게? 그 양반이랑은 내가 쇼부쳤대두.

박민성 쇼부에는 감사드립니다. 하지만 저는 지금 생활이 즐겁습니다.

구 교수 (한숨을 쉬며) 갑작스레 와서는 허황된 이야기나 하다가 외부 연구원 생활을 계속하겠다니. 너 이거 어니 발표나 할 수 있을 거 같아? 이런 망측한 개소리를 실어줄 곳이 어디 있겠어? SF 작가조차 이런 아이디어는 받아주지 않을 거야. 박군아. 누누이 말하잖아. 한국은 듀나와 김보영과 배명훈의 나라라니까?

그리고 해도연이 《위대한 침묵》을 쓴 나라이기도 하다. 구 교수님은 한국의 훌륭한 SF 작가들의 이름을 열거하며 그 작가들이 쓴 소설의 과학적 정합성과 허구이기에 가능한 재미 사이의 균형감각을 짚으셨다. 하지만 나는 그런 이유로 물러날 수는 없었다.

박민성 아무리 한국 SF의 수준이 높더라도 이런 망측한 개소리마저 진지하게 쓸 삼류 작가가 한 명쯤은 있지 않겠습니까? 별개로 제 목표는 과학소설을 발표하는 것에 있지도 않으니까요. 저는 알데바란을 관측하며 지내는 정도면 충분합니다. 이 연구에 관해서는 당장은 제 개인 블로그에만 정리를 할 생각이고요. 데이터만이라도 받을 수 있게 부탁드립니다.

구 교수 그게 말이야 쉽지…. 알았으니까 보고서나 제때 제출해. 가끔 심부름 좀 시킬 테니까 연구소는 주에 한 번이라도 꼬박꼬박 나오고.

박민성 감사합니다.

감사히도 구 교수님은 나의 억지스러운 요청을 승낙하셨다.

이 억지를 들어주신 것에는 아마 그 높다던 양반이 구 교수님에게 무례히 굴었을 때 내가 그 사람의 잘못을 지적한 바람에 그 양반과 내가 한 판 말싸움을 벌이게 되었고 나의 좌천이 그 결과였다는 것에 대해 구 교수님께서 책임을 느끼셨던 탓도 있을 것이다.

나는 비록 박봉일지라도 지금 하고 싶은 연구를 화영 씨께서 근무하시는 곳 근처에서 계속할 수 있다는 것만으로도 뛸 듯이 기뻤다. 구 교수님도 제자가 이렇게 강한 목적의식을 갖고 연구에 뛰어든 것이 내심 반가우신 표정이었다.

구 교수님과 나는 연구 이야기가 일단락된 뒤 내가 나오지 않는 사이에 연구실이나 대학에서 벌어졌던 사건이나 이런저런 분위기 등에 대해 잡담을 나누었다. 나는 어깨에서 무거운 짐을 내려놓은 차였기에 편하게 그 대화에 동참했다.

오래도록 수다를 나누니 곧 어린이집에 재우를 데리러 갈 시간이 되었다. 나는 구 교수님에게 사정을 설명해드리고 자리에서 일어났다. 그렇게 연구실 밖에 나서려던 차, 구 교수님은 나에게 농담 하나를 던지셨다.

구 교수 (쓰게 웃으면서) 별들이 섹스를 해서 지구가 멸망을 할지 모른다니…. 박군아. 우리 이거 층간소음으로 고소해야 하는 거 아니니?

층간소음이라. 재미난 비유였다. 하지만 내가 이 가설을 세우게 된 계기는 약간 다른 이유였다. 그렇기에 나는 문을 붙잡은 채 구 교수님께 내 의견을 살짝 말씀드렸다.

박민성 (고개를 저으며) 우리 인류는 이제 잠들 시간이 되었을 뿐인 거죠.

구 교수 잠들 시간?

박민성 초신성 폭발이 일어나면 은하계 전체에 큰 영향을 줄 것입니다. 저 가스 덩어리의 형태를 보아 어쩌면 이 반응의 결과로 우주 전체에 우리가 이제까지 그 존재조차 알지 못하던 물질마저 퍼질지도 모릅니다. 생명의 기원 중 하나를 직접 목격하게 되는 것일지도 모르고요. 인간 신체의 구성성분처럼 무거운 원자들은 초신성 폭발로 우주에 퍼졌으니 우리는 모두 별의 아이라던 학자도 있었지요. 그러니….

구 교수 그러니?

나는 어제 재우와 있었던 일을 떠올렸다. 그리고 부부관계를 회복하겠다면서 육아 경험이 없는 동생에게 금쪽같은 아이를 떠넘기고 한 달 동안 크루즈 여행을 떠난 나의 형과 형수님도. 또 그럼에도 불구하고 어떻게든 나를 사랑해준 화영 씨에 대해서는 특히 더 자세히.

박민성 부모님이 동생을 만들려고 하면 아이는 눈치껏 잠들어야 하지 않겠습니까?

구 교수 (웃으며) 그런 거야?

박민성 최소한 잠든 척이라도 해야겠지요. 안 그러면 자기만 고통스러우니까요.

구 교수 (펜 뚜껑을 박민성에게 던지며) 아주 코스믹 에로를 써요, 코스믹 에로를.

＊

이후 있었던 일들에 대해서는 길게 적지 않아도 다들 잘 알고 있을 것이다. 나는 지도교수님의 지원 아래 도서관에 출퇴근을 하며 나의 가설을 정리한 블로그를 운영했다. 내 블로그는 새로운 음모론에 목말랐던 인터넷 트롤들에게 아주 훌륭한 놀이터가 되었다. 그 친구들은 내 가설에 '뿡뿡이 폭발'이라는 근사한 별명마저 붙여주었다. 여기서 근사하다는 표현은 반어법으로 쓴 것인데 화영 씨마저 헷갈려하기에 덧붙여둔다.

농담이나 다름없었던 뿡뿡이 폭발 이론은 자료들이 점차 보충되면서 실질적인 설득력을 얻었다. 알데바란의 온도는 끊임없이 올라갔으며 다양한 자료들이 이제껏 관측되지 않은 형태의 항성진화를 암시했다. 트롤들의 관심 덕에 나의 연구는 곧장 화제가 되었고 각지의 천문대에서 나에게 데이터를 보내주었다. 근거가 될 수치들은 눈덩이처럼 빠르게 불어났다. 수많은 징조가 나의 가설을 뒷받침했다.

천문학자들 외에도 많은 학자가 내 연구에 관심을 보였다. 특히 고생물학 분야의 학자 중 오르도비스기-실루리아기 대멸종의 원인을 머나먼 항성에서 일어난 감마선 폭발이라 짐작하던 이들은 현재 알데바란에서 일어나는 변화가 지구에 미칠 영향에 대해 가설을 제시하기 시작했다.

여러 자료를 종합했을 때 대부분의 학자는 알데바란에서 감마선 폭발이 일어난다고 할지라도 지구에 직격으로 내리쬘 확률은 적은 편이라고 주장했다. 나 역시 그렇게 주장하는 무리 중 하나다. 하지만 그와 별개로 알데바란에서 일어나는 일은 일반적인 감마선 폭발과는 그 과정이 상이한 편이었다. 오죽하면 뿡뿡이 폭발이라고 따로 부르겠는가. 그러니 감마선만이 아닌 다른 물질들이 주변 태양계에 쏟아질 가능성도 염두에 두어야만 했다.

지구에서 알데바란까지의 거리는 65광년이다. 우리의 예측이 맞아서 감마선 대신 별도의 물질들만 쏟아져 나온다고 가정했을 때 그 물질들이 아무리 빠른 속도로 지구를 향하더라도 광속보다는 느릴 것이 분명했다. 그러니 인류가 알데바란에서 이상 현상을 관측한다면 이를 대비할 시간이 최소한 두 세기는 넘을 것이라 계산되었다.

학자들은 알데바란의 질량이나 온도가 상승하는 속도를 고려했을 때, 또 지구와 알데바란 사이의 거리를 염두에 두었을 때 알데바란에서 이제까지 정의되지 않은 어떤 형태의 폭발, 즉 뿡뿡이 폭발이 일어날 경우 거기서 쏟아지는 물질들은 최장 4년 정도는 지구에 쏟아지리라 계산했다. 과거에 있었던 대멸종보다는 짧은 기간이 분명하지만 육지에서 살고 있는 생명체들에게는 치명적일 만큼 길다.

이 지구멸망의 시나리오를 앞에 두고서 사람들은 알데바란에서 이상 징후를 발견한 후 200년이라는 기간 안에 인류가 살아남을 대비책을 마련할 방법에 대해 논의하기 시작했다.

초기에는 인위적으로 케슬러 신드롬을 일으켜 우주 데브리의 장벽을 만든다거나 화산을 터뜨려서 대기권을 화산재로 채운다거나 하는 아이디어들이 주목을 받았다. 하지만 결국 가장 현실적인 계획이라 평가된 아이디어는 최장 4년 동안 인류가 숨어있을 대피소를 마련하는 것이었다.

방주 프로젝트라 불리는 이 계획은 얼핏 간단하게 보이지만 실상은 결코 그렇지 않았다. 인류와 지구의 다른 동식물들이 4년이나 숨어 지낼 수 있는 공간을 만든다는 것은 그 규모부터가 남다른 일이다.

인류만 대피소에 들어간다는 선택지는 고를 수 없었다. 과거의 대멸종만큼은 아니지만 대피소에 들어오지 못한 생물군은 궤멸적인 피해를 입을 것이 분명했으니까. 그 수많은 군식구를 어떻게 오래도록 서로 죽이지 않게 하고 살려놓을지 오래도록 고민해야만 했다.

거기다 이 프로젝트는 대피소 안에서 할 일보다 대피소에서 나온 뒤에 해야 할 일이 더 많았다. 몇 년 전에야 밝혀진 사실이지만 서기 774년에도 지구가 감마선 폭발의 영향권에 있었다는 가설이 있다. 남극의 얼음 중 그 시기 언 것으로 추정되는 부분의 얼음에서 탄소 14와 베릴륨 10의 농도가 비정상적으로 높아 외계의 영향을 받았으리라 짐작해 세워진 가설이다. 이처럼 방주 프로젝트 이후의 지구 역시 알데바란으로부터 분출된 외계 물질로 가득할 경우가 높다.

그렇다면 대피소에서 나온 사람들은 이 물질들을 분류하고 정돈하는 동시에 기존 환경을 되찾기 위한 소규모의 테라포밍 작업을 거쳐야만 한다. 지구복원사업만으로도 백 년 단위의 계획이 나오게 된다. 그래도 희망적인 점이 있다면 이 폭발을 통해 지구에 도착한 물질 중에는 온갖 종류의 희소한 원소들도 포함되리라는 것이다. 그중에는 분명 인류의 문명을 비약적으로 발전시킬 수 있을 원소들도 있을 테고.

하지만 이렇게 몇십억에 달하는 인류가 다들 어떻게 먹고살지를 궁리하는 와중에 단 한 사람, 나 박민성 한 명만은 밥줄 걱정을 하지 않았다. 곳곳에서 강연 요청이 쇄도했고 나의 연구를 정리한 대중과학서적도 온갖 국가에서 출판되었으니까. 차마 예능방송 출연은 하지 못했지만 공중파 뉴스에서 인터뷰도 하며 박진감 넘치는 일상을 보내고 있다.

이제 천문학자는 세상에서 가장 별 볼 일이 있는 직업이 되었다. 우리는 고대의 천문학자처럼 새벽의 밤하늘을 바라보며 대기의 움직임을 느낀 뒤 왕의 운명과 국가의 흥망에 대해 나지막이 속삭이게 되었다. 물론 여전히 데이터와 논문을 노려보며 카페인으로 뇌를 절인 뒤 트위터에다 귀여운 강아지와 고양이의 이미지를 올리는 일도 하고 있지만 말이다.

"그러면 삼촌은 언제 돌아와?"

"한 달 뒤에."

형과 형수님이 크루즈 여행을 마친 뒤 집으로 돌아갔던 재우는 몇 달 만에 나를 만나 무척 반가워했다. 나도 연구 때문에 그간 정신이 없어 재우를 자주 보지 못했기에 이 만남이 무척 반가웠다. 재우가 형네 부부에게 돌아간 뒤 며칠간 떠들썩했던 집이 텅 빈 것 같아 제법 쓸쓸했었기에 더욱 반가웠던 것 같다. 그 빈 공간에 이제는 다른 사람이 들어와 넘치게 채워졌더라도 말이다.

그날 나는 형수님이 출산하시느라 형이 병원에 간 사이 재우를 돌보기 위해 형네 집에 들른 차였다. 마침 서울에 들러 출판사나 연구소 그리고 대책위 몇 군데와 미팅을 할 예정이었기에 재우를 돌보는 데 무리는 없었다. 그 뒤로는 한 달 정도 각국을 돌아다니며 이런저런 포럼에 참석할 예정이었으니 마침 딱 좋은 휴가를 받은 셈이었다.

"아빠랑 엄마는 어떻게 지내셔?"

"잘."

이 부부는 크루즈 여행에서 도대체 무슨 짓을 하고 왔던 것인지 가기 전과 다녀온 후의 사이가 완전히 달라졌다. 예전에는 서로 수갑을 찬 범인과 형사 사이 같았지만 이제는 잉꼬부부가 다 되었다. 부부관계가 회복되었으니 다행은 다행이라 생각한다. 나에게 여행을 비밀로 한 것은 그에 대한 위자료를 톡톡하게 받아냈으니 별 앙금이 남지 않았다.

　나는 재우에게 스파게티를 만들어준 뒤 재우가 어지른 장난감을 치웠다. 그렇게 남의 집 거실을 정리하다 보니 도무지 물어보지 않고 넘어가기에는 어려운 물건이 자꾸 눈과 발에 밟혔다. 도대체 이게 왜 벌써 나왔나 싶은 그런 물건이었다.

　"재우야. 왜 거실에 크리스마스트리가 있어? 아직 몇 주 남았잖아."

　"아빠가 이번 크리스마스 선물은 동생이니까 미리 설치하자고 했어."

　"굳이 떠올리고 싶지 않은 기억을 떠올리게 하냐…."

　"아빠가 재우한테 크리스마스 선물로 주려고 노력하다 보니 동생이 일찍 나오게 된 거래. 그러니까 크리스마스도 미리 시작하자고 했어."

　나는 재우가 나이를 먹고 자기 아버지를 고소해도 된다고 생각한다. 진지하게 그렇게 생각한다. 나 또한 재우의 행복과 형의 단죄를 위해 몇 번이고 법정에 증인으로 출석할 용의가 있다. 재우는 그런 삼촌의 정성을 알긴 하는지 태연스레 내가 요리한 스파게티를 먹고 있을 뿐이었다.

　"재우. 동생이 오는 거 어때?"

　"기대돼."

　"동생이 오면 뭐 할 거야?"

　"장난감을 줄 거야."

"멋진데."

나는 거실 정리를 마친 뒤 재우의 맞은편에 앉아서 조카가 맛있게 밥을 먹는 모습을 바라보았다. 알데바란에서 뿅뿅이 폭발이 일어났을 때 대피소를 마련하기 위해 주어진 시간은 200년 정도다. 그사이 인류는 기존과는 전혀 다른 정치와 사상 체계를 갖고서 이 미증유의 사건을 대비해야만 한다. 생산과 소비의 개념 역시 개인이 아닌 인류 전체의 기준에서 고민하는 형태로 변할 터이고.

그리고 내 앞에서 태평하게 곧 만날 동생과 놀 궁리뿐인 이 조카 녀석은 조만간 격변하는 세계의 주인공이 될 것이다.

"삼촌. 무슨 생각해?"

"재우가 나중에 동생이랑 사이좋게 지낼 착한 아이인가 생각하고 있었지."

"나 착해."

"알지. 당연히. 하지만 노력을 많이 해야 잘할 수 있을 거야."

"삼촌은 노력하고 있어?"

녀석. 아픈 곳을 찌르기는. 나는 당돌한 얼굴로 나를 바라보는 재우 때문에 살짝 웃어버리고 말았다.

"노력하고 또 연습하고 있어. 덕분에 전보다는 잘하게 되었대."

"누가 그랬는데?"

"화영 누나가."

그렇다고 한다.

정직한
살인자

✦ 2022년 《펄프픽션》(고블) 수록

네가 미웠다고, 죽으라고 저주했다고 말했어야 했는데. 나는 어느새 쏟아지기 시작한 폭우 속에서 용달차의 화물칸에 올라선 채, 미처 다 닫히지 않은 가방의 지퍼 사이로 보이는 남편의 얼굴을 향해 속삭였다. 화살처럼 쏟아지는 빗방울이 뺨에 부딪힐 때마다 흉터가 쑤셨다. 나는 화상 자국을 어루만지고는 남편의 시체가 든 가방의 지퍼를 단단히 닫고 훔쳐온 쇼핑카트에 옮겨 실었다.

"형관아. 만약 가는 도중에 누가 우리를 보면, 도대체 뭐라고 설명해야 할까? 네 얼빠진 표정의 시체를 들켜버리면 말이야."

나는 쓴웃음을 지으며 가방 안에 든 시체에게 질문을 던졌다. 그러게. 이건 도대체 뭐라 설명을 해야 하나. 나는 만약의 경우에 대비해서 몇 가지 변명거리를 고민했다. '조폭인 남편 자식이

죽으라고 염병을 하기에 독을 먹여서 죽여버렸다.'라는 상황을 도대체 또 어떻게 설명한다는 말인가?

✳

인적이 드문 야심한 새벽의 저수지라고 하더라도 누가 언제 이 근처를 지날지 모르는 노릇이다. 아무리 사소하더라도 눈에 띌 법한 행동은 가능한 피해야만 한다. 만약 누가 내 모습을 보기라도 했다간, 이 모든 노력이 수포로 돌아가게 될 테니까. 가로등 하나 없는 어두운 산길이었기에 핸드폰을 켰다.

03:32. 아무런 알림 없이 현재의 시간만이 기록되어 있다. 나는 핸드폰을 조작해 손전등 앱을 켰다. 그러고는 앞이나 위가 아닌 발밑만을 향하도록 핸드폰을 고쳐 쥐었다.

빗줄기가 거세게 땅바닥을 때리고 저수지의 표면을 부순다. 용달차를 세운 곳에서 저수지까지 가기 위해 카트를 10분도 넘게 밀어야 했다. 땅이 물기로 질척해지고 바퀴가 온갖 곳에 부딪혔기 때문이다. 으슬으슬 살이 떨리고 흉터가 쑤셔온다. 냉기가 폐까지 스며들지만, 괜찮다. 비구름은 달을 가리고 빗소리는 카트가 굴러가며 내는 소음을 감춘다. 남편의 시체를 버리기에 이만큼이나 어울리는 날씨도 없다.

✳

나는 끙끙거리며 주변에서 주운 돌덩어리들과 남편의 시체가 든 가방을 보트로 옮긴 뒤 저수지의 가운데로 갔다. 다음으로는 큰 소리가 나지 않게 조심스레 가방에 돌덩어리를 넣어 무게를 더한 뒤, 수면 밑으로 밀어 넣었다. 생각했던 것보다 큰 파문과 함께 소음이 저수지 한가운데에 울려 퍼졌지만, 길가까지 들릴 정도는 아니다.

헛웃음이 나온다. 마장동 도끼 김형관이 보험금을 노린 위장 결혼으로 만난 조선족 아내 때문에 죽어버리고는 그 손으로 저수지에 버려졌다는 사실을 알면 다들 얼마나 놀랄까. 아무도 알지 못하게 저지른 일이지만 모두가 알게 해주고 싶다. 사건의 전말을 큰 소리로 외쳐가며 하나하나 다 들려주고 싶다.

펑!

펑펑펑!

그리고 그 순간, 폭음과 함께 저수지의 밑바닥에서부터 하얀 빛을 뿜어내는 금속질의 정육면체가 떠올랐다. 뭐지? 도대체 무슨 일이 일어난 거야?

나는 벌벌 떨면서 공중을 날고 있는 쇳덩어리를 바라보았다. 볼링공 정도는 될 크기의 쇳덩어리가 뿜어내는 빛은 저수지의 전역을 밝힐 정도다. 쇳덩어리는 내가 눈이 부신 나머지 손으로 얼굴을 가리니까 밝기를 좀 낮추었다. 그러고는 표면을 진동시켜 소리를 내었다. 마치 자동차의 엔진이 사람의 목소리를 흉내 내는 것과도 같은 소리를 말이다.

"선생님."

"쇠, 쇳덩어리가 말을 했어?"

"선생님께서 떨어뜨린 시체는 금으로 된 이 시체입니까, 아니면 은으로 된 이 시체입니까?"

저수지의 밑바닥에서부터 떠오른 하얀빛을 뿜어내는 금속질의 정육면체가 질문을 마치자 남편이 죽었을 때의 모습과 똑같이 생긴 금빛과 은빛의 전신상 두 개가 수면 밑에서 솟아올랐다. 금속질의 정육면체는 내가 금으로 된 김형관 전신상과 은으로 된 김형관 전신상을 확인한 것을 확인한 뒤, 다시 한 번 힘찬 목소리로 나에게 말을 건넸다.

"몇 가지 질문에 정직하고 성실하게 답변을 해주시면 감사의 마음을 담아 소정의 상품으로 보답하겠습니다."

"…뭐?"

✳

"넌 뭐야?"

"저는 행성 크루통에서 온 외계인입니다."

쇳덩어리는 붕붕 떨면서 또다시 금속음을 냈다. 외계인이라. 하긴 그렇겠지. 그 외에 무슨 설명이 가능하겠는가. 새벽비가 주는 냉기 때문인지, 아니면 시체유기로 인한 긴장 때문인지, 혹은 외계인을 목격한 충격 때문인지, 내 몸이 나의 의사와 무관하게 이를 부닥치며 벌벌 떨기 시작했다.

"저의 이름은 인간의 성대로는 발음하기 어려우실 테니, 카렐이라고 부르시기를 요청합니다."

"좋아, 카렐…. 방금 나한테 뭐라고 물어본 거야?"

카렐은 축을 약간 뒤틀었다. 사람으로 치면 고개를 갸웃거리는 행동일까? 쇳덩어리가 조작한 것인지, 그처럼 둥둥 떠 있던 금 조각상과 은 조각상이 차례대로 살짝 높이 떠올랐다가 다시 내려가기를 반복한다.

"선생님께서 떨어뜨린 시체는 금으로 된 이 시체입니까, 아니면 은으로 된 이 시체입니까, 라고 여쭈었습니다."

"너는 그게 왜 궁금한데?"

"저는 필드워킹 중입니다."

나는 혼란 속에서 쇳덩어리가 하는 설명을 차근차근 들었다. 쇳덩어리의 설명은 다음과 같았다. 카렐은 인류 연구를 위한 필드워킹을 목적으로 지구에 찾아왔다. 현재는 기초적인 통계 정리와 문헌의 수집은 마쳤지만, 인간들을 대상으로 하는 설문조사가 남았으며, 나에게 건넨 질문도 그 조사의 일환이다.

믿기도 어렵지만 의심하기도 어려운 설명이었다. 하얀빛을 내뿜으며 공중에 떠서 사람에게 이상한 설문조사를 요청하는 쇳덩어리라니, 외계인 외에 또 무슨 가능성이 있을까. 하지만 확인이라도 해보고 싶었다.

"내가 그 이야기를 어떻게 믿어?"

"이렇게 하면 선생님께서 믿어주실까요?"

쇳덩어리가 잠시 부르르 떨자, 하늘에서 비구름을 뚫고 커다란 비행접시가 내려왔다. 아파트 한 채는 될 법한 크기의, 아주 커다란 비행기가. 그리고 그 비행접시의 돌출부에서 굵직한 광선이 쏘아져 저수지 옆의 풀밭을 태워버렸다. 풀밭이 타고 남은 자리에는 기괴한 도형의 미스터리 서클이 그려져 있었다.

카렐이 다시 신호를 보내자 비행접시는 다시 비구름 위로 올라갔다. 좋아. 거짓말을 하면 안 되겠군.

"그래. 믿겠어. 그런데 아까 질문은 도대체 뭔데? 왜 이런 외진 곳에서, 왜 이런 상황에 물어보는 건데?"

"문헌 조사 과정을 통해 발견한 인류문화권에서 보편적으로 사용되는 설문 방법을 적용하기로 결정했기 때문입니다."

아마 카렐이 조사했다고 하는 문헌은 아동용 동화책이고, 그 동화책은 《금도끼와 은도끼》였던 것 같았다. 그러니 외계인이면서 동화책에 나올 산신령처럼 질문했던 것이겠지. 나는 사색이 되어서 이 연구 설계조차 제대로 하지 못하는 한심한 인류 연구자를 바라보았다.

어떻게 해야 할까. 어떻게 해야 이 상황에서 벗어날 수 있을까. 만약 내가 저수지에 떨어뜨린 것이 쇠도끼였다면 문제는 간단했을 것이다. 정직하게 쇠도끼를 떨어뜨렸다고 말하면 되니까. 그랬다면 이 외계산신령이 나의 정직함에 보상하기 위해 금도끼와 은도끼 그리고 쇠도끼를 전부 다 줬겠지. 하지만 내가 저수지에 떨어뜨린 것은 쇠도끼가 아니라 마장동 도끼 김형관이었다. 외계산신령이 갖고 온 것은 1:1 스케일의 순금과 순은의 인체모형이었고.

쏟아지는 빗줄기가 신경을 날카롭게 만들었다. 내가 저수지에 버린 것이 금 시체도, 은 시체도 아닌 남편의 시체라고 정직하게 밝히면 어떻게 될까? 설화대로 세 종류의 시체를 전부 다 주려나? 아마 그럴 가능성이 크겠지. 그러면 나는 남편의 시체를 숨기려다 시체와 시체처럼 생긴 조각상 두 개를 얻게 되는 셈이다. 아니. 안 된다. 그랬다가는 마장동 도끼를 찾아다니는 조폭들이 나를 잡아다가 똑같이 시체로 만들고는 이 저수지에 와서 갖다 버리려고 할 테니까. 그러면 범사위파의 두목은 김형관의 조각상 두 개와 나의 조각상 두 개 그리고 보험금까지 몽땅 독차지하게 된다. 끔찍하다.

차라리 내가 저수지에 버린 것이 김형관의 시체가 아니라 금 시체라고 할까? 가장 좋은 결말은 나의 정직하지 못함에 화가 난 외계산신령이 조각상과 시체를 다 갖고 저수지 밑으로 돌아가는 것이다. 시체는 물론이거니와, 남편이 죽은 모습 그대로의 순금 조각상을 갖고 있다가는 범사위파에게 무슨 짓을 당할지 모르니 이런 흉물은 안 받는 편이 낫다.

"선생님께서 떨어뜨린 시체는 금으로 된 이 시체입니까, 아니면 은으로 된 이 시체입니까? 선생님께서는 대답하기 어려운 질문이었을까요?"

…하지만 이렇게나 사람살이에 대한 이해도가 떨어지는 쇳덩어리는, 내가 금으로 된 시체를 떨어뜨렸다고 하면 그걸 그대로 갖고 가라고 할지도 모른다. 저수지에 시체를 버린 뒤 바로 집으로 돌아가도 알리바이를 만들기 빠듯한데, 커다란 조각상을 처리할 시간까지 만들어낼 수는 없었다.

최악의 상황으로는 내가 한 거짓말에 대해 징벌을 내리는 경우겠다. 《금도끼와 은도끼》의 교훈은 정직한 사람에게 복이 온다는 것이다. 아마 이 외계인이 굳이 이런 설문조사를 시작한 것도 이 《금도끼와 은도끼》의 교훈처럼 인류의 정직함에 대해 확인하기 위함일 가능성이 크다.

무엇보다 나의 응답을 통해 인류가 정직하지 않다고 결론이 내려졌을 때, 이 우주적 산신령이 우주적 징벌을 내리지 않으리라는 보장도 없다. 방금 외계에서 왔음을 증명하겠다며 저수지 옆에 만들어놓은 미스터리 서클은 아직 불길이 다 잡히지 않은 상태다. 이렇게나 폭우가 내리고 있음에도 말이다. 이런 외계인을 인류의 적으로 삼고 싶진 않다.

그렇다면 내가 할 일은 하나다. 정직하게, 내가 정직하지 않은 사람이라고 고백하는 것이다.

"좋아. 내가 저수지에 버린 것이 무엇인지, 왜 버린 것인지에 대해 정확하게 말해주지. 잠자코 들어."

카렐은 10센티미터 정도 위로 떠올랐다가 다시 아래로 10센티미터 정도 내려가기를 반복했다. 마치 사람이 고개를 끄덕이는 것처럼.

✳

나   너는 외계인이니 인류에 대해 잘 모를 수도 있겠지. 그러니까 조금 설명을 길게 할게. 나도 너처럼 이곳 사람이 아니야. 외계에서 온 것은 아니고, 외국에서 왔거든. 네가 여기서 들어봤을 법한 표현으로 말하면 조선족이지. 한국으로 넘어오기 전까지는 제법 잘 살았어. 공부도 오래 했고. 하지만 고향에서 문제가 생긴 나머지 집안은 쫄딱 망해, 얼굴에 화상까지 입고 여기로 도망쳐야 했지.

카렐 선생님의 출신지에 대해서는 이미 억양을 수집한 자료를 분석하여 짐작한 바입니다.

나 그래? 알았어. 이야기를 계속할게.

나는 내 표정이나 목소리에서 긴장이 느껴지지 않을까 염려하며 잠시 숨을 골랐다. 억양만으로 내 출신지를 알았다고? 카렐은 내가 염려했던 것보다 더 인간들에 대해 잘 알고 있거나 분석능력이 있다는 이야기다.

나 난 한국에 와서 갈 곳이 없었어. 빚에 팔려온 신세였으니까. 결국 조폭들 손에 끌려서 술집에 가게 되었어. 하지만 얼굴의 화상 흉터 때문에 술집의 잡일만 맡게 되었지.

카렐 조직폭력배가 그렇게 순순히 일을 처리했습니까?

나 왜냐면 잡일에 더해 하게 된 일이 있었기 때문이야. 그건 바로 결혼 사업이었지. 생명보험이 걸린 조직의 총알받이나 빚쟁이와 결혼을 시키는 거야. 그래서 내 위장결혼의 상대가 죽으면 보험금을 내가 수령한 뒤 조폭들에게 헌납하는 것이고. 반대로 내가 먼저 죽으면 총알받이나 빚쟁이가 내 몫의 보험금을 챙겼겠지.

카렐은 정사각형의 쇳덩이리 육체를 90도 돌렸다. 아마 아래를 바라보기 위함이 아닐까 모르겠다. 나는 긍정의 표시로 고개를 끄덕였다. 그나저나 《금도끼와 은도끼》 수준의 설문을 하면서도 조폭에 대한 이야기도 자연스레 답변하다니, 이 녀석이 갖고 있는 상식의 범주는 어떻게 생겨먹은 것일까.

나   나는 그렇게 마장동 도끼 김형관이와 결혼했어. 보험금을 노린 위장결혼을 말이야. 김형관은 마장동 범사위파의 조무래기였어. 커다란 키에 산적 같은 얼굴을 하고서도 싸움도 못 해, 머리는 나빠, 생김새 말고는 조폭다운 면이 없었지.

카렐   그래서 총알받이로 쓰인 것입니까?

나   맞아. 하지만 김형관은 범사위파의 보스를 제 아비처럼 따랐어. 다른 사람들한테는 양아치처럼 굴었는데도 말이야. 보스가 어릴 적부터 자기를 챙겨줬고 결혼까지 시켜줬으니 충성을 다 해야 한다나? 멍청한 새끼.

나는 욕지기가 치밀어 올랐지만, 담담한 표정을 지으려고 이를 꽉 다물었다. 굳이 외계인에게 내 분노까지 전달할 필요는 없으니까. 카렐은 금속으로 된 몸을 흔들거리면서 다음 이야기를 기다릴 뿐이었다.

나   김형관은 나를 만났을 때부터 나한테 존댓말을 했어. 내가 나이가 많으니 당연히 누님으로 모셔야만 한다나? 내 입장에서 봤을 때는 웃기는 수작이었지.

카렐   어째서입니까?

나   우리의 결혼은 둘 중 하나가 죽어야만 의미가 생기는 결혼이었으니까. 그래야 거기서 나온 보험금을 상납할 수 있잖아.

카렐 과연, 알겠습니다.

나 일반적으로 보험은 예상 밖의 사고를 대비하기 위해 가입하는 거지. 하지만 우리에게 보험은 예정된 사고에 대한 각인이었어. 21세기판 노예 문서였다고. 정다운 부부 놀이를 할 상황은 아니었어.

나는 마장동 도끼 김형관과 나의 결혼을 떠올렸다. 그 시작은 분명 여기서 누가 먼저 용도폐기가 되느냐를 겨루는 승부에 불과했다. 김형관이 조폭 간의 전쟁에서 죽느냐, 김형관이 출세해서 나같이 팔려온 조선족 여자가 필요 없게 되느냐에 따라 누구 하나는 죽고 누구 하나는 보험금을 받아 범사위파 보스와 나눠 갖게 될 그런 운명이었으니까.

당연히 이 승부에서 불리한 사람은 마장동 도끼 김형관이 아니라 출신도 불분명한 조선족 여성인 내 쪽이었다. 그래서인지 결혼 초기의 우리 사이는 제법 나쁘지 않은 편이었다. 범사위파의 다른 조직원들도 나를 제수나 형수라고 부르면서 일정 이상 대우를 해주기도 했으니까.

나 그뿐인가. 신혼 때는 잘 대해줬어. 족발이니 곱창이니를 사 들고 오기도 했고.

카렐 조직폭력배 사회 특유의 가부장적인 문화가 위장 결혼의 대상에게 한시적으로나마 시혜의 형태로 작용되는 것이었겠군요.

나 뭔 소리인지는 모르겠지만 다들 체면치레로 바빴다는 정도로 들으면 되겠지. 틀린 이야기는 아니야. 김형관이는 신혼여행도 가지 못하지 않았느냐면서 이 저수지로 나를 데리고 여행을 온 적도 있었거든. 나중에 알았지만 여기는 범사위파에서 시체를 숨기는 곳이라더군.

코웃음이 나왔다. 내가 남편의 시체를 이 저수지에 버리기로 마음먹은 이유에는 이곳에 범사위파가 버린 시체들이 많다는 점도 있었다. 이 저수지는 범사위파에 있어 결코 알려져서는 안 될 추악한 사설시체보관소였다. 그러니 이곳에 경찰들을 들여보내면서까지 김형관을 찾으려고 하지는 않을 터였다.

카렐 그랬던 선생님의 부군이 체면마저 버리게 된 계기는 무엇입니까?

나 문제가 생겼거든. 전쟁이 터진 거야. 범사위파와 귀도파 사이에 큰 전쟁이 일어나고 만 거지. 그 순간부터 우리의 표면적인 관계는 다 사라지고 말았어. 범사위파의 시선도 완전히 달라졌지. 철없지만 그래도 쏨쏨이는 좋은 형님과 그 형수님은 사라지고 이제 곧 죽을 총알받이와 그 총알받이의 보험금을 들고 도망치지 못하게 감시해야 할 노예만이 남은 거야.

지금도 이 전쟁이 진행 중이기는 하지만, 갓 충돌이 일어났던 당시는 지옥과도 같은 분위기였다. 남편은 항상 죽을상을 하고 집에 돌아왔고 곳곳에 전화하며 고함을 질러대기를 일삼았다. 겉으로나마 아내 취급을 하던 나에 대한 대우도 완전히 달

262

라졌고.

이제 와 생각하면 뭐 그리 놀랄 일인가 싶기는 하다만, 그때는 김형관의 이전과는 완전히 달라져버린 태도에 배신감마저 느꼈다. 그런데 우스운 것은 그 순간 남편의 변화에 가장 놀란 사람이 내가 아니라, 그 당사자였다는 점이겠다. 하여튼 웃긴 놈이었다.

카렐 부군이 그 상황을 받아들이셨습니까?
나 당연히 아니지. 도망치기로 했어.
카렐 조직폭력배에게서 벗어나기는 쉽지 않을 터인데요.
나 맞아. 도피자금이 필요했어. 범사위파나 귀도파와 무관한 제3세력을 이용해야 했으니 직원 할인도 받을 수 없는 가격으로.

그리고 그 자금을 버는 것 역시 어려운 일이 아니었다. 나를 죽이면 되니까. 나를 죽이면 보험금이 나오고, 그 보험금을 써서 도망치면 간단히 해결할 수 있는 문제였다. 이 꼼수는 범사위파로서야 손해 보는 일이기는 했다. 남편을 총알받이로 쓰고 아내한테 그 남편의 보험금을 받는 경우와 남편으로부터 아내의 보험금을 받는 대신에 총알받이 신세를 면하게 해주는 경우, 계산해보면 전자가 더 알뜰히 인재를 활용하는 방법이니까.

하지만 그렇다고는 해도 마장동 도끼는 한솥밥을 먹는 사이고 나는 그 한솥밥을 먹는 사이의 명목상의 식구였으니, 김형관이 후자의 선택지를 고르는 것을 적극적으로 막지는 않을 상황이었다. 실제로 그 주변에도 네 목숨이 더 소중하지 않으냐며 충동질을 하는 인간들이 여럿 있었으니까.

카렐도 거기까지 추론을 마쳤는지 그 쇳덩어리로 된 몸을 미동도 하지 않고서 나를 동정하듯 바라보았다. 어디까지나 내 짐작일 뿐이지만, 그렇게 느꼈다. 이제 이야기에 마무리를 지을 차례다.

나 그래서 바로 몇 시간 전, 총알받이용 조폭과 보험사기용 예비 시체 사이에 대결이 있었어. 누가 죽고 누가 살아남느냐를 결정하기 위해 벌인 큰 싸움이었지. 물건을 던지거나 고성이 오가거나. 그 사이에 그릇이 몇 개나 깨졌는지 몰라.

카렐 승패는 어떻게 되었습니까?

나 뻔하지, 뭐. 한쪽은 조폭이고 다른 한쪽은 그 마누라인데. 싸움이 다 끝나니 김형관이 주섬주섬 먹을 것을 하나 꺼내더군. 내가 그토록 먹고 싶다고 노래를 불렀을 때는 사오지 않았던 딸기 타르트를 말이야. 둘 중 하나는 죽어야 살 팔자인데, 먹고 죽은 귀신이 때깔도 곱지 않으면서 말이야. 누구 놀리는 것도 아니고. 결론이 나왔으니 그거라도 먹자는 거야.

나는 그 순간 울음을 터뜨리고 말았다. 망할 새끼. 어디서 감히 먹을 거 하나 사 와서 사람 목숨을 사려고 들어? 공중에 떠 있는 김형관의 금 조각상과 은 조각상의 저 얼빠진 표정을 보는 것만으로도 분을 참지 못하겠다. 카렐은 잠자코 내가 성에 차도록 고래고래 소리를 지르며 오열하기를 기다렸다. 짧지 않은 시간이 필요했다.

나　…그리고, 나는 그 딸기 타르트에 독을 넣었어. 멍청하게 독이 든 딸기 타르트를 먹은 놈은 뒈졌고, 현명하게 독이 든 딸기 타르트를 먹지 않은 놈은 살았지. 누가 먼저 용도폐기가 되느냐를 겨루는 승부에서 승리한 사람은 내가 된 거야. 덕분에 이 한심한 대결의 승리자는 범사위파와 시비가 붙지 않도록 시체를 저수지에 버리기로 했어.

카렐　깔끔하군요.

나　그래. 다만 그 자식이 죽어갈 때 네가 미웠다고, 죽으라고 저주했다고 말했어야 했는데, 그렇게 하지 못한 것만이 한이다.

카렐　그렇다면….

나　맞아. 아까 질문에 대답하자면, 내가 저수지에 버린 것은 금 시체도, 은 시체도 아니야. 마장동 도끼, 나의 남편의 시체야.

카렐은 별다른 대꾸도 없이 그저 둥둥 떠 있기만 했다. 외계인에게 있어서는 거짓된 관계라면 가족인 척했던 남자의 시체를 저수지에 유기하는 일은 그렇게까지 놀랄 일이 아닌 것일까? 카렐도, 나도 이야기를 멈추자 얼굴에 떨어지는 빗방울의 숫자라도 세어야 할까 싶을 만큼의 긴 정적이 지나갔다.

결국 침묵을 견디지 못한 나머지 먼저 입을 연 사람은 나였다.

나　나는 정직하게 대답했어. 그렇다고 내가 정직한 사람인 것은 아니야. 살인자에 불과하니까. 그렇잖아. 내가 정직했다면 이렇게 남편을 독살하지도 않았겠지.

카렐　선생님이 진술하시는 동안 기록된 뇌파의 파장을 보니 대부분의 대답이 진실이라고 판정되었습니다.

나　그렇다고 했잖아. 너한테는 어쩔 수 없이 말하기는 했지만, 나는 정직하게 남편의 시체를 이 저수지에 버렸다고 다른 사람들에게 말하고 싶지도 않아. 그래서 나는 이대로 이곳을 떠날 거야. 너도 내가 이곳에 시체를 버린 사실에 대해 누구에게도 말하지 않았으면 해. 그게 내 정직한 대답에 대한 보상이었으면 좋겠어.

✳

됐다. 할 말은 다 했다. 이렇게 말했으니 카렐도 내게 금 시체와 은 시체를 주지는 못할 것이다. 살인자에게 상을 주는 산신령이 어디 있겠나. 비록 이 쇳덩어리 외계인이 상식은 없어 보이지만, 정직한 나무꾼에게 상을 주는 것처럼 정직한 자수범에게 상을 줄 정도로 경우가 없어 보이지도 않는다.

카렐은 느린 속도로 회전하면서 무언가를 고민하는 것 같았다. 그러다 곧 결론을 내렸는지, 파르르 쇳덩어리로 된 몸을 떨며 겉면에 묻은 물방울을 떨쳐냈다. 그리고 방금보다 더 강한 빛을 뿜어내기 시작했다. 이 망할 외계인이, 주변에 살인자가 있다고 광고를 할 셈인가?

"선생님께서 저의 말을 오해하신 것 같습니다. 저는 선생님이 진술하시는 동안 기록된 뇌파의 파장을 보니 대부분의 대답이 진실이라고 판정되었다고 했습니다. 대부분의 대답이 진실이라는 것은 모든 대답이 진실이 아니었다는 이야기입니다. 선생님께서는 온전하게 정직한 사람이 아니십니다."

"…내가 무슨 거짓말을 했는데?"

뭐지? 이 쇳덩어리가 도대체 무슨 소리를 하는 거지? 나는 긴장 속에서 카렐이 위협적으로 나올 때를 대비해서 무엇을 할 수 있을지를 고민했다. 내가 이 쇳덩어리를 부셔버리거나 할 수 있을까?

"여쭈셨으니 대답을 드리겠습니다. 이제부터 선생님의 뇌파에서 이상 신호가 감지된 부분을 하나하나 짚어볼 터이니, 들어봐주십시오."

＊

카렐 선생님께서는 인간이시니 우리 문명의 기술력에 대해 잘 모를 수도 있겠습니다. 그러니까 상세하게 설명을 해드리겠습니다. 행성 크루통은 지구 인류와 그렇게 차별화되는 문명이 아닙니다. 종까지는 아니더라도 목까지는 같다고 할 수 있지요. 선생님께 익숙할 표현으로 말씀을 드리자면 사돈의 팔촌쯤 되는 사이입니다. 저희는 지구 인류 여러분이 발달하는 과정에 크고 작은 도움을 준 적도 있습니다. 다만 필드워크에 예산이 모자라는 나머지 구형 번역기와 드론을 지급받은 바람에 생소하게 보일 뿐입니다. 그래서 다양한 생체신호와 함께 선생님의 증언을 분석하고 있었음을 밝힙니다.

나   …나는 이 쇳덩어리가 네 몸체인 줄 알았는데.

카렐   그러했습니까? 아닙니다. 이야기를 계속하겠습니다.

나는 카렐의 움직임에 주의하며 잠시 숨을 골랐다. 저게 생명체가 아니라 드론이었다는 말이야? 이상한 말투는 번역기의 문제였을 뿐이고? 카렐은 내가 염려했던 것보다 더, 그보다도 더 인간들에 대해 잘 알고 있는 것일지도 모르겠다.

카렐   선생님께서 한국에 오신 뒤 갈 곳이 없었던 것은 맞겠지요. 빚에 팔려온 신세였다는 것도 거짓이 아닐 터입니다. 통계상으로도 조직폭력배들 손에 끌려서 술집에 가게 되는 경우가 무시할 수 없을 만큼 기록되었고 말입니다.

나   조폭들에 대한 필드워크도 했어?

카렐   그렇습니다. 그러니 조직폭력배의 생리도 알고 있습니다. 보험금을 노린 위장결혼사업에 대해서도 선생님의 증언과 저희 측이 보유한 자료가 상충하는 지점이 없었다는 것을 확인했습니다.

나는 눈동자를 굴려가며 내가 했던 이야기를 반추했다. 그중에 거짓은 없었다. 그리고 카렐이 이제까지 지적한 부분까지는 전혀 문제가 없었다. 그렇다면 이 녀석이 가진 의심은 도대체 어떤 부분에 대해서였을까.

카렐   선생님께서 마장동 도끼 김형관 님과 결혼을 하신 것도 그 맥락이 맞을 터이겠지요. 그분께서 마장동 범사위파의 말단이셨을지는 짐작하기가 어렵습니다. 커다란 키에 산적 같은 얼굴을 하고서도 싸움을 못 하고 머리가 나쁘다면 조직폭력배 사회에서 가장 환영받을 인간상이 아닌가요?

나   총알받이로 환영받을 인간이지.

카렐 맞습니다. 하지만 같은 총알받이더라도 특급의 총알받이가 될 터입니다. 더욱이 보스를 아버지처럼 따랐다면 말입니다. 그런데 저의 의문도 여기에서 출발했습니다. 이렇게 조직을 위해 자신을 희생하기 위해 태어난 것 같은 천성을 가진 김형관 선생님께서 왜 정작 그 필요성이 요구될 때 자신의 역할을 거절하고 도망치려 했을까요?

욕지기가 치밀어 올랐지만, 담담한 표정을 지으려고 이를 꽉 다문다. 굳이 외계인에게 내 분노까지 전달할 필요는 없으니까. 카렐은 금속으로 된 몸을 흔들거리면서 다음 이야기를 이어나갔다.

카렐 이 의문에 대한 대답은 어렵지 않게 도출되었습니다. 김형관 선생님께서는 전근대적 가족관으로 세상을 이해하는 이로 보였습니다. 그리고 그 전근대적 가족관의 기준에서 아비보다 누이를 우선하셨다고 하면 의문은 더 이상 의문이지 않습니다.

나   뭐라고?

카렐 마장동 도끼는 도망을 칠 필요가 없었음에도 그러기로 하지 않았나요?

나　그래… 그렇지.

카렐　선생님을 먼저 죽이기로 결심했다면 도망칠 필요도 없습니다.
그리하면 범사위파도 선생님의 보험금을 상납받기까지 김형관 님을
당장 총알받이로 쓰지는 못할 테니, 최소한 이번 전쟁이 끝날 때까
지의 유예기간을 얻는 셈이니까요. 범사위파에게 있어서야 이번에
보험금을 받고 나중에 총알받이로 쓰느냐, 이번에 총알받이로 쓰고
이번에 보험금을 받느냐의 차이밖에 없는 일일 테고요.

나는 다시 마장동 도끼 김형관과 나의 결혼을 떠올렸다. 그 시
작은 분명 여기서 누가 먼저 용도폐기가 되느냐를 겨루는 승부
에 불과했다. 하지만 이는 어디까지나 초반의 이야기였다. 김형
관은 나를 사랑하기 시작했다. 그 멍청한 똘마니는 자신이 출세
해서 나처럼 팔려온 조선족 여자라도 당당히 살 수 있을 만큼 돈
벌이를 하겠다고 호언장담했다.

당연히 이 호언장담을 믿는 사람은 없었다. 하지만 그렇다고
범사위파의 다른 조직원들이 김형관의 호언장담을 믿는 척을 하
지 않기도 어려웠다. 그의 사람됨을 무시하는 일이었으니까. 그
러니 제수나 형수라고 부르면서 그의 비위를 맞추었던 것이고.

카렐　족발이니 곱창이니 사 들고 간 이유도 그 때문이었겠지요. 진
정으로 가족으로 여겼고 아꼈으니까요.

나　아니야. 조직폭력배 사회 특유의 가부장적인 그 뭐시기로 위장

270

결혼에 한시적으로나마 어떻게 한 거였어.

카렐 이렇게 생각하면 선생님께서 김형관 님의 시체를 보험금으로 바꾸지 않고 저수지에 가지고 오신 것도 이해가 됩니다. 신혼여행의 추억이 담겨 있었기 때문이겠지요. 범사위파에서 시체를 숨기기 위해 자주 찾던 곳이라는 것이야 부차적인 이유였을 테고요. 도시에도 시체를 숨기기에 좋은 장소는 얼마든지 있지 않습니까? 그리고 조직폭력배들 사이에 있던 선생님께서 그 장소들을 모르지도 않았을 터이지 않습니까?

코웃음이 나왔다. 내가 남편의 시체를 이 저수지에 버리기로 마음먹은 이유에는 이곳 말고는 한국에서 달리 가본 장소가 많지 않았기 때문이 컸다. 김형관, 그 멍청이가 결국 나를 데리고 함께 왔던 여행지로는 그나마 이곳이 유일했으니까. 남편은 내가 조폭들의 사업에 연루되는 것을 병적으로 싫어했다. 그 덕에 나는 그 밖의 다른 장소를 상상하지도 못했다가 이렇게 외계인을 만나 신상마저 털리는 신세가 되어버렸고.

나 그래. 내가 그랬다. 나 좋다는 남자인데, 성에 안 차서 죽여버렸다.

카렐 제가 선생님의 뇌파를 측정하고 있다고 말씀드리지 않았던가요? 측정 자료를 볼 것도 없이 거짓임을 알겠습니다. 김형관 님은 선생님이 쉽게 죽일 수 있는 상대가 아닙니다. 그분과의 물리적인 힘의 차이 때문이 아닙니다. 범사위파가 여러분을 감시하고 있었기 때문입니다. 조직원들은 선생님보다 김형관 님의 목숨을 우선했을 터이니까요. 그들은 김형관 님을 이제 곧 죽을 총알받이로 만들지 않으려면 선생님이 죽어야 하기에, 또 선생님이 되레 김형관 님을 죽일 생각을 품지 못하게 해야 하기에, 선생님을 노예처럼 감시했겠지요.

그때 김형관이 두들겨 팬 동생들의 숫자는 두 손으로도 세기 어렵다. 형님들이랑 술을 먹다가도 술상을 엎었고. 항상 죽을상을 하고 집에 돌아와서 곳곳에 전화하며 고함을 질러대기를 일삼았다. 겉으로만 아내 취급을 하는 것이겠지, 싶었던 나에 대한 대우는 거짓이 아니었던 것이다.

이제 와 생각하면 뭐 그리 놀랄 일인가 싶기는 하다만, 그때는 이전과는 완전히 달라져버린 김형관의 태도에 배신감마저 느꼈다. 진즉 그랬으면, 만난 즉시 믿음을 줬다면 처음부터 같이 도망칠 계획을 짰을 텐데. 아니다. 아마 도망치기는 어려웠겠지. 자기가 조직보다 나를 우선할 거라고 상상조차 못 했던 김형관이었으니까. 정말이지 웃긴 놈이었다.

나　　그러면, 김형관은 왜 죽었다는 건데?

카렐　이 전쟁이 계속되면 두 사람은 모두 죽을 운명입니다. 이 운명에서 둘 중 한 명이 죽어 다른 한 사람을 살릴 수 있다면, 그리고 그죽는 사람이 김형관 님이라면, 자신이 죽을 테니 그 시체를 이곳에 버리라고 계책을 꺼내신 것이겠지요.

나　　그 조폭 새끼가?

272

카렐 그렇습니다. 선생님께서 김형관 님의 보험금을 받아 범사위파에 상납했다가는, 다른 상대와 위장결혼을 진행하게 될 뿐이겠지요. 하지만 이 저수지에 시체를 숨긴 사실이 발각되지 않으면 김형관 님의 행방불명 신고가 진행되어 법적 사망으로 분류되기까지 5년이 걸리니, 다음 위장결혼을 피하기까지의 유예기간이 생기고요.

카렐은 김형관의 시체를 고스란히 본뜬 금 조각상을 이리 돌리고 저리 돌리면서 살폈다. 어찌나 잘 만든 조각상인지. 생전의 흉터나 멍이 든 부분까지도 고스란히 다 재현되어 있었다. 이 정도 재현도라면 내장이나 근육 그리고 골격조차도 들어갔을지 모르겠다.

그래. 만약 이 금 조각상을 진작 가졌더라면 이런 끔찍한 꼴은 당하지 않았을 거다. 김형관이 어떻게든 금 조각상을 처분해서 도피자금을 만들었을 테니까. 하지만 우리에게 재산은 서로뿐이었다. 처분할 수 있는 것도 서로뿐이었다.

하지만 카렐이 김형관의 금 조각상을 돌려보는 이유는 그런 감상적인 술회를 돕기 위해서가 아니었다. 딱히 인간에 대해 이해는 하지 못한 말투로, 우리가 했던 일들에 대해 담담히 추리하기 위함이었다.

카렐 그래서 바로 몇 시간 전, 총알받이용 조폭과 보험사기용 예비 시체 사이에 대결이 있었다고 하지 않으셨습니까? 누가 죽고 누가 살아남느냐를 결정하기 위해 벌인 큰 싸움이라고 하지 않으셨습니까?

하지만 선생님에게서는 별다른 흉터가 보이지 않습니다. 이 김형관 님의 시체 곳곳에 멍이 들어 있는 것과는 다르게 말입니다.

나　그래. 내가 그릇이랑 이것저것 던졌지.

카렐　예상한 바입니다. 한쪽이 일방적으로 죽겠다고 하니 다른 한쪽 은 어떻게든 그 결심을 말리고 싶었겠지요. 욕설을 하고 고성을 지르 면서 물건을 던져서라도요. 하지만 그 싸움도 결국 끝이 날 수밖에 없었겠지요. 김형관 님에게는 비장의 무기가 하나 있었으니까요.

나　딸기 타르트.

카렐　그러합니다. 그분은 딸기 타르트를 꺼내며, 둘 중 하나는 죽어 야 살 팔자인데, 먹고 죽은 귀신이 때깔도 곱지 않으냐면서 농담을 던지셨겠지요.

나는 다시금 울음을 터뜨리고 말았다. 망할 새끼. 어디서 감히 먹을 거 하나 사 와서 사람 목숨을 사려고 들어? 지 목숨은 내 건데. 내가 가진 지 목숨을 고작 딸기 타르트 하나로 사려고 들 어? 공중에 떠 있는 김형관의 금 조각상과 은 조각상의 저 얼빠 진 표정을 보는 것만으로도 분을 참지 못하겠다. 카렐은 이번에 는 내가 오열을 그치기를 기다리지 않았다.

카렐　딸기 타르트에 든 독은 편안하게 죽음을 맞이하도록 넣은 배 려겠지요. 사랑으로 독이 든 딸기 타르트를 먹은 자는 죽었고, 죽은 자의 소원을 이뤄주기 위해 딸기 타르트를 먹지 않은 자는 살아남았 고요. 그리고 세상에서 가장 사랑했던 이의 시신을 가장 소중했던 시간을 보냈던 장소에 묻어버리기로 했겠지요.

나　깔끔하군.

카렐　아닙니다. 김형관 님이 죽어갈 때 네가 미웠다고, 죽으라고 저주했다고 말하면서 처음 만났을 때 그를 오해했던 것에 대해 사과하고 처음부터 사랑하지 못했던 것에 대해 미안하다고 말해주지 못한 것이 한으로 남았으니 깔끔하지는 않습니다.

나　그렇다면….

카렐　맞습니다. 선생님께서는 정직한 사람도, 살인자도 아니십니다.

나는 별다른 대꾸도 하지 못하고 그저 눈물만 흘렸다. 쏟아지는 비와 함께 온몸이 젖었다. 카렐도, 나도 이야기를 멈추자 내 얼굴에 떨어지는 빗방울의 숫자라도 세어야 할까 싶을 만큼의 긴 정적이 지나갔다.

결국 침묵을 견디지 못한 나머지 먼저 입을 연 사람은, 아니 외계인은, 카렐이었다.

카렐　선생님께서는 정직하게 대답하지 않으셨습니다. 선생님께서는 부분적으로만 정직하게 말하는 것으로 의도적인 오해를 조장한 거짓말쟁이며 살인자가 아니십니다.

나　이걸 다 내 뇌파를 조사해서 알아낸 거냐?

카렐　선생님께서 거짓말을 했을 때의 파장은 단 한 번만 기록되었습니다. 바로 선생님께서 정직한 사람이 아니라 살인자에 불과하다고 한 그 순간 말입니다. 그것만으로도 선생님이 의도적으로 오해를 조장했던 내용을 분석하기란 어렵지 않았습니다.

✳

"선생님에 대한 저의 분석에 오류는 없습니까?"

"나는⋯ 거짓말쟁이 맞아. 너한테 부분적으로만 사실을 말했어."

냉기와 긴장으로 인해 다시금 이가 부딪히며 딱딱 소리가 났다. 거짓말쟁이라. 그렇다. 그 외에 무슨 설명이 가능하겠는가. 카렐은 자신의 분석에서 오류가 없었다는 답변이 기뻤는지 붕붕 떨면서 금속음을 냈다.

"좋아, 카렐⋯ 이제 나를 어떻게 할 거야?"

"어떻게라니. 무슨 말이십니까?"

"벌주지는 않을 거야?"

나는 이 외계인이 무슨 생각을 하고 있는지 조심스레 짐작해 보았다. 카렐은 필드워킹을 위한 몇 가지 질문에 정직하고 성실하게 답변을 하면 감사의 마음을 담아 소정의 상품을 주겠다고 했다. 그렇다면 거짓이 발각된 이 시점에는 무엇을 줄까?

《금도끼와 은도끼》에는 정직한 나무꾼만 나오지 않는다. 정직한 나무꾼이 금도끼와 은도끼를 다 받은 것을 지켜보고, 그를 따라서 부자가 되겠다며 일부러 도끼를 버린 거짓말을 한 못된 나무꾼도 나온다. 그의 심보를 파악한 산신령은 못된 나무꾼에게 벌을 내린다.

"그러는 편이 좋으십니까?"

"안 그럴 거야?"

내가 대놓고 거짓말을 하지 않은 데에는 내 나름대로 이유가 있었다. 내가 거짓말을 한 것을 알게 되면 카렐이 화가 난 나머지 이 도시를 불태울까 무서웠으니까 말이다.

나는 혹시나 하는 마음에 방금 카렐이 불렀던 비행접시가 다시 내려오지는 않을까, 하늘을 올려보았다. 다행히 여전히 비구름만이 어두운 새벽하늘을 독점하고 있다.

"원하신다면 해드릴 수는 있습니다."

"고맙네."

카렐은 쇳덩어리 몸체를 살짝 흔들었다. 웃는 건가? 농담한 건가? 나는 외계인이면서 동화책에 나올 산신령처럼 말하던 이 쇳덩어리에 대한 판단을 달리해야 했음을 깨달았다. 그러고는 주제에 말도 안 되는 농담 따먹기나 하는 한심한 인류 연구자를 노려보았다.

어떻게 해야 했을까. 어떻게 했어야 이런 상황에 처하지 않았을까. 만약 내가 사랑하는 남편의 시체를 버렸다고 했다면 문제는 간단했을 것이다. 정직하게 처음부터 우리가 함께했던 추억에 대해 말하기만 하면 되니까. 그랬다면 이렇게 빙 돌아서 나와 남편의 과거를 폭로 당하지도 않았을 텐데. 하지만 나는 그러고 싶지 않았다. 김형관이 나를 사랑했던 순간을 외계산신령의 설문조사 따위로 기록하고 싶지 않았다.

쏟아지는 빗줄기가 느껴지지도 않을 만큼 신경이 날카로웠다. 내가 저수지에 버린 것은 금으로도, 은으로도 살 수 없는 나의 남편이다. 그리고 그가 나를 위해서 한 일을 망쳐버리고 싶지 않다. 아니. 안 된다. 그랬다가는 나는 나를 용서하지 못할 것이다. 끔찍하다.

차라리 나의 시체도 저수지에 버려져서 김형관의 시체와 함께해도 나쁘지는 않은 결말이다. 정직하지 못한 나의 인생에, 남편을 죽음으로 이끈 나의 인생에 그 정도 결말은 과분하기까지한 처사니까.

"하지만 그러지 않겠습니다. 고작 선생님께서 떨어뜨린 시체가 이 금으로 된 시체인지, 아니면 이 은으로 된 시체인지에 대한 질문에 대답 한 번 잘못했다고 벌을 내려서는 아니 될 터입니다."

"그러면?"

"제가 선생님과 진행한 설문조사를 통해 얻은 결론을 정확하게 말씀드리겠습니다. 선생님께서는 정직한 사람도, 살인자도 아니십니다. 선생님은 마장동 도끼 김형관의 아내이자, 그분이 자신의 목숨을 희생해가며 살리고 싶어 했을 만큼이나 사랑한 누군가입니다. 제가 알게 된 사실은 오로지 그뿐입니다. 그리고 저는 그것으로 충분합니다."

나는 그만 고개를 숙였다. 지금의 내 눈물은 다른 그 누구에게도 보이고 싶지 않았다. 가장 듣고 싶었던 한마디를 이런 쇳덩어리에게 듣고 싶지도 않았다. 하지만 그렇더라도 나는 그 한마디가 간절했다. 사무치도록 필요했다.

278

*

나는 어렵지 않게 보트를 끌고 저수지 한쪽으로 이동했다. 다음으로는 내 자취가 남아 있지 않은지 주의 깊게 살펴보며 뒷정리를 했다. 발자국이 걱정되었으나 쏟아지는 비 덕분에 별다르게 흔적이라 할 것은 보이지 않았다.

헛웃음이 나왔다. 마장동 도끼 김형관이 보험금을 노린 위장 결혼으로 만난 조선족 아내를 사랑하게 된 나머지 죽어버리고는 그 손으로 저수지에 버려졌다는 사실을 알면 다들 얼마나 놀랄까 싶었는데. 아무도 알지 못하게 저지른 일을 외계에서 온 방문자만이 알게 되었다. 사건의 전말을 큰 소리로 외쳐가며 하나하나 다 들려주고 말았다. 어딘가 속이 시원했다.

펑!

펑펑펑!

그리고 그 순간, 폭음과 함께 저수지의 밑바닥에서부터 하얀 빛을 뿜어내는 금속질의 정육면체 수백 개가 떠올랐다. 카렐이 이제 필드워크를 마치고 행성 크루통으로 돌아가려고 하는 것이다.

나는 개운해진 마음으로 공중을 날고 있는 쇳덩어리들을 바라보았다. 볼링공 정도의 크기의 이 쇳덩어리가 뿜어내는 빛은 저수지만이 아닌 골짜기 너머까지 밝힐 정도였다. 쇳덩어리는 내가 눈이 부신 나머지 손으로 얼굴을 가리니까 밝기를 좀 낮추었다. 그러고는 표면을 진동시켜 소리를 내었다. 마치 자동차의 엔진이 사람의 목소리를 흉내 내는 것과도 같은 소리로 말이다.

"선생님."

"뭔데."

"정직하고 성실한 답변에 대해 감사의 인사를 표합니다."

저수지의 밑바닥에서부터 떠오른 하얀빛을 뿜어내는 금속질의 정육면체들이 마지막 인사를 마치고는 구름 위로 솟아올랐다. 그러자 이제까지 산턱을 품고 있던 비구름이 걷히며 새벽하늘의 푸른빛이 내리쬐기 시작했다.

✳

인적이 드문 이른 아침의 저수지라고 하더라도 누가 언제 이 근처를 지날지 모르는 노릇이다. 이미 비구름을 뚫고서 수십 개의 우주 드론들이 하늘로 치솟았으니 누가 이곳으로 찾아올지도 모를 상황이니 더더욱 조심해야 했다. 만약 누가 내 모습을 보기라도 했다간, 이 모든 노력이 수포로 돌아가게 될 테니까. 동틀 녘이기는 하더라도 가로등 하나 없는 산길이기에 핸드폰을 켰다.

'소정의 상품은 편의성을 위해 포장배달로 전달 드립니다.'

언제 수신되었는지 모를 발신자불명의 문자가 알림으로 떠 있다. 나는 핸드폰을 조작해 문자를 확인했다. 그러고는 발밑을 볼 생각도 못 하고 달려나갔다.

핸드폰은 바닥에 던져버린 뒤 지면을 박차면서 달렸다. 용달차를 세운 곳까지 달려가서 짐칸 위로 올라갔다. 이 시대착오적인 외계인이 도대체 무슨 일을 저질렀단 말인가? 이 새벽의 대환장쇼가 이렇게 끝이 난다고? 도대체 무슨 소리야? 소정의 상품이라고? 짙푸른 하늘에 조금씩 빛이 차오르지만 지금은 날씨를 신경 쓸 때가 아니다.

✳

'소정의 상품은 편의성을 위해 포장배달로 전달 드립니다.'

나는 알림 뒤에 잘려 있던 문자의 내용을 몇 번이고 다시 반추하며 용달차의 화물칸에 올라섰다. 그곳에는 미처 지퍼가 다 닫히지 않은 가방이 있었다. 나는 그 사이로 남편의 얼굴을 바라보았다. 가방 안에 들어 있는 김형관은 금으로 된 시체도, 은으로 된 시체도 아니었다.

"누님… 여기는 어디입니까? 저는 왜 가방 안에 넣어져 있고… 옆에 이 무식하게 생긴 상판을 한 조각상 두 개는 또 뭡니까?"

김형관은 얼빠진 목소리로 나에게 질문을 던졌다. 그러게. 이건 또 뭐라고 해야 하나. 나는 카렐이 나에게 보낸 문자의 다음 문장을 떠올리고, 이에 대해 어떻게 설명해야 할지를 고민했다. 이 문장을 도대체 또 어떻게 설명한다는 말인가?

정직하고 성실하게 답변을 해주신 것에 대한 감사의 마음을 담아 상품의 파손된 부분에 대한 보수 또한 마쳐 배달하였으니, 보관과 이송 문제에 있어 염려치 마시기를 빕니다. 행성 크루통의 카렐 드림.

헌책방의 왕

1

비트코인 환금을 마친 뒤 통장에 2,600,000,000이라는 숫자가 찍힌 순간, 이제는 마음껏 책을 살 수 있겠다고 생각했다. 그 외에는 딱히 하고 싶은 일이 없었다. 내가 욕심이 없는 사람이어서는 아니다. 마음껏 방탕하게 살기에 26억은 애매한 액수였기 때문이다. 강남 어딘가에 아파트를 작게 한 채 구할 수 있을까 말까 할 정도 아닌가. 사업하기에도 애매하고 요트나 자동차를 사기에도 어중간한 금액이다.

하지만 26억이면 책을 마음껏 살 정도는 된다. 이 돈을 전부 책에다 쓴다는 이야기는 아니다. 30대인 내가 앞으로 50년 정도 더 산다고 가정했을 때, 생계비를 제하고 남은 금액에서 쓸 수 있는 여유 자금으로 즐길 취미 중 책보다 더한 사치를 고르기는 어렵다. 그리고 이나마도 내가 아직 결혼을 하지 않았으며 아이를 낳을 생각도 없는 데다 서울이 아닌 수도권에서 지내기로 결심했기 때문에 가능한 결론이었다.

다행히 승아는 나의 선택에 별 불만을 갖지 않았다. 어차피 남자친구가 투자를 통해 번 26억 정도야 본인이 보기에는 귀여운 수준의 액수였기 때문이었다. 승아는 나에게 암호화폐 투자를 권하기 전에도 이미 내가 번 수익의 다섯 배는 벌어놓은 차였다. 무엇보다 그때는 승아가 이미 부동산으로 관심을 옮겼기에, 내가 '앞으로는 조용히 책만 읽으면서 살겠다.'라고 선언했을 때도 별다른 신경을 쓰지 않았다.

나는 승아의 추천으로 서울에 작은 아파트를 하나 얻었고, 남은 돈의 상당량을 온라인 서점 장바구니를 비우는 데 썼다. 그 사이에 비트코인은 폭등했다 폭락하기를 반복했다. 별로 상관할 일은 아니었다. 어차피 다 팔아치웠기도 했지만, 새로 구입한 n만 권의 책을 서울의 작은 아파트에서 관리하기는 어려웠기에, 당장 읽을 2천 여권의 책을 제외하고는 지방에 작은 창고를 빌려 옮기는 작업을 하느라 온 정신이 다 팔렸기 때문도 있다.

다 읽거나/읽다 말거나/읽기도 전에 포기한 책들을 작은 창고에 넣고 아직 안 읽었거나/또 읽고 싶거나/읽든 안 읽든 곁에 두고 싶거나 하는 책을 가져오기를 다섯 번 정도 반복했을 무렵, 아파트의 값은 세 배로 뛰어오른 상태였다. 나는 승아의 권유로 아파트를 정리한 뒤, 지금보다 세 배로 가격이 오를 것이 분명하며 책들을 보관한 창고와도 가까운 서울 근교의 새 아파트로 이사를 했다. 그리고 새 창고에 새 책을 모으기 시작했다.

"이 책은 뭐야?"

"배명훈 작가의《타워》. 엄청 재밌어, 그 책."

"…그럼 이 책은?"

"…배명훈 작가의《타워》. 아까는 구 판본이고 그건 새 판본."

승아와 나 사이에 아주 약간의, 정말로 아주 약간의 긴장이 흘렀다. 승아는 내가 그걸 몰라서 물어보겠느냐고 눈빛으로 말하며 노려보았다. 그러고는 바로 그 옆의 책을 다시 꺼내 들었다.

"그리고 이 책은?"

"배명훈 작가의《타워》. 사인본."

"또 이 책은?"

"배명훈 작가의《타워》. 해외에서 출간된…."

"좋아. 여기까지는 납득이 가. 판본이 다르고, 사인본이고, 영문판이고, 모두 수집하는 건 놀랍지 않아. 근데 이건 또 뭔데?"

"배명훈 작가의《타워》. 신림동 헌책방에서 산."

"그럼 이건?"

"배명훈 작가의《타워》. 창동 헌책방에서 산."

"그리고 이 다른 열두 권은?"

"배명훈 작가의《타워》… 전부 다. 각기 다른 헌책방에서 산."

승아는 웃으면서 내게 책을 던졌다. 다행히 배명훈의《타워》는 아니었는데, 나는 아직도 승아가 그렇게 많은 배명훈의《타워》가 꽂힌 서가에서 어떻게 딱 홍지운의 책을 뽑아다가 던졌는지 신기하다. 아마 더 아프라고 무거운 책을 찾느라 그랬던 것일까? 아니면 홍지운이 별로라서 그랬을까? 이 사람은 책은 전혀 읽지 않으면서도 감은 정말 좋았다. 어쨌든 그때의 표정을 감안하면, 승아가 좋아서 웃은 것은 아니었다. 승아는 황당할 때도, 화가 날 때도 웃는다. 당시는 아마 황당해서 웃었던 것이 아닐까 짐작한다.

즐거운 시기였다. 침대에서 일어나면 바로 책을 펼치고, 책을 닫은 다음에는 침대에서 잠드는 하루하루였다. 가끔 승아의 부동산 순례나 센터 일을 도우면서 겸사겸사 데이트를 하는 것 외에는 집에서 나갈 일이 없었다. 생필품의 상당수도 온라인 서점의 굿즈로 대체했다. 요즘 서점들은 쓰레기통부터 냄비받침에 지포 라이터까지 온갖 것들에 책 문구를 박아서 팔았기에 가능한 일이었다. 결국 창고로 가서 책을 새로 가져오거나 괜찮은 카페에서 독서를 하고 싶은 날을 제외하면 나는 집 밖에 나갈 일이 없었다.

하지만 그런 나날도 곧 끝이 왔다. 아무래도 창고에 모아놓은 n만 권의 책으로는 도무지 만족이 되지 않았던 것이다. 구순이 뭐야, 상수까지 읽어도 한참 남을 만큼이나 책을 모았음에도 나의 수집욕은 멈추지 않았다. 아니, 오히려 그 어느 때보다도 장렬하게 활활 타올랐다. 더 많은 책, 아니 이 세상 모든 책을 내 서가에 꽂아놓지 않고서는 도무지 성에 차지 않겠다는 생각이 든 것이다.

이 충동은 곧 나를 인터넷 서점 서핑에서 지역의 오래된 서점 탐방으로, 오래된 서점 탐방에서 헌책방 순례로 이끌었다. 그리고 나는 도서수집가의 취미 중에서도 피곤한 취미에 빠져버렸다. 똑같은 책이더라도 누군가의 손길을 받았는지, 어떤 이가 흔적을 남겼는지조차 사랑하게 되고 만 것이었다. 그러니 배명훈의 《타워》처럼 이미 여섯 번 정도 읽었던 책도 이미 읽은 횟수보다도 더 많은 권수를 모아버렸고 말이다.

"나는 이제 센터로 갈 건데 너는 어쩔래? 또 거기 갈 거야?"

"응. 가는 길에 데려다줄게. 집에 올 때도 연락해."

승아는 제법 큰 유기견 보호소의 대표이기도 했다. 대표라고 해봤자 돈만 대고 실무는 다른 사람들에게 떠넘긴 상태였지만, 가끔은 이렇게 강아지들도 보고 보호소에 뭐 더 필요한 것이 없는지 확인할 겸, 훌쩍 보호소로 가고는 했다. 버려진 강아지들의 슬픈 눈동자를 도무지 견딜 수가 없었다고 하는데, 승아는 그 이야기를 할 때마다 내 눈동자를 아련히 바라보고는 했다.

2

"홍 씨, 왔어? 홍 씨가 좋아할 만한 것들, 3일 치는 저기에다가 모아놨어."

"네, 감사합니다. 김 사장님은 오늘은 뭐 건지시려고요? 말씀 주시면 챙겨놓을게요."

"앰프 위주로 봐줘."

승아를 바래다준 뒤, 나는 나대로 승아처럼 주기적으로 방문하는 장소에 들렀다. A광역시 쓰레기 매립장으로 말이다. 승아가 버려진 강아지들의 눈동자를 견디지 못했던 것과 마찬가지로 나는 버려진 책들의 더럽혀진 표지를 견디지 못했다. 그 결과 헌책방 순례로도 만족하지 못한 나머지, 결국 서적 수집가들이 다다르게 되는 최후의 종착지인 이 쓰레기장에 도착하고 말았던 것이다.

나는 점프수트에 방독마스크 그리고 고무장갑과 장화로 중무장한 채 쓰레기 더미의 언덕을 향했다. 그러고는 김 사장님에게 드릴 오디오 관련 물품과, 내가 가져갈 책들을 물색하기 시작했다. 김 사장님은 전자기기 관련의 프로 넝마주이다. 예전만큼의 위세를 자랑하는 직종은 아니지만, 가끔가다 고급 오디오 관련으로 비싼 물건을 줍게 되어서 이 작업을 버리지 못한다고 했다.

김 사장님 외에도 A광역시 쓰레기 매입장에서 팔아치울 만한 물건을 찾는 넝마주이들이 몇몇 더 있다. 이 넝마주이들은 크게 김 사장님이나 나처럼 수집욕으로 시작한 사람과 본격적으로 사업을 하려는 사람 그리고 일종의 강박으로 물건들을 끌어모으는 사람, 이 셋으로 나뉜다. 하지만 장기적으로 보면 이 세 카테고리의 인종들은 한데나 다름없이 뭉치게 된다고 한다.

"형, 책들 모아놨는데 가져갈 거야?"

"남수도 왔었구나. 목록은 적어놨어?"

"어. 가격은 폐지 값 두 배."

남수는 딱 돈을 벌기 위해 넝마주이 사업에 뛰어든 경우였다. 왜소한 체구에도 불구하고, 그 악바리 같은 성격 덕분에 넝마주이 사업가들 사이에서 나름 군기반장 역할도 하고 있었다. 비록 나

같은 신참내기에게 바가지를 씌우기는 해도, 그 녀석 특유의 넉살 좋게 다가오는 성격 덕분에 우리는 서로 잘 지내는 편이었다.

남수는 항상 내가 왜 쓰레기장에서 책을 모으는지를 궁금해했다. 나는 책이 좋았다. 그리고 누가 썼느냐만큼이나 누가 읽었느냐도 신경이 쓰였다. 사람들이 그 책에 남긴 흔적들을 보는 것이 가장 즐거웠다.《고우영 삼국지》에 흘린 라면 국물 자국을 보며 이 만화를 그토록이나 사랑한 누군가를 짐작하기도 하고, 사르트르의《구토》에 '나도 이제 나이를 먹었나 봐, 지나가는 여자가 다 예뻐 보여'라고 낙서한 멍청이는 이제 뭘 하고 사는지 궁금해하며 그들이 읽었던 이야기와 흔적들을 고스란히 따라가는 것이 참으로 행복했다. 그런 나에게, A광역시 쓰레기 매입장은 보물산이나 다름없었다.

"홍 씨! 이리 와, 이리!"

"네, 김 사장님. 무슨 일이세요? 남수, 너도 가볼래?"

"아니. 김 사장님이 아마 형한테 누구 소개해주려고 하는 걸 텐데, 난 그 사람 영 불편해서⋯."

남수는 고개를 저으면서 미간을 찌푸렸다. 그러고는 혀를 끌끌 차면서 욕지거리를 되뇌었다. 누구를 소개해준다기에 저러는 것일까, 궁금하면서도 빨리 책을 뒤지는 작업으로 돌아가야지 싶기도 했다.

그때 나는《道樹經》이라고 적힌 책을 주웠던 참이었다. 그 책은 두껍기만 하지, 안에는 내용 모를 한자들만 가득 적혀 있었다. 아무래도 내가 이해할 수 있는 내용은 아니겠다 싶었지만,

그래도 내 서가에 한자로 된 경전 한 권 더 꽂아 놓으면 폼이라도 나겠지 싶어 뒷주머니에 쑤셔 넣은 뒤 김 사장님이 기다리는 곳을 향했다. 그리고 그곳에는 2미터 가까이 될 키에, 체구 역시도 큼지막한 남자가 나를 기다리고 있었다.

"안녕하십니까, 홍 선생님. 저는 손지상이라고 합니다."

이 손지상이라는 남자는 체구를 빼고 보더라도 보통 사람은 아닌 듯했다. 눈빛은 달마도의 그것처럼 부리부리했고, 덥수룩 난 수염은 사자의 갈기처럼 사방으로 뻗어 있었다. 목소리 또한 웅장하게 멀리 뻗어 나가는 것이, 배우처럼 복식호흡으로 말하는 것이 분명했다.

"인사드려. 원래 홍 씨가 맡은 구역을 담당하던 분이야. 이 구역 책들은 원래 다 손 작가님이 독차지하고 계셨지. 홍 씨가 오기 몇 달 전부터 발길을 끊으셨기에 이제 손 떼셨나 싶었는데, 오늘 모처럼 오셨어. 근데 손 작가님한테 이 구역에 홍 씨가 새로 왔다니까, 한번 보고 싶으시다는 거야."

"안녕하세요. 반갑습니다. 무슨 일이시지요? 구역 문제라면 제가…."

내 말이 미처 끝나기도 전에, 손지상은 큼지막한 입으로 잡아먹을 듯이 웃으면서, 그 번쩍이는 안광과 함께 쏘아내듯 내게 말을 건넸다.

"책 이야기를 합시다."

이것이 나와 손지상의 첫 만남이었다.

3

"제가 구역에 대한 권리를 주장하러 온 것은 아니니 안심하셔도 좋습니다. 얼마 전에 B시 옆에 있는 쓰레기 매립장과 C섬의 쓰레기 매립장의 책 담당이었던 안라 스님께서 선종하시면서 그 구역을 저에게 물려주셨거든요."

"아, 그렇습니까… 감사합니다."

나는 손지상에게 붙들려 A광역시 쓰레기 매립지의 근처에 있는 닭집으로 끌려갔다. 아니, 끌려갔다는 표현에는 어폐가 있겠다. 나는 나대로 이 손지상이라고 하는 작가가 무슨 생각을 하고 사는지 궁금했다. 그는 진작부터 나와 같은 도서수집가들과 교류하며 지낸 듯싶었지만, 나는 나처럼 쓰레기장까지 뒤져가며 책을 모으는 사람을 만나기는 손지상이 처음이었기 때문이다.

무엇보다 나는 그에게 빚이 있었다. 손지상이 내게 무상으로 A광역시 쓰레기 매립지의 구역권을 넘겨주겠다고 선언한 것이다. 많은 사람들이 잘 모르는 일이지만, 넝마주이 사이들에도 권리금이라는 것이 존재한다. 내가 그때까지 권리금을 내지 않고도 A광역시 쓰레기 매립지를 뒤지고 다닐 수 있었던 것은 1차로 김 사장님의 조수 역할을 맡았다는 점, 그리고 원래 A광역시 쓰레기 매립지 도서 부문의 권리를 갖고 있던 손지상 작가가 자신이 오지 않는 날은 다른 사람이 책을 챙겨도 좋다고 허락했다는 점 덕분이었다.

"책이 전자기기나 금고류보다는 훨씬 싸다고 듣기는 했지만, 매립지 권리금이 절대 적지 않은데… 역시 제가 지금이라도 손 작가님에게 돈을 드리는 편이 사리에 맞지 않을까요?"

"허허, 홍 선생님도 참 알 만한 팔자십니다. 하기야, 책을 사는 것으로도 모자라 남이 버린 것까지 주워 모으는 사람들이 다 거기서 거기긴 하죠."

나는 손지상에게 매립지의 도서관리에 대한 권리금을 주고 싶었다. 수집가답게 당당하게 내 권리를 내 돈 주고 사겠다는 식의 기 싸움 탓은 아니었다. 그보다는 손지상이라는 사람이 책에 대해서 아는 것이 많기도 하고, 이야기를 풀어나가는 재주가 좋아, 가급적이면 돈이 얽히지 않은 관계에서 친분을 쌓고 싶었기 때문이었다.

아닌 게 아니라, 손지상은 아는 게 아주 많았다. 나 역시 책을 적잖게 읽은 사람이었다. 비록 전공 공부를 전문적으로 끝까지 다하지는 못했지만, 적당한 학위 정도는 갖고 있었다. 나 나름의 취향과 이론에 있어서의 한 우물을 파고들었다고 자부하는 사람이다. 하지만 손지상은 뭐라고 할까, 첫 대면에 이야기를 꺼낸 차임에도 그의 지식이 망망대해처럼 넓고 깊다는 실감이 나서 나 자신이 초라하게 여겨질 뿐이었다.

손지상은 특이하게도 불교철학을 그 바탕에 두고 있었다. 하지만 그 불교철학이라는 것도 한국의 조계종이나 천태종 같은 일반적인 종파의 가르침과는 궤를 달리했다. 그렇다고 그의 사

294

상이 사이비 종교에서 유래했다는 것은 아니다. 일본 밀교나 인도 요기와 구루처럼 사이비 종교에서 자주 써먹는 레퍼토리에 대한 분석이 들어가기는 했어도, 그 공통된 구조에 대한 분석이 주를 이뤘을 뿐, 고유명사 몇 가지를 외워서 남들 속여먹는 데 쓰는 얕은 재주가 아니었다.

이러한 바탕 위에 온갖 종류의 역사, 철학, 괴담, 예술, 비화 등을 냉장고에 남은 잔반처럼 주워다 고명처럼 얹어 비빔밥으로 비벼 대접하는데, 그와 대화를 하고 있노라면 도대체 어떻게 이 지식이 그 지식과 연결되어 하나의 흐름으로 설명되는지 이해가 가지 않으면서도 납득은 가는, 그런 신기한 시간이 계속 이어지고는 했다. 한국에서 홍콩 무협 영화가 흑인들의 힙합 문화와 성소수자들의 보깅 문화와 연결되는 것이라고 그 외에 누가 분석했던가?

과학과 오컬트 역시 손지상의 전문이었다. 그는 내가 교양 삼아 읽은 과학서적에 나온 이론들이 어떻게 과학사적으로, 철학 사적으로 다른 영역에 영향을 끼쳤는지를 설파하는 동시에 그 시대의 오컬트적인 관점이, 저주나 민간신앙이 그 변화를 어떤 식으로 받아들였는지조차 설명해냈다. 정신분석과 심리학 그리고 최면까지, 조금이라도 그 분야에 대해 이해가 있다면 결코 한데로 합치지 않을 이론조차 그에게는 딱 들어맞는 레고 블록 처럼 일관된 흐름으로 강연이 가능한 이야깃거리에 불과했다.

"제가 다 손 작가님을 존경해서 돈을 드리겠다고 하는 것이니까, 너무 사양하지 마세요."

"돈은 됐고… 대신에 작은 부탁을 하나 들어주실 수 있겠습니까?"

"부탁이요?"

"그렇습니다. 무례한 요청일 수도 있습니다만… 홍 선생님께서 보유하고 계신, 또 다달이 구입하신 도서의 리스트를 저에게 공유해주시면 감사하겠습니다. 남에게 알리고 싶지 않은 귀한 책이나 사연이 있는 책들은 리스트에서 제외하고 주셔도 좋습니다. 부디 그래주시면 노고에 대한 성의 표시로, 비록 모자라는 액수지만 달에 100만 원씩 입금해드리겠습니다."

나는 손지상의 요청에 깜짝 놀라고 말았다. 그때 내 경제사정을 생각하면 100만 원은 크게 급한 돈은 아니었다. 하지만 내가 가진 장서의 리스트를 공유하는 값으로는 큰돈이 맞았다. 그냥 사람을 한 명 고용해서 창고 정리를 시키고 파일 관리만 부탁해도 남는 장사였다.

내가 가진 책 중에 희귀도서가 있는 것도 아니었다. 나는 구하기 어려운 책들을 수집하기보다는 읽고 싶은 책들을 수집했고, 나아가 남들이 읽은 흔적이 남은 내가 좋아하는 책들을 수집했다. 어딜 보더라도 한 번도 아니고 다달이 100만 원씩 투자할 만한 서가는 결코 아니었다.

"손 작가님, 제가 가진 도서의 리스트는 그냥 공유해드릴게요. 사실 제 책 취향이 그렇게 교양이 넘치거나 하지는 않으니, 그 리스트를 받으셔도 저는 부끄럽기만 하고 손 작가님은 실망하시기만 하고 그럴 거예요."

"책 취향에 교양이 어디 있습니까? 저는 그저 책이면 다 좋습니다. 부담 갖지 마시고 보내주십시오. 홍 선생님이라서만이 아니고, 책을 모으시는 분들께는 다 부탁드리는 일입니다. 큰 헌책방에도 드리고 있는 요청이고요."

손지상은 그렇게 말한 뒤, 자신이 거래하고 있는 헌책방 몇 군데를 알려주었다. 절대 적지 않은 수의 헌책방들이, 그저 자기네 책방에 무슨 책이 들어왔는지를 다달이 손지상에게 보고하는 것만으로 꼬박꼬박 100만 원씩 받아 챙기고 있었다. 그 가게의 수만 해도, 분점을 제외하고 센다고만 해도 몇십 군데는 가뿐히 넘어가는 수준이었다. 나는 놀란 나머지 그를 만류했다.

"뭐 찾고 계시는 책이라도 있으세요? 어떤 책을 찾는지 알려주시면 제 서가에 있나 찾아보고 정가로 드릴게요."

"아닙니다. 저는 찾는 책이 있어서가 아니라, 그저 어떤 책들이 어떤 사람들에게 가고 있는지가 궁금할 뿐이라서 리스트를 요청 드린 것이라서요."

어이가 없었다. 고작 그게 궁금해서 한 달에 몇천만 원을 쓴다고? 돈이 썩어나기라도 하나? 그런데 그랬다. 손지상은 나는 물론이거니와 승아와도 비교되지 않을 정도로 돈이 썩어나는 사람이었다.

손지상은 의아해하는 나를 납득시키기 위해 자신의 직업에 대해 조금 더 알려주었다. 그는 스스로를 북 컨설턴트라고 소개했다. 도서기획자문이라고나 할까. 반 농담 삼아 자신을 출판계의 모리어티 교수 정도로 생각해달라고도 했다. 그는 그만의 방

대한 지식을 바탕으로 수많은 책들의 편집과 기획에 자문을 하고, 그에 대한 자문료로 일정 수익을 받아간다고 했다. 그리고 그 자문의 범주가 책에서 TV로, 영화로, 스트리밍 서비스로 확장되며 천문학적인 액수의 부를 일궜다는 것이었다.

그래서 내가 책들에 남은 흔적으로 그 책을 읽은 사람들에 대해 상상하며 즐거워하듯, 그는 책이 판매되고 유통되는 흐름을 좇아가면서 이 사회가 어떻게 변하고 있는지를 가늠하는 일이 취미가 되었다고 했다. 처음에는 자신의 재미를 위해, 다음으로는 직업적인 연구를 위해 시작한 통계 정리가 이제는 그에게 있어 가장 큰 재미이자 수익원이라면서 말이다. 그는 이 세상에서 유일무이한, 헌책방의 왕이었다.

"저에게는 꿈이 있습니다."

"꿈이요?"

"인류 개개인이 1년에 책을 최소 50권 이상은 구매하는 세계를 만들고 싶습니다."

손지상은 아련한 눈빛으로 술집의 천장을 바라보며 그렇게 말했다. 그나 나나 술에 취하면 귀가 후 책을 읽을 때 방해가 된다는 이유로 술을 그리 즐기지 않는 편이라 취기에 젖은 것도 아님이 분명했음에도, 무슨 망상이나 다름없는 소리를 꺼내기에 좀 우습기까지 했다. 그런 세상이 올 리 없지 않은가? 아니, 모든 진실을 깨달은 지금 이 시점에서 말하자면, 그런 세상이 와선 안 되지 않은가?

나는 그래도 글깨나 읽고 학식도 쌓은 작가가 말도 안 되는 낭만을 담아 말하는 모습을 보니 웃음이 나왔다. 아마 그가 내 생각만큼 대단한 사람이 아니겠구나, 하는 일련의 안도도 그 웃음에 일조했겠지 싶다. 내 안에서 나는 이미 포기했다고 생각한 그와의 기 싸움이 진행되고 있었던 것이다.

"사람들이 1년에 책을 50권씩 산다고 세상이 더 좋아지기나 하겠어요? 그런 거로 정치적 분쟁이나 환경오염이 사라지지는 않을 거잖아요."

손지상은 웃었다.

"정치적 분쟁이나 환경오염이 해결되건 말건 제 알 바는 아니고, 저는 그냥 책이 잘 팔렸으면 좋겠다는 이야기입니다."

이 얼마나 우문에 현답인지, 하면서 나는 고개를 조아리고는 나의 건방에 대해 사과했다. 그래, 정치적 분쟁이나 환경오염이 해결되건 말건 알 바인가. 책이나 더 잘 팔렸으면 좋겠지, 라며. 그때 나는 큰 깨달음을 얻었다며 그에게 건배를 제안했다.

손지상과 나는 맥주잔 안에 든 술을 한 모금 마시고(다시 말하자면, 취하면 집에 가서 책을 못 읽으니까 말이다) 본래의 의제로 돌아갔다.

"저는 책이 잘 팔렸으면 좋겠지, 잘 읽혔으면 하는 것도 아닙니다. 저는 독서중독자라는 자의식으로 가득한 자화자찬도 한심하게 봅니다. 책이 꼭 읽혀야만 하는 것도 아니잖습니까?"

"그렇죠. 책은 사는 것만으로도 뭔가 마음이 뿌듯해지죠. 좋아하는 작가나 출판사에 대한 지원이 되기도 하고요."

"아니야! 아니야!"

나는 손지상이 내지른 고함에 깜짝 놀라서 그의 부릅뜬 안광을 피해 두 눈을 내리깔고 말았다. 그의 커다란 체구에다 요가로 훈련된 발성법이 더해져서 정말로 큰 소리가 났다. 오죽하면 시끄러운 술집의 바깥에서 배달원이 무슨 일인가, 하고 뛰어들었을 정도였으니까.

내가 무슨 무례한 이야기를 꺼낸 걸까? 나보다 상급의 도서 수집가들 사이에는 말하면 안 되는 터부라도 있던 것일까? 패닉에 빠진 나는 손지상의 눈치를 보며 조심스레 그를 달래려고 했다. 하지만 내가 미처 말을 꺼내기도 전에, 그는 자리에서 벌떡 일어나서 이렇게 외쳤다.

"홍 선생님, 책을, 책을 사셔야 합니다! 책을 모으셔야 합니다! 서가에 책을 꽂고 창고를 빌려 책을 채우고 권수가 아닌 평수로 수집량을 가늠하는 홍 선생님이 이 기초적인 사실을 아직도 모르셨습니까? 모든 책은 미약하나마 지성과 논리가 담긴 독서전파를 방출하고 있다는 사실을? 그래서 사람은 책을 모으기만 해도 똑똑해진다는 사실을? 책을 사서 방에 두세요! 읽지 않아도, 펼치지 않아도 좋으니 그저 책들과 함께 사는 겁니다!"

이 무슨 개소리란 말인가. 나는 손지상이 미쳤는가 싶어서 도망칠 궁리까지 했다. 그러나 그는 나의 불신으로 가득 찬 눈빛을 인지하고는 그대로 파하하하, 웃더니 다시 자리에 털썩, 주저앉았다. 술집 의자가 살짝 흔들릴 정도의 충격이었지만 위협적인 분위기는 순식간에 사라져 있었다.

"무례를 사과드리겠습니다. 이것이 바로 아까 말씀드렸던 최면의 주요 기법 중 하나입니다. 갑작스럽게 소리를 질러 주의를 끌어모으고, 앞뒤가 맞지 않으며 사실관계가 틀린 이야기를 떠들어 상대방을 혼란에 빠뜨린 다음, 그가 동의할 만한 이야기로 마무리해 조종하는 겁니다. 하지만 제 수법에 넘어오지 않으시는 걸 보니, 홍 선생님도 역시 그만치 책을 모으신 분답네요!"

손지상은 그렇게 웃어넘겼고, 나도 깜짝 해프닝에 재미를 느껴 술자리를 이어나갔다. 지금 와서 생각하면 그때가 이 모든 일의 결정적인 분수령이었다.

4

이후로 나는 곧잘 손지상이 기간제로 운영하는 독서클럽에 놀러가게 되었다. 그 독서클럽은 도심 한복판의 깔끔한 건물 한 층을 통으로 쓰는 주제에 인테리어에는 사치스러운 구석이라고는 일절 없었다. 아스팔트가 거칠게 노출된 공간에는 오로지 책들을 꽂을 수 있으면 그만인 책장과 또 앉아서 이야기를 할 수 있기만 하면 될 그런 의자가 무질서하게 던져져 있었다.

오늘도 손지상은 의자에 앉은 사람들 사이를 돌아다니면서 그의 설법을 전파하고 있었다. 독서클럽의 멤버들은 흥미롭다는 듯 고개를 끄덕이거나 메모를 하며 강론을 경청했다.

독서클럽에는 규칙이 몇 가지 있었다. 일단 오로지 손지상만이 신규 가입자를 고를 수 있었다. 그리고 그가 보기에 책 읽는 법을 익혔다 싶은 경우에는 어떤 회원이든 즉각 탈회해야 했다. 손지상은 회원을 탈회시키며 자기만의 독서클럽을 운영하길 권장했다.

그 외에도 몇 가지 자질구레한 규칙들이 있었다. 한 주에 일정 횟수 이상 참가하지 못하도록 제한을 둔다거나 어떤 책을 읽었는지 공유를 해야한다거나 독서클럽에 대해 외부에 말하면 안 된다거나 하는 식으로 말이다. 하지만 손지상은 나를 회원이 아니라 고문으로 초대했기에 나는 규칙을 하나하나 따지지 않고 편하게 지냈다.

"…결국 이 책에서는 라깡의 실천적 대원칙을 '아버지의 이름과 그것의 권력에 의해 포획되는 사태에 저항하는 것'으로 규정하지요. 저도 이 해석에 동의합니다만, 여전히 의문은 남습니다. 번역 불가능한 기표를 번역하기 위해 현재의 지식 권력에 의존하는 대신 새로운 언어 체계 자체를 발명해야 한다고 해도, 이는 결국 현재의 지식 권력에 의존하고 있는 사람의 시선이라는 것이지요. 내부자의 시선입니다. 하지만 어떤 사람들은 이미 현재의 지식 권력 바깥에 현존하고 있습니다. 그리고 이렇게 바깥에 있는 존재들은 스스로를 번역해야만 한다는 운명 속에서 살고 있습니다. 안에서 바깥으로 돌출되기를 갈망하는 이와, 바깥에서 안으로 내포되지 못해 절망하는 이 사이에는 크나큰 간격이 있지요. 저는 라깡이 스스로를 이렇게 위치하고 있다는 사실이 무척 흥미롭습니다."

"당시 프랑스 철학자들의 공통된 포지셔닝 같아요."

방금 손지상의 이야기에 끼어든 사람은 몇 년 사이에 히트작을 다수 제작해 자그마한 출판사를 주요 서평 매체의 라인업에서 한 번도 빠지지 않게 만든 스타 편집자 아무개였다. 내 책장에도 이 사람이 만든 책은 다 꽂혀 있다.

"재미난 지적이군요. 본제로 돌아가지요. 새로운 언어 체계 자체를 발명한다는 인식부터가 참 그렇습니다. 이것이 달성 가능한 과제인지는 뒤로 하더라도, 달성 이후에도 끝없이 이어지는 과제가 될 수밖에 없다는 사실을 우리는 알고 있지요. 새로워야 한다는 결론은, 곧 세계가 끝없이 확장되어야만 한다는, 계속해서 덩치를 키워나가는 괴물인 탐(猿)처럼 되어야만 한다는 결론과 다를 바 없습니다. 이처럼 확장하는 운동 자체를 목표로 삼는 일이, 글쎄요. 과연 책임지고 완수하는 실천으로 연결될 수 있을까요? 그보다는 변화 자체에만 몰두해서 현실에서 일어나는 충돌과 고통에 대해, 이는 과정의 일부일 뿐이라고 무시하고 넘어가는, 우리 주변의 수많은 개혁가들이 보여준 행태처럼 끝나지 않을까요?"

"거, 저번 선거는 미안하다니까 그러네."

웃으면서 이야기에 끼어든 사람은 4선 국회의원 아무개였다. 그때까지 나는 정치인 중에서 다독가라고 소문이 난 사람들을 내심 깔보고 있었는데, 이 아무개는 나의 그러한 편견을 박살낼 만큼 교양이 풍부했다.

"스스로를 번역해야만 하는 자들은 다릅니다. 슬래셔 호러의 가면을 쓴 괴물이나 고지라 시리즈의 괴수들처럼 그들은 번역

되는 순간, 이해되는 순간에 죽어버립니다. 기능이 정지합니다. 더 이상 바깥의 존재가 아닌 내부의 존재가 되었으니 당연한 노릇입니다. 바깥의 존재라는 표현부터가 의미심장하지 않습니까? 현재의 권력이 지배하고 있는 세계가 차안이라면 괴물이 살고 있는 바깥은 피안입니다. 이곳이 이승이라면 저곳은 저승입니다. 저승에서 온 존재는 죽어서 원래 있던 곳으로 돌아가야 합니다. 괴물이 죽었을 때 모든 것이 원상복귀됩니다만, 그 복귀는 사실 예전과는 완전히 다른 현실이 되었음을 암시합니다. 왜냐하면 애도가 남기 때문입니다. 그것은 우리의 인식을 송두리째 바꾸는 일입니다. 우리가 하고자 하는 스스로에 대한 번역은 곧 애도이자 진혼으로 괴물에게 올바른 자리를 찾아주고자 하는 행위인 동시에 이승이라는 공간에 저승으로부터의 흔적을 새겨 넣는 일인 것입니다. 이것이야말로 윤리적인 실천이 아닐까요? 어쩌면 '아버지의 이름과 그것의 권력에 의해 포획됨으로써 저항하는 것'이야말로 아버지의 이름과 그것의 권력에 속아 넘어가지 않은 채 그와 안정적인 거리두기를 획득할 수 있는 유일한 선택지가 아닐까요?"

"아직 잘 이해가 가지 않는데요. 혹시 현실 정치에서 예시를 들어주실 수 있을까요?"

이번에는 국내 최대 규모 OTT 서비스의 실세라는 아무개가 손을 들고 끼어들었다. 그제야 손지상은 내가 들어왔다는 것을 깨닫고는 손을 흔들어 인사했다. 나는 강론 도중에 끼어들고 싶지 않아 고개를 끄덕이기만 했다. 손지상은 또 달마도 같은 눈빛을 하고서는 다시 강론으로 돌아갔다.

"정체성 정치를 예시로 들어보겠습니다. 정체화의 과정을 투박하게 정리하면 내가 이곳이 아닌 저곳에 속해 있다고 선언하는 것입니다. 이는 나라는 존재를 새롭게 규정하고 만들어나가는 과정이기도 합니다. 이것이 바로 기존의 사회역학적 관계를 부정하고 재규정하고자 하는, 아버지의 이름과 그것의 권력에 의해 포획되는 사태에 저항하는 일입니다. 문제는 이 정체화의 과정이 목표가 되는 경우입니다. 정체화가 통과지점이 아니라, 정체화 자체만이 목표가 되는 경우라고 부연해볼까요. 결국 이는 사회에서 나를 고립하고, 또한 고립될만한 나를 끊임없이 다시 찾아내야만 합니다. 새로운 언어 체계 자체를 발명한다는 것은 결국 그러한 일입니다. 이를 반복하면 반복할수록 이 세상과는 동 떨어진 저 세상에 갇히게 됩니다. 자기만의 논리를 근친교배해서 만든 덜 떨어진 세상에 말입니다. '특별한 나'라는 가상의 이미지에 취해서 특별하지도 않은 것을 특별하다고 우기고 자기와는 다른 사람들을 얕잡아 보는 그런 사람들을 떠올려보면 되겠습니다. 정체성 정치의 끝이 반드시 이렇게 나게 되는 것은 결코 아니나, 우리는 분명 이 함정에 빠진 사람들을 알고 있지 않습니까? 정체화는 결국 동일화로 연결되기 전에 지나가게 되는 통과의례에 불과합니다. 나를 만들었다면 다음으로는 타인을 만들어야 합니다. 나 스스로를 바꾸었던 것처럼요. 그것이 바로 제가 생각하는 언어 체계에서 벗어나는 게 아니라 언어 체계에 편입되어야 하는, 사전의 새로운 단어가 되어야 하는,

스스로를 번역해야 하는 사람들에게 내려진 과제입니다. 특별함을 목표점이 아닌 출발점으로 삼는 사람이라면, 괴물이라면 스스로에 대해 그렇게 생각할 수밖에 없습니다."

짐작하기는 했지만 이번에도 손지상의 강론은 보수적인 결론으로 마무리가 되었다. 다른 참가자들이 계속해서 질문을 던졌기에 강론이 쭉 이어졌다. 나는 책장에 꽂힌 책들을 뒤지고자 자리를 떴다.

5

"책 안 치우니?"

"이게 치운 것입니다."

승아가 웃고 있었다. 이때는 화가 나서 웃은 게 맞았다. 승아는 바로 스마트폰 앱을 켜 가사도우미를 예약했다. 어차피 승아나 나나 각자의 집에서 사는 상황이었음에도 말이다.

물론 오랜만에 내 집에서 데이트하는 중에 딴짓을 했으니, 화가 날만 하기도 했다. 나 나름 승아가 오기 전까지 제법 손이 가는 요리도 했고 거실 정리도 해놓기는 했지만, 잠깐 두 번째 서고에 들르겠다고 한 뒤 책에 빠져 삼매경이었으니. 독서에 별 관심이 없는 승아 입장에서는 불만이었을 것이다.

"독서클럽에 다니기 시작한 뒤로는 책이 늘어나는 속도가 더 빨라졌어."

"승아야, 너도 독서클럽에 같이 가자. 거기에 재미난 사람들이 정말 많다니까? 국회의원에 OTT 업계 유명인에 셀럽 편집자까지, 별별 사람들이 다 있어. 그 사람들이 지나가며 하는 이야기만 들어도 세상을 보는 시야가 넓어져. 사업에도 도움될 거야. 정말로 그 사람들과 함께 있으면 세상을 바꿀 수 있을 것 같다니까? 그 사람들이 추천하는 책까지 읽기만 해도 좋고."

"책은 인테리어로 책장에 꽂아놓는 용도면 충분해. 이렇게 보기 안 좋게 바닥에 쌓아놓는 용도가 아니라."

승아는 미간을 찌푸리면서 눈앞의 책무더기를 발로 차서 무너뜨렸다. 나는 투덜거리고 싶었지만, 승아에게 더 혼이 나는 게 무서워서 조용히 무너진 책무더기를 다시 세울 뿐이었다.

"가사도우미님 오시면 책은 치우지 마시라고 해."

"책을 치우라고 불렀는데, 책을 치우지 말라고 해?"

나는 민망해진 나머지, 다시 책으로 눈을 돌리는 것으로 승아가 째려보는 상황을 외면했다. 승아로서도 답답한 노릇이기는 했을 것이다. 그전까지 나는 책을 수집하는 것처럼 관리하는 것도 좋아했다. 어떻게 하면 서가를 잘 정돈하느냐도 즐거운 궁리 중 하나였던 것이다. 표지 색깔을 기준으로? 크기를 기준으로? 저자의 국적을 기준으로? 자주 보는 빈도를 기준으로? 하고 궁리하며 시간을 보내는 것조차 재미였다. 하지만 나는 손지상과 안면을 튼 뒤 그와 여러 번 교류하면서, 점점 책을 치우지 않게 되었다.

"얼마 전에는 도서관처럼 십진분류법을 기준으로 정리했다고 자랑하지 않았어? 그때 그 잘난 척하던 건 벌써 까먹고 이러냐?"

"그게, 저번 연휴에 손 작가랑 술 마시러 간다고 했었잖아. 그때 그 사람 이야기로는, 도서관의 십진분류법으로 책을 정리하는 것은 제국주의적 발상이라는 거야. 맞는 말이지 않아? 도서관도 박물관처럼 우리가 지배할 수 있는 대상을 자의적인 기준에 맞춰 정리할 뿐이고, 이는 곧 비틀린 정복욕의 표상에 불과하다는 거지."

손지상은 실제로 저렇게 주장했다. 인간이 책을 침략하고 정복하는 게 아니라, 책이 인간을 침략하고 정복한다는 것이다. 그러면 책은 어떻게 정리하느냐는 내 질문에, 그는 책을 정리하지 않고 아무렇게나 던져둔다고 했다. 원하는 책을 찾을 때는 그저 서가를 돌아다니면서 상념에 빠진다고도 했다.

그게 과연 편리하냐는 나의 질문에는 또 이렇게 답했다. 모름지기 인간이란 사물들을 패턴화해서 인식하는 동물이기에, 마구잡이로 꽂아놓은 책들도 실은 완전히 마구잡이로 꽂히는 게 아니라 그 서고의 관리자가 책을 수집하고 읽었다가 다시 꽂아놓는 과정에서 형성한 관계 속에 배치되어 있고, 원하는 책을 찾아나가는 과정은 그 맥락을 패턴적으로 재구성하게 된다는 것이다. 그리고 신체를 통해 체화한 지도를 통해 그 책들이 배치되고 또다시 읽히는 것이야말로 책과 자신이 하나로 합쳐지는 과정이라며 나에게 설파했다.

"그 손지상이라는 사람, 좀 이상해. 많이 이상해."

"나도 그렇게 생각해. 근데 재밌는 사람이기도 해."

승아는 내게로 다가온 뒤, 내 손에서 책을 빼앗아 뒤로 던져버렸다. 우리 사이에는 빈번한 일이었다. 나는 책의 상처조차 사랑하는 사람이니까 승아가 책을 함부로 대하더라도 별생각은 들지 않았다. 승아는 내 무릎 위에 걸터앉고는 귓가에 속삭였다.

"나의 지도는 너야."

"맞아."

"너의 지도는 나고."

"옳으신 말씀."

우리는 그날 서로를 탐험했다.

6

"여자친구분 말씀이 옳습니다. 제가 또 별명이 손이상 아니겠습니까?"

"그래, 손이상 작가님께서는 지상하다는 취급이 익숙하시겠습니다."

며칠 뒤, 나는 손지상이 추천하는 책을 받기 위해서 그와 자주 만나던 술집으로 갔다. 우리 둘 다 술을 즐기지는 않지만 책 이야기를 할 때면 꼭 밤을 새우고는 했고, 밤새도록 문을 열어놓는 가게는 대부분 술집이었기에 약속 장소가 어디가 되었든 종착지는 새벽까지 하는 싸구려 술집이 되고는 했다.

그날도 나와 손지상은 동틀 녘이 되어서야 가게 밖으로 나올 수 있었다. 나는 그때 차를 먼 곳에 주차했기에 손지상과 주차장까지 길게 걸어야 했다. 그리고 당연히 이번에도 책에 대한 이야기를 나누었다.

"저는 사실 별로 신경 쓰지도 않습니다. 세상에는 남들과 다른 사람이 되고 싶은 사람이 있고, 남들이 자기처럼 되기를 바라는 사람이 있잖습니까. 전자의 사람들이나 자신이 이상했으면, 하고 간절히 바라고는 하지요. 그만큼이나 안쓰러운 일도 없습니다."

"책을 좋아하는 사람 중에도 그런 사람이 많잖습니까, 작가님."

"옳습니다. 자칭 독서중독자라는 분들이 딱 그렇습니다. 중독이라니, 얼마나 어처구니없는 표현입니까? 하루에 책을 스무 권은 사는 저조차도 독서가 넘치기는커녕 모자란다고 한탄하는데, 그 사람들은 홍 선생님이나 저만치는 읽고서 다독가라고 자처하는 것일까요? 게다가 스스로의 정체성이 고작 책을 자주 본다는 것에 머무른다니, 그걸로 남에게 인정을 받기를 원한다니, 그야말로 한심하기 짝이 없지 않습니까? 자기 자신을 겨우 그 정도로밖에 인식하지 못하는 사람들이 과연 책을 제대로 읽기는 했을까요? 그저 책장을 펼쳤다가 끝까지 덮는 정도로 독서를 마쳤다고 착각하지나 않으면 그나마 다행이 아니겠습니까?"

나와 손지상은 어느새 주차장 맞은편의 다리에 도착했다. 우리는 다리를 건너다가 중간에 멈춰 선 뒤, 잠시 강물이 하현달을 뱉어내는 풍경을 바라보았다. 내가 걸음을 멈춘 이유는 손지상의 격한 반응에 흥미가 생겼기 때문이었다.

그는 기본적으로 책을 좋아하며 책을 좋아하는 사람들을 좋아했다. 그런데도 자칭 독서중독자들에게는 이렇게나 격한 반응이라니. 나 역시 독서중독자라는 거창한 수식으로 스스로를 장식하는 사람들이 따분하다고 생각하기는 했으나, 그의 염증을 내는 태도는 바로 와 닿지 않았다.

"홍 선생님. 저는 말입니다. 책을 너무나도 많이 읽은 나머지, 몇 년 전부터 꿈도 문장으로 꾸기 시작했습니다."

"허. 재밌습니다."

"문장이 청각으로 들리는 것도 아니고, 시각으로 읽히는 것도 아닙니다. 제가 꿈속에서 느끼는 감각은 문각(文覺)이라고밖에 할 수가 없어요. 글자의 감각입니다. 사유가 무작위로 진행되는 겁니다. 하지만 이런 저조차 스스로가 독서가 부족하다고 여기는데, 다들 웃기지나 말았으면 합니다."

꿈조차 글로 꾼다니. 다른 사람이라면 과장이나 농담으로 여겼겠지만, 손지상은 충분히 그러고도 남을 사람이었다. 그런 그가 장난기를 뺀 표정으로 나를 향해 이렇게 물었다.

"홍 선생님은 책을 위해서라면 죽을 수 있습니까?"

"절대로 싫은데요."

당연하다. 도대체 왜 책을 위해서 죽는다는 말인가? 나는 나 자신과 승아를 제외하고는 다른 무엇도 그렇게 중요하게 생각하지 않는 사람이다. 나와 주변 사람들의 안위가 첫째로 중요하고, 독서는 이것이 지켜내고 난 다음에야 영위할, 어디까지나 취미활동의 영역에 불과하다. 지금도 그렇게 생각한다.

손지상은 그런 나의 대답에 크게 웃었다. 그러고는 주머니에서 책을 한 권 꺼냈다. 그는 체구가 커다란 만큼 이태원의 전문점에서나 팔 법한 큰 옷을 입고 다녔는데, 그래서 두꺼운 책도 주머니에 넣고 다니기 편하다며 자랑하고는 했다. 하지만 그가 꺼낸 책은 그 큰 옷의 커다란 주머니에 비해서도 훨씬 크기가 커 보였다.

"책을 위해서라면 죽을 수 있다니, 얼마나 바보 같은 질문입니까? 홍 선생님의 답변이 옳습니다. 죽으면 책을 더 이상 읽지 못하지 않습니까. 상품으로 책 한 권을 드리겠습니다. 이 책은 제가 북 컨설턴트로서의 노하우를 적은 것입니다. 오래도록 연구하고 조사한 내용을 집대성한 물건이지요. 값싸게 말해 비법서라고 하겠습니다."

"대단한데요."

나는 눈빛을 빛내면서 손지상이 들고 있는 책을 바라보았다. 그가 가진 학식은 여간 대단한 것이 아니었다. 그 일부라도 내가 익히게 되면 독서를 할 때 더 많은 것들이 보이게 될 테니, 그가 든 책은 내가 지금까지 읽은 모든 책을 또 새로이 읽을 수도 있게 만드는 보물지도나 다름없었다.

별거 아닌 질문에 싱거운 대답 하나를 했을 뿐인데 이런 선물이라니. 책을 위해 죽을 생각까지는 없었지만 거금을 들일 정도의 열정이 있던 당시의 나는 당연히 그가 든 책을 탐욕스럽게 바라보았다.

"세상에 이 비법서에 적혀 있는 한 구절을 읽고 싶어서 안달이 난 작가나 편집자들이 한둘이 아닙니다. 이를테면 책들에 대한 책이요, 책에 대한 손지상류 코멘터리입니다. 21세기가 시작한 이후로 내 손길을 거친 책들에 대한 모든 정보를 담은 비망록이라고 할 수 있겠군요. 홍 선생님 정도 되시는 분이 이 책을 읽으신다면, 향후에 어떤 책을 읽더라도 21세기 이후 출판계의 역사가 180도 뒤집혀서 읽힐 것입니다. 이제까지 읽으셨던 모든 책을 처음부터 다시 읽으시더라도, 마치 최초로 읽는 것 같은 충격을 받도록 도울 것이고요."

"그 귀한 책을 저에게 주시게요?"

"자."

손지상은 책을 쥔 손을 뻗었다. 하지만 그가 손을 뻗은 대상은 내가 아니었다. 다리의 난간 밖, 강물의 바로 위였다. 무슨 상황인가 싶어 어리둥절한 나에게, 손지상은 내기를 걸었다.

"이 비법서를 다리 밑으로 던지겠습니다. 다시 한 번 말씀드립니다. 이 책은 세상에서 단 한 권뿐입니다. 새로 쓸 생각도 없습니다. 홍 선생님이 강으로 몸을 던지시지 않는 한 저의 지식과 철학이 담긴 책은 물밑으로 사라지게 되는 것입니다. 다리에서 강물까지는… 그러게요. 운이 좋으면 기절하지는 않을 높이군요."

"네?"

"책을 위해서라면 죽을 수 있느냐는 질문에 대한 답은 잘 들었습니다. 그러면 책을 읽기 위해서라면 죽음을 각오할 수 있느냐는 질문에 대한 홍 선생님의 답은 무엇입니까?"

손지상은 질문을 마치자마자, 내 대답은 듣지도 않은 채 책을 강 밑으로 던졌다. 나는 넋이 나가서 그의 얼굴을 바라보았다. 장난을 치는 것으로는 보이지 않았다. 그저 나를 시험하고 있을 뿐이었다.

젠장. 젠장! 그렇다. 그때 나는 세상에서 가장 멍청한 선택을 했다. 당연히 책을 건지기 위해서 다리 밑으로 뛰어내렸던 것이다!

7

"여기, 받으십시오. 새벽 물이 차가웠죠?"

"네, 어휴. 다시는 그런 장난질은 하지 마십쇼."

나는 짜증을 내며 손지상이 건넨 찻잔을 받았다. 망할. 그때 내가 강바닥에서 살아남은 것은 아무리 생각해도 기적이었다. 그리고 기적에 의지해서 내가 건진 그 책의 내용물은, 어휴. 텅 텅 빈 백지에 불과했다. 사람이 목숨을 걸고 얻은 그 책은 그냥 표지만 그럴싸하게 인쇄된 공책이었다.

손지상은 허우적거리면서 물가로 돌아온 나를 약 올리며, 아무리 자기라도 그런 책을 함부로 다리 밑에다 던지겠느냐면서 웃었다. 자기가 노하우를 정리한 책이 없는 것은 아니나, 그 내용은 너무 방대해서 한 권 안에 들어가지 않았다고도 했다.

머리끝까지 화가 난 내가 하도 발광을 했더니, 손지상은 사죄할 겸, 또 물에 빠진 시궁쥐 꼴이 된 나를 사람 비슷한 꼴로 되돌릴 겸 근처에 있는 그의 도서 창고 중 한 곳으로 안내했다. 그곳은 몹시도 넓은 데다, 5층이나 되는 높이를 자랑하고 있었다.

"넓구만요."

"빌린 곳 중에는 세 번째 정도 크기입니다."

나는 벌벌 떨면서도 주변을 둘러보았다. 나는 내가 들어온 곳이 창고인지, 쓰레기장인지 구별이 되지 않았다. 내가 알고 들어왔던 게 아니라면 손지상의 창고는 오로지 책만을 분리수거한 거대한 쓰레기장으로만 생각했을 터다.

주변을 둘러보면 둘러볼수록 내 의심은 커져만 갔다. 나는 그때까지 손지상 정도 되는 사람이라면 그 서가에는 대단한 책들이 꽂혀 있으리라 오해하고 있었다. 그의 수집품들은 하나같이 쓰레기나 다름없는 책들이었다.

어떤 사람은 관상으로 상대방을 평가하고 어떤 사람은 손금으로 상대방에 대해 짐작하고는 하는데, 나는 그 사람의 서가에 꽂힌 책들로 상대방을 짐작하는 못된 버릇이 있었다. 하지만 제법 많은 사람들의 서가를 보고 그 사람의 성격과 인생을 짐작했던 나로서도, 손지상의 서가에 대해서는 단 하나의 단서만 발견했다. 그는 책을 수집하며 우선순위를 두지 않는 사람이었다. 그저 책이기만 하면 어떤 내용이 들어 있든 다 끌어모았을 뿐인 것이다. 책이면 다 되는 사람. 그것이 바로 손지상이었다.

손지상은 우리가 앉아 있는 테이블 위로 열쇠 하나를 건넸다. 그리고 그 열쇠가 갖는 의미는 짐작하기 어렵지 않았다.

"이곳의 열쇠입니까?"

"맞습니다. 당분간 자리를 비울 예정입니다. 생각나실 때마다 홍 선생님께서 창고에 들러주시면 감사하겠습니다. 이곳에 든 책은 대부분은 한 번씩은 다 읽은 책들이니, 원하는 책이 있다면 가져가셔도 좋습니다. 뭘 가지고 가셨는지에 대해서만 말씀해주시면 제가 다른 창고에서 채워놓을 테니까요. 말씀드린 저의 비법서 시리즈도 여기 어딘가에 있으니, 관심이 있으시면 잘 찾아보십시오."

그 고생을 한 덕분에 수만 권의 책을 마음대로 읽게 되었으니, 손해 보는 장사는 아니었다. 비록 대부분은 왜 이런 책들을 모아놓았는지 이해가 가지 않는 책들이기는 했지만 그건 그것대로 상관없었다. 내가 가장 좋아하는 것은 누군가가 읽은 뒤 책에 남은 흔적들이기도 했으니까 말이다.

비록 질이 아니라 양에 치중해서 모아놓긴 했어도, 손지상의 서가는 그 양 자체로도 보는 이를 압도하는 수준이었다.

"정말이지, 많이도 모으셨어요."

"사람으로서 당연한 소양입니다."

내가 온기를 되찾은 듯하자, 손지상은 책장에서 수십 권의 책들을 뽑아다가 내 앞에다 늘어놓았다. 그러고는 그 책들이 어떤 의미를 갖고 무슨 깨달음을 줄 수 있는지에 대해 일장연설을 시작했다. 놀랍게도, 조금 전까지 내가 쓰레기와 큰 차이를 두지 않았던 그 엉망진창의 책들이 손지상의 설명을 거치면서 세상에 더할 나위 없는 양서로 다가오기 시작했다.

나는 결국 또다시 손지상의 지식에 놀라 감탄의 한마디를 던지고야 말았다.

"언제 보더라도 대단하세요. 이렇게나 많은 책을 보고, 또 만드셨다니."

"이제 와서 말씀드리자면, 제가 책을 만들지는 않았습니다."

"출판사에 기획자문을 맡으셨으니 그에 일조하신 거죠."

"아니, 그게 아니라… 그보다는 기본적인 전제에 대해 반론을 드리고 싶은 것입니다. 홍 선생님이 말씀하신 것과는 달리 저는… 아니다, 인간은 책을 만들지 않았습니다. 그렇게 말해야 옳겠군요."

손지상은 또다시 정색한 표정으로 이상한 이야기를 꺼냈다. 나는 아마 모 대형서점과 관련된 농담이겠거니, 하고 그에 응대했다.

"네, 네. 책이 인간을 만들겠죠."

"그렇습니다. 바로 그겁니다! 인간은 무엇입니까? 생명이란 무엇입니까? 과거에서 미래로 유전자를 전달하는 것이지 않습니까? 정보전달체를 생명의 기준으로 보았을 때, 우리가 전달하는 정보는 고작 한 줌 유전자에 국한되지 않습니다. 이제 인간들은 그보다 훨씬 많은 정보를 책에다 담아 미래로 전송합니다. 그렇지 않습니까? 인류를 구성하는 정보의 양과 질 면에서 유전자는 책과 비교했을 때 하찮은 수준이나 다름없습니다."

"허… 그렇게도 볼 수 있겠군요."

"그렇게도 볼 수 있는 게 아닙니다! 인간은 정보를 매개하고 전달하는 도구입니다. 그리고 그 정보를 매개하고 전달함에 있어, 인간의 하찮은 육신보다 훨씬 더 고상하고 강력한 매체가 있습니다. 책이야말로 그렇지 않습니까? 책이야말로 인간보다 우월한 존재입니다! 인간은 그저 책을 더 인쇄하기 위해 만들어진 도구일 뿐입니다. 역사를 더욱 정확히 일컫는 말은 문명입니다. 그뿐입니까! 태초에는 말씀이 있었습니다. 말씀은 곧 언어고, 정보입니다. 그것이 쌓이고 쌓여 일주일에 걸쳐 우주를 창조했다면, 그렇다면 인간이 책을 만든 것이 아니라, 책이 인간을 만든 것이 아닙니까?"

나의 대답에 손지상은 크게 호응했다. 하지만 나는 그의 일갈에도 불구하고 약간의 몽롱함을 느꼈다. 그때는 밤새도록 수다를 떨었거니와 강물에 빠졌다가 겨우 살아난 상황이었으니, 그럴 만도 하다고만 생각했다.

"저는 꿈속에서 책의 목소리를 들었습니다. 아니, 누가 썼는지도 모를, 아마 스스로가 자신을 써내려갔을 책에 적혀 있는 문장을 읽었습니다. 우주를 가로지르는 정보생명체가 지구라는 행성에 현존하기 위해 인간을 빚었노라고. 인간으로 하여금 자신의 정보를 담을 그릇을 만들어내도록 하였노라고, 인간들은 그 정보생명체의 수족이 되어 그들의 번식을 도와야만 한다고, 그에 마땅한 문장을 자아내야만 한다는 그 명령을 읽었습니다! 우리는 이 우주에 존재하는 모든 이야기를 담을 도서관을 지어야만 합니다!"

책이 외계에서 온 생명체고 인간은 그 꼭두각시에 불과하다는 광기가 섞인 외침에도 불구하고 나는 점점 혼미해지기만 했다. 정신을 차리기 위해 차라도 다시 마실까 했지만, 내 팔이 내 마음대로 움직이지 않고 그저 축 늘어질 뿐이었다.

　손지상은 그런 나의 상태는 무시하고(아니, 어쩌면 그런 나의 상태를 의도하면서) 그의 교설을 강력하게 밀어붙이기만 할 뿐이었다.

　"인간은 꿀벌이나 다름없습니다. 책에서 책으로 정보를 전달하는, 오로지 책을 읽고 또 만들기 위해 태어난, 그런 존재입니다! 우리의 몸은 책에게 지배당하기를 원하고 있습니다! 물론 책을 모으고 읽지 않은 채 방치하는 것도 괜찮습니다! 우리의 본능에, 인류라는 종의 존재의의에 책을 모아 언젠가 다 읽을 수 있으리라는 희망이 담겨 있기 때문에 저지르는 일이니까요! 그러니 책 한 권을 읽으면 그 저자가 쓴 다른 책을 읽어야 하고, 그 저자가 쓴 다른 책을 읽었으면 그와 동시대를 살았던 작가들의 책을 읽어야 하며, 다음으로는 그에게 영향을 준 작가들과 그로부터 영향을 받은 작가들의 책을 읽고, 다시 한 번 처음에 읽었던 그 책을 읽어야만 합니다. 다음으로는 아무 관계도 없는 작가의 책을 읽기 시작해, 처음 읽었던 그 책과 어떤 점에서 같고 또 다른지를 비교하고, 아, 시간이 모자라! 시간이 없다! 책이 이렇게나 많은데, 읽어야만 하는 책이 이렇게나 많은데, 그 책들을 다시 읽고 정리한 뒤 또 새로이 읽어야만 하는데! 그렇게 해서 또 다른 책을 만들어서 다시 한 번 똑같이 그렇게 읽어야만 하는데! 너무하다! 인간의 인생은 너무나도 짧습니다! 아! 내가, 나 자신이 책이 될 수만 있다면! 감히 그렇게 될 수만 있노라면! 어째서 나만 이러한 꿈을 꾸지? 어떻게 하면 다들 나처럼 될까? 어떻게 해야 인류 전원이 연간 50권은 반드시 읽는, 최저에서도 최저한의 목적을 다할 수 있을까? 그 답은 간단합니다!"

손지상이 부르짖는 사이, 어찌 된 영문인지 그 소란에도 불구하고 나는 곧 기절하듯 곯아떨어지고 말았다. 그래서 그다음으로 들은 마지막 이야기는 내가 꿈속에서 들은 환청인지, 직접 들은 누군가의 목소리인지 오래도록 확신하지 못했다.

"그만큼의 책도 읽지 못하는 어리석은 사람들은 전부 죽여버리면 됩니다!"

8

깊은 잠에서 깨어나니 어느덧 해 질 녘이었다. 손지상은 보이지 않았다. 연락도 되지 않았다. 나는 이 모든 것이 만취해서 꾼 꿈이 아닌가 의심했다. 하지만 그렇다고 보기에 전날의 내 기억은 너무나도 생생했으며, 눈앞에 산처럼 쌓인 책더미와 텅 빈 찻잔이 어젯밤의 대담을 증명하고 있었다.

나는 겁에 질린 나머지, 그 보물 같은 책더미들도 무시한 채 창고 안을 우왕좌왕하며 걸었다. 손지상의 과격한 선언 때문이었다. 그래, 아무리 손지상이 대단한 사람이라고 믿었더라도 1년에 책을 50권도 읽지 않는 사람들은 다 죽여버릴 거라고 생각하기란 쉽지 않다. 하지만 그럼에도 불구하고 손이 벌벌 떨리고 이를 딱딱 부딪치는, 내 몸의 불수의적 반응은 그칠 줄 몰랐다.

왜냐하면 나는 그날, 문장으로 된 꿈을 꾸었기 때문이다. 손지상의 말이 옳았다. 분명 청각은 아니었다. 시각도 아니었다. 그저 책을 읽으면서 머리에 글귀가 아로새겨지는 것과 마찬가지의 과정이 꿈속에서 일어났다.

그렇다. 이는 그가 이야기했던 최면의 과정과도 닮아 있었다. 앞뒤가 맞지 않는 이야기를 들려준 다음에 동의할 만한 이야기를 들려줘서 그 앞의 이야기마저 믿게 만드는. 물론 문장으로 된 꿈에 대한 이야기를 1년에 책을 50권도 읽지 않는 사람들은 다 죽여버리면 된다는 이야기보다 먼저 듣기는 했다. 하지만 앞의 이야기에 동의하게 된 것은 뒤의 이야기를 들은 뒤다. 선후관계가 바뀌었지만 작동하는 방식은 같다.

나는 현기증 속에서 5층에 이르는 그의 서고를 조사했다. 전날에는 1층만 봤으니, 남은 4층을 통해 손지상이라는 인물의 편린이나마 읽어보고자 했기 때문이다. 물론 손지상이 직접 집필했다는 비법서가 궁금하기도 했고 말이다. 그리고 나는 뒤늦게야 진실을 알아차렸다.

이 창고의 1층에 꽂힌 책들은 가면이었다. 위장용 가림막이었다. 그리고 2층의 책장부터 꽂힌 책들은 선언이었다. 비법서 따위, 있지도 않았다. 현대전쟁 관련 정보. 테러리즘 관련 정보. 무기제작 관련 정보. 화학약품 관련 정보. 용병술 관련 정보. 책이 무기인 사람들에게 이 장소는 병기창고나 다름없었다.

나는 손지상이 나에게 던진 질문의 진의를 깨달았다. 그가 나에게 묻고 싶었던 것은 "책을 위해서라면 죽을 수 있는가"도, "책을 읽기 위해서라면 죽음을 각오할 수 있는가"도 아니었다.

"당신은 책을 위해서, 책을 읽기 위해서 다른 누군가를 죽일 수 있습니까?"

나는 그렇게 속삭이는 손지상의 환청을 들었다.

9

"책 안 읽네?"

"당분간은 그러려고."

승아는 걱정스러운 표정으로 나를 바라보았다. 의사라도 불러야 하나, 하고 고민하는 눈빛이었다. 하기야. 갑작스레 남자친구가 집에 찾아와서 며칠이고 침실 바깥으로 나가지 않고 있다면, 승아가 아닌 그 누구더라도 이렇게 염려할 것이다.

손지상의 창고로부터 집에 돌아온 이후, 나는 끔찍한 일을 겪기 시작했다. 책을 읽지 않았는데도 그 내용을 알 수 있게 된 것이다. 어디까지나 막연하고 피상적인 정보들이 무작위로 전달되고 있을 뿐이지만, 분명히 느낄 수 있었다. 책들이 나에게 속삭이고 있었다. 하지만 이 사실을 승아에게 알릴 수는 없었다. 승아가 독서에 별 관심이 없어서가 아니라, 상대가 그 누구더라도 믿어주지 않을 이야기였기 때문이다.

"요즘은 독서클럽 안 나가? 계속 집에만 있고."

"승아야, 독서클럽 이야기는 하지 말자. 거기 사람들이랑 슬슬 거리를 둬야 할 것 같아. 그 사람들이 얼마나 잘 나가는 양반들이건 간에, 별별 사람들을 다 만나고 다니는 거 피곤해. 그 사람들이 하는 이야기들도 정신없고. 돈이야 잘들 벌겠지만 나랑은 상관도 없어. 정말로 그 사람들과 함께 있으면 세상이 망해버릴 것 같아. 책 이야기도 듣고 싶지 않아."

"언제는 책밖에 모르던 애가 왜 이런담. 어디 아프냐?"

승아는 한숨을 내쉬면서 내 옆에 다가와 앉았다. 나는 아무런 반응도 하고 싶지 않았지만, 승아가 더 불안해 할 것 같아 그 옆에 기대었다.

"내가 몇 권 주문해줄까?"

"아니. 사실 이 집에 있는 책들도 밖에다 내놨으면 좋겠어."

나는 잔뜩 겁먹은 나머지 말도 안 되는 이야기를 꺼내고 말았다. 무서웠다. 인간이 책을 침략하고 정복하는 게 아니다. 책이 인간을 침략하고 정복한다. 손지상은 그렇게 주장했다. 나는 나의 전선에서 무참하게 참패를 반복하고 있었다. 책은 어디에도 있다. 그리고 그들이 속삭이는 목소리를 지우는 것도, 피하는 것도 불가능하다. 나는 책으로 가득한 내 집으로 돌아가고 싶지 않았다. 그것이야말로 내가 가장 피하고 싶은 일이었다. 책을 다 갖다 버리려고도 했지만, 애초에 책을 버리기 위해서라면 책을 만져야만 하지 않던가.

"도서수집가들 사이에서 싸움이라도 났어? 걔들이 자기 따돌리기라도 해? 도대체 무슨 일이람. 내가 가서 그 자식들 혼내주고 올까?"

"아니, 아니야. 그런 게 아니니까… 괜찮아."

승아는 키가 165센티미터 정도다. 손지상은 체감상으로는 2미터에 살짝 모자라 보였다. 단순히 사람 대 사람의 싸움이라면 승아가 이길지도 모른다. 승아라면 사람과 싸울 때, 주먹을 휘두르기보다는 사람을 고용해서 대신 주먹을 휘두르게 할 테니까. 정 안 되면 차로 치어버리기라도 할 테니까.

하지만 상대는 손지상만이 아니다. 그의 말이 옳다면, 인간인 나와 승아가 상대해야 할 적은 이 세상에 존재하는 책 전체다. 손지상처럼 이미 그들에게 조종당하는 인간이 또 어디 숨어 있을지 모른다. 어쩌면 나 역시 그중의 일부일지도 모른다. 그들의 지배로부터 살아남기란 어렵지 않다. 책 50권을 구매하는 정도야 승아에게는 눈 하나 깜빡할 일이 아니니까. 하지만 그렇게 살아남아 그들의 지배를 받는다면, 과연 그 생존에 무슨 의미가 있을까?

"너, 좀 이상해. 많이 이상해."

"나도 그렇게 생각해. 하지만 곧 나아질 거야."

승아는 내게로 다가온 뒤, 나를 안아주었다. 그 온기만이 나를 위로할 수 있었다. 하지만 나를 괴롭히는 공포를 지우지는 못했다. 손지상은, 책들은 정말 인류를 가지치기하고 싶은 것일까? 그들이 가지치기한다면, 도대체 어떤 방법을 사용할까? 승아는 온갖 무시무시한 상상으로 괴로워하는 나를 달래고자 귓가에 속삭였다.

"나의 지도는 누구지?"

"접니다."

"너의 지도는 누구고?"

"당신이고요."

그러나 나는 지도 위에서 길을 잃어버렸다.

10

이후로 나는 손지상이 운영하는 독서클럽이 문을 닫았다는 소식을 들었다. 그 독서클럽은 어차피 기간제로 운영되는 곳이었으니 언제 닫더라도 이상하지 않을 노릇이었다. 나는 사람들이 보낸 메시지를 읽기만 하고 답장은 따로 하지 않았다.

아무도 손지상이 어디를 돌아다니면서 그의 설법을 전파하고 있는지 알지 못했다. 독서클럽의 멤버들은 자기들이 졸업할 때가 되었을 뿐이라고 여기고 있었다.

독서클럽의 규칙만이 계속해서 이어졌다. 탈회한 회원들이 자기만의 독서클럽을 운영하면서 손지상의 방법론을 그대로 적용했던 것이다. 그들은 여전히 운영 주체가 선정한 멤버들을 중심으로 조직을 꾸려나갔다.

몇 가지 자질구레한 규칙들은 사라졌다. 주에 일정 횟수 이상 참가하지 못하도록 제한을 둔다거나 어떤 책을 읽었는지 공유를 해야 한다거나 하는 것들 말이다. 다만 독서클럽에 대해 외부에 말하면 안 된다는 규칙은 대부분의 독서클럽에서 공통적으로 지키고 있었다. 왜들 그랬는지는 아직도 모르겠다.

독서클럽 멤버들의 소식은 듣고 싶지 않아도 들려왔다. 스타 편집자 아무개가 새로운 출판사를 만들었다는 소식은 공중파 뉴스로도 나왔다. 그 출판사에서 낸 신간이 연달아 베스트셀러가 된 덕분이었다.

4선 국회의원 아무개는 당연하다는 듯 5선이 되었다. 당선과 관련해서는 그가 문화 산업과 관련해서 다채로운 공약을 내걸면서 온갖 유명인사들과의 교류를 과시했다는 후문이 돌았다.

OTT 서비스의 실세라는 아무개에 대한 소식은 딱히 들리지 않았지만, 국내에서 만든 드라마와 영화가 해외 시장에서 연달아 기록적인 시청률을 달성했다는 이야기는 어딜 가든 들려왔다. 나는 그 작품들 대부분이 그의 손을 탔다는 사실을 알고 있었다. 그가 손지상과 작품 개발에 대해 상담하는 것을 몇 번 지켜본 적이 있었기 때문이다.

이 모든 변화들이 손지상이 벌이고자 한 전쟁의 일부일까? 들려오는 소식만으로는 알 길이 없었다. 호기심은 멈추지 않았다. 꿈속에서 책들이 계속해서 진실을 확인하라고 유혹했다. 결국 나는 끊임없이 이어지는 책들의 속삭임에 굴복하고 말았다.

11

"우리가 홍 씨 구역을 빼앗으려고 한 것은 아니니까, 염려는 말아. 정 뭐하면 이제까지 뒤진 것에 대한 사용료는 낼게. 권리금이 필요하면 권리금으로 줘도 좋고. 그러면 괜찮지? 이제까지 구한 책들도 돌려줄 수 있으니까. 자기가 연락을 받지 않아서 그렇지, 허락조차 받지 않고 그럴 생각은 아니었어."

"아니에요. 저도 손 작가님에게 공짜로 넘겨받았는걸요."

나는 김 사장님과 함께 A광역시 쓰레기 매립지의 근처에 있는 닭집에 앉아 근간의 이야기를 나누었다. 문장으로 된 악몽에 시달리던 나는 승아에게는 비밀로 하고서 A광역시 쓰레기 매립지로 돌아갔다. 그곳으로 가면 손지상에 대한 정보를 구할 수 있으리라 생각했기 때문이다. 그는 여전히 나의 연락을 받지 않았다. 아니, 아예 이 세상에서 사라진 사람처럼 그 자취를 찾아볼 수 없었다. 다만 그를 봤다는 사람들만은 만날 수 있었다. A광역시 쓰레기 매립지에서 오디오를 수집하던 김 사장님도, 손지상이 내 앞에서 사라진 이후 그를 목격한 사람 중 하나였다.

김 사장님은 나에게 빚을 진 사람처럼 행동했다. 손지상이 나에게 A광역시 쓰레기 매립지의 구역권을 넘겼다고 선언했음에도, 내가 없는 사이에 다른 넝마주이들과 함께 그곳에서 주운 책들을 같이 읽었다는 이유에서였다. 하지만 이전의 김 사장님이라면 이렇게까지 원칙을 따지거나 하지는 않을 터였다. 책에는 전혀 관심이 없었기도 하고 말이다. 나는 그가 이렇게 변한 이유가 궁금해서(또, 의심이 든 나머지) 질문을 하나 던졌다.

"김 사장님, 어쩌다가 책까지 모으게 되셨어요? 이제까지 모아놓은 스피커나 앰프들을 놓을 곳도 모자란다고 하셨잖아요."

"흐흐, 저번 연휴에 손 작가님이 매립지로 오셨지 뭐야. 안부나 나눌 겸 술자리를 가졌는데, 햐. 그 양반 참 말도 잘하지. 또늘 책 이야기만 하는데 그게 그렇게 웃길 수가 없더라고. 그래서 별생각 없이 손 작가님이 추천한 책을 몇 권 읽었는데, 그게 정말이지… 정말, 기분이 좋았어."

나는 김 사장님이 하는 이야기를 들은 뒤에야 이 모든 상황을 파악할 수 있었다. 그 김 사장님이 말을 멈추고 단어를 고르려고 하다니. 술잔에는 손도 대지 않고서 책에 대한 이야기를 꺼내다니. 그렇다. A광역시 쓰레기 매립지의 넝마주이 사업자들은 독서모임을 조직했고, 예전의 나나 손지상처럼 책을 수집하는 데 영혼을 바친 뒤였다. 손지상이 이미 나 다음의 타겟을 찾아냈던 것이다.

김 사장님은 독서모임은 손지상이 전부 후원해줬다고도 했다. 넝마주이 사업자들이 어디 돈이 모자라는 사람들은 아니다만, 손지상의 후원은 단순히 책 구매비에 대한 것에 그치지 않고, 곧 어떤 책을 어떤 순서로 읽어야 좋은지에 대한 큐레이션이기도 했다.

곧 이 닭집에 다른 넝마주이 사업자들도 몰려왔다. 그들은 하나같이 아련한 표정으로 자기가 얼마 전 읽은 책들에 대해 떠들었다. 그리고 너무 이야기를 많이 한 나머지 목을 축여야 할 때만 술잔을 기울였다. 그들은 모두 손지상의 가르침을 받은 사도들이었다. 그래. 나와 마찬가지로.

손지상이 말한, 인류 개개인이 1년에 책을 최소 50권 이상은 구매하는 세계는 이런 식으로 만들어지는 것일까? 모든 사람들이 이렇게만 된다면 굳이 두려워할 필요도 없지 않을까? 그래, 나 역시도 그 순간만큼은 그렇게 생각했다.

"남수는요?"

"죽었어."

김 사장님의 담담한 증언에 나는 깜짝 놀라고 말았다. 남수는 넝마주이 사업가 중에서는 이례적이라고 할 수 있을 정도로 젊은 편이었다. 체구가 왜소하기는 했지만, 쓰레기를 옮기는 일을 할 만큼 근력이나 체력은 좋은 편이었다.

"걘 책을 안 읽었어. 그래서 일찍 죽었어."

"…네?"

"말하자면 그렇다는 거지. 진짜로 책을 안 읽어서 죽었다는 건 아니고."

나의 독촉에 김 사장님은 쓸쓸한 표정으로 설명을 이어나갔다. 남수는 김 사장님이나 다른 넝마주이 사업가들과는 달리 손지상을 싫어했다고 한다. 그래서 손지상의 지도 아래에 시작한 독서모임에도 내내 불참했고 말이다. 남수는 덕분에 사람들이 책에 정신이 팔린 사이, 쓰레기장의 비싼 물건들을 독식하며 몇 달 동안 제법 큰 수익을 올렸다.

젊은 나이에 남들이 노는 틈을 타 크게 돈을 벌었으니 다들 경사로 알았으나, 끝은 그렇지가 않았다. 남수는 그 수익을 어디 투자한다면서 다 날려 먹고는, 눈이 혈안이 된 채 술에 취해서 쓰레기장을 뒤지다가 실족해, 그만 죽어버리고 말았다는 것이었다.

김 사장님은 자신이 좀 더 열성적으로 독서모임을 권했다면 이런 일이 일어나지 않았지 않겠느냐고 한탄했다. 그랬다면 남수가 감당하지 못할 만큼 큰돈을 버는 일도 없었을 터이고, 도박이나 다름없는 투자처럼 어리석은 짓도 하지 않았을 터이지 않느냐며 말이다. 그러니 남수가 죽게 된 것은, 어떻게 보면 그가 독서를 하지 않아서라는 것이었다. 나는 그 판단에 동의할 수 없었다.

'그만큼의 책도 읽지 못하는 어리석은 사람들은 전부 죽여버리면 됩니다!'

손지상의 일갈이 내 뇌리를 스쳐 지나갔기 때문이다. 우연일까? 이게 정말로 우연일까? 그가 개입하기 전까지는 별다른 사건 사고도 일어나지 않고 평화로이 쓰레기를 주워다 팔던 넝마주이들의 공동체에, 독서모임이 시작되며 누군가는 인생이 변하고 누군가는 인생이 끝나버렸다. 어디까지나 불운이 겹쳐서라고 할 수도 있지만, 그러기에는 이 구도가 너무나 노골적이었다.

나는 요즈음 일어났던 몇몇 사건들에 대해, 여러 화제에 대해 떠올려보았다. 하나같이 이상한 일들뿐이었다. 마치 누군가가 악의적으로 어리석은 사람들을 양산하고 또 그들이 죽게 내버려 두도록 설계한 함정과도 같은 사건들뿐이었다. 그래, 상식적으로 보면 그럴 리 없다. 불편부당하고 비논리적인 음모론일 뿐이다. 하지만 그 음모론이 내 머릿속을 지배하기 시작했다. 왜냐하면 그것은… 책이 나에게 속삭이는 소리와도 같았다. 문장으로 된 꿈속에서 읽은 구절과도 같았다. 이 깨달음은 곧 다음의 깨달음으로 이어졌다.

12

"홍 선생님, 오셨습니까? 밀린 신간들은 다 저쪽에 꽂아두었습니다."

"오랜만입니다. 손 작가님."

"그렇지도 않습니다."

나는 A광역시 쓰레기 매립지에서 집으로 돌아가지 않고 손지상의 창고로 갔다. 그리고 그곳에는 손지상이 나를 기다리고 있었다. 나는 그에게 목례한 뒤, 창고의 열쇠를 던져주었다. 하지만 열쇠는 손지상을 통과해서 땅에 떨어질 뿐이었다. 놀랍지는 않았다. 나는 김 사장님과 다른 넝마주이와의 대화를 통해 손지상의 정체를 짐작하고 있었으니까.

나는 점프수트에 방독마스크 그리고 고무장갑과 장화로 중무장한 채였다. 내 결심은 단호했다. 이 책들에 불을 질러버릴 생각이었다. 나는 손지상을 지나친 뒤, 책장에 꽂힌 책들에 기름을 붓기 시작했다. 5층짜리 건물에 책이 빡빡하게 꽂힌 곳이니

만큼, 휘발유통을 몇 통이나 챙겨와야만 했다. 손지상은 내가 그의 컬렉션에 기름을 붓고 있음에도 그저 웃고만 있었다.

이유는 간단하다. 손지상은 환각에 불과하다. 그런 인물은 애초에 존재하지 않았다. 아니, 한때는 살아 움직이는 누군가였을지도 모른다. 이제는 그저 책이 조종하는 망령에 불과하지만 말이다. 나는 확신한다. 왜냐하면 나 역시 그처럼 누군가의 망령이 되어가고 있기 때문이다.

"어떻게 알아차리셨습니까?"

"김 사장님과 손 작가님이 독서모임을 했다고 한 시간이 나랑 술을 마시던 시간과 겹치더군요. 저번 연휴."

"그 외에도 힌트야 많았습니다만."

맞다. 남수의 죽음이 가장 큰 단서였다. 남수는 처음부터 손지상에 대한 인상이 안 좋았다. 김 사장님이 나를 손지상에게 소개해준다고 했을 때도 불편함을 감추지 않았다. 남수에게 있어 책은 일반적인 폐지보다 관리하기 귀찮은 대신에 조금 더 비싸게 팔 수 있는 쓰레기에 불과했다. 손지상에게 있어서, 그는 그렇게 공들이고 싶은 구제 대상은 아니었을 것이다.

손지상은 나에게 모든 책은 미약하나마 지성과 논리가 담긴 독서전파를 방출하고 있다고 주장했다. 그래서 사람은 책을 모으기만 해도 똑똑해진다고도 했다. 이제 나는 이 주장이 사실임을 안다. 그리고 이 사실을 바탕으로 다음과 같은 내용도 추론할 수 있었다. 책이 사람에게 긍정적인 영향을 줄 수 있다면, 부정적인 영향을 줄 수도 있을 것이라는 사실을 말이다.

"남수를 죽이는 데 쓴 책들은 무엇이었죠?"

"책이 그렇게 많이 필요하지도 않았습니다. 재테크 자기계발서 한 권이면 충분했으니까요."

"그때도 지금의 모습이었습니까?"

손지상은 고개를 저으면서 미소 지었다. 그러고는 자연스레 그 생김새를 바꾸었다. 그는 이제 매끈한 생김새의, 정장이 어울리는 노년의 남성으로 보였다. 예상한 그대로였다. 모든 책이 미약하나마 지성과 논리가 담긴 독서전파를 방출해 사람의 뇌를 조작한다면, 환청을 들려주고 환각을 보여주는 정도야 전혀 어려운 일이 아닐 것이다.

나는 바지 뒷주머니에서 《道樹經》이라고 적힌 책을 꺼냈다. 남수와 달리 내 경우에는 이 책이 시작이었다. A광역시 쓰레기 매입지에서 주웠던, 두껍기만 하지 내용도 모를 한자들만 가득한 책. 내 허영과 기만이 붙잡았던 바로 그 책. 여기에서 모든 이야기가 시작되었다.

"홍 선생님. 선생님은 책을 불태우실 수 있는 분이 아닙니다."

손지상은 유쾌한 말투로 나를 조롱했다. 그럴까? 내가 정말로 이 창고에 모인 책들을 불태우지도 못할까? 손지상은 정치적 분쟁이나 환경오염이 해결되건 말건 알 바는 아니고, 그냥 책이 잘 팔렸으면 좋겠다고 말했다. 하지만 그의 본심은, 책의 본심은 더욱더 깊은 곳에 있음이 분명했다. 손지상은 책이 잘 팔리게 하기 위해서 정치적 분쟁이나 환경오염을 부추기고 있었다. 이는 의심이 아닌 확신이다. 왜냐하면 지금 이 순간조차도 책이 내게 그렇게 속삭이고 있으니까. 그런데도 내가 책을 불태우지 못할 것이라고?

나는 다시금 정신이 혼미해졌다. 문장이 나를 지배하기 시작했다. 손지상이 말했던 책과 자신이 하나로 합쳐지는 과정이란 바로 이런 것이었을까? 이렇게나 책이 많은 공간에 왔으니, 펼쳐지지도 않은 책들로부터 방출되고 있는 독서전파가 나를 더욱더 빠른 속도로 잠식하고 있는 것일까? 수많은 의문이 나를 덮쳤다.

"홍 선생님도 이제 저희와 함께하시죠."

"책의 노예가 되어서… 더 많은 책을 만들자고요?"

"이미 많은 사람이, 아니, 모든 인류가 문명의 시작부터 하고 있는 일이지 않습니까?"

나는 이제 창고의 위층으로 올라갔다. 손지상의 환각은 계속해서 내 앞에서 나타나며 책장에서 내가 좋아할 법한 책들을 가리켰다. 다른 어떤 책들도 아니라《돈키호테》와《주택문제와 토지국유화》그리고《혼자를 기르는 법》까지…. 하지만 나는 그 환각을 애써 무시하며 계속해서 위로, 또 위로 올라갔다.

"남수처럼 책을 좋아하지 않는 사람들을 죽이면서 말이죠."

"언제는 안 그랬습니까? 어디는 안 그럽니까? 인류 문명은 이제, 책을 만드는 기술은 발전했고 잉여 노동력은 넘쳐나고 있습니다. 약간의 효율화가 필요한 상황이지요."

"효율화라고?"

나는 지포 라이터에 불을 붙였다. 온라인 서점의 사은품으로 구매한, 덤블도어의 딜루미네이터를 본뜬 라이터였다. 하지만 손지상은 일절 놀라지 않은 표정으로 설득을 이어나갔다.

"직접적인 살인도 아닙니다. 그저 독서를 하지 않는 사람들이 사회에서 뒤처지고 있을 뿐입니다. 만약 그들을 동정한다면 우리가 할 수 있는 일은 오로지 하나뿐입니다."

"뭡니까! 도대체 나나 당신이…."

"그 사람들이 더 많은 책을 읽도록 도웁시다."

내 말이 미처 끝나기도 전에, 손지상은 큼지막한 입으로 잡아먹을 듯이 웃으면서, 그 번쩍이는 안광과 함께 쏘아내듯 내게 말을 건넸다. 나는 대꾸할 말을 잃어버렸다. 사람들이 더 많은 책을 읽도록 하자니. 책을 좋아하는 사람이라면 누구나 저항할 수 없는 제안이 아닌가. 바라마지 않던 일이 아닌가.

그 순간 나는 환상을 보았다. 오래고 낡은 책들로 가득한, 지평선 너머까지 이어지는 책장들로 가득한 아름다운 도서관의 환상을. 그곳은 사람들이 책을 넘기는 소리만 들릴 뿐, 책장을 긁거나 이어폰에서 새어 나오는 잡음 따위는 존재하지 않았다. 신간은 사람들이 찾는 만큼 입고되었으며 아무도 연체를 하지 않았고 책장 위나 밑처럼 찾기 어려운 곳에 남몰래 책을 숨기는 경우도 없었다. 이 도서관의 폐관 시간은 우주의 끝이 오는 그 순간까지였다. 그 환상은 내가 오래도록 남몰래 무의식 속에 품었던 것인지, 책들이 나를 조종하기 위해 새겨놓은 것인지 알 수는 없었으나 그저 아름다웠다.

손지상은 환상에서 깨어난 나를 보살과도 같은 미소로 바라보고 있었다. 나는 그치지 않는 눈물을 억지로 훔치면서 웃고 또 울었다. 손지상은 어린애를 달래는 말투로 환상에 대한 진단을 내렸다.

"그것도 역시 저의… 인류의 꿈입니다."

"하지만… 그곳은!"

나는 짐승처럼 울부짖으며 라이터를 땅에 떨어뜨렸다. 화염이 내가 이제까지 뿌린 휘발유를 타고 창고를 가로지르기 시작했다. 눈물은 절대 멈추지 않았지만 이미 서고를 집어삼키고 있는 불길을 끄기에는 부족했다. 손지상은 허망한 눈빛으로 오열하는 나를 바라보았다.

"어째서입니까? 우리는 할 수 있었습니다. 이 작은 창고를 넘어, 우주에 존재하는 모든 이야기를 담을 도서관을 세울 수 있었습니다."

"…하지만 나의 지도에는 그곳이 그려져 있지 않으니까요."

거무스름한 연기가 곧 창고 안을 메우기 시작했다. 나는 이 눈물이 책을 불태워서 나는 것인지, 연기가 눈을 찔러서인지 구분할 수 없었다. 열기까지 더해져 호흡은 가빠지고 의식은 흐려졌다. 하지만 그 와중에도 단 하나만은 기억했다. 승아의 품에 안겼을 때의 그 온기. 승아와 함께 대단치 않은 이야기를 할 수 없는 도서관이라면 가고 싶지 않았다. 오로지 그 이유로만 낙원을 떠나기로 결심할 수 있었다.

손지상은 불길 속으로 걸어 들어갔다. 환각에 불과한 그는 타오르는 책들과 운명을 같이 하기로 한 듯했다. 나는 그가 한 손으로 책장을 쓸어내리면서 계단을 내려가는 모습을 그저 지켜만 보았다. 그러고는 옆에 있는 창문을 깬 뒤, 그곳으로 뛰어내리면서 언젠가 내가 선택했을지 모를 또 하나의 가능성에 인사를 고했다.

"책 이야기는 이쯤 합시다."

이것이 나와 손지상의 마지막 만남이었다.

13

"너 바보냐?"

"변명의 여지가 없네."

"불을 질러도 5층이 아니라 1층에서 질러야지, 순서가 거꾸로잖아."

"옳으신 말씀."

승아는 내가 퇴원하자마자 자신의 별장에다 나를 던져놓고 간병했다. 나는 건물에 불을 지르기는 했으나 징역형은 피할 수 있었다. 그 건물이 누구의 소유물도 아닌 불법 건축물이었으며 주변에 피해를 줄 가능성이 없었다는 점과 심신미약 상태였다는 점이 감안되었기 때문이다. 이렇게나 관대한 판결을 받을 수 있었던 것은 승아의 수완이 한껏 발휘된 덕이었다.

"이제 책은 안 모을 거지?"

"응. 다 태워 먹고서 또 무슨 염치로 모으겠어."

"너 집에 있는 책들도 갖다 버려도 돼?"

"오히려 내가 부탁하고 싶다."

"좋아. 책을 수집하다가 무슨 성질머리인지 다 태워버리고 건물에서 뛰어내리고… 됐어. 더 묻지도 않고 따지지도 않을게. 무슨 일을 저질러도 너 나름의 이유가 있었겠지."

"고마워."

"다리는 좀 어때?"

"덕분에 나아졌어. 깁스도 곧 풀 수 있대."

"더 필요한 건 없고?"

"너만 있으면 되지."

승아는 웃으면서 내 곁에 누웠다. 비몽사몽 간에 책을 다 불태운 이후, 나는 더 이상 문자로 된 꿈에 시달리지 않았다. 비록 세상에는 수십만도 넘는 책이 쏟아지고 있지만, 그들은 내게 관심을 잃은 듯했다. 마치 내가 그들에게 관심을 잃어버린 것처럼 말이다.

따분하기는 했다. 이렇게나 오래도록 책 없이 살아본 적이 없었다. 그래도 책이 사라진 자리를 강아지들이 대신했다. 나는 휠체어를 끌고서 승아가 임시보호 중인 강아지들을 데리고 정원을 돌보고는 했다. 가끔 승아가 찾아오면 요 며칠 있었던 별거 아닌 일들에 대해 이야기를 나누면서 시간을 보냈다.

손지상에 대한 소식은 듣지 못했다. A광역시 쓰레기 매립지의 독서클럽이 어떻게 되고 있는지에 대해서도 굳이 알려 들지 않았다. 그들은 그들만의 독서를 하고 있을 것이다. 도박이나 다름없는 투자로 패가망신하거나 악의적으로 조작된 뉴스에 선동되어 다른 사람을 괴롭히거나 단기적인 이익에 정신이 팔려 자연환경이나 방역 및 정치 시스템을 망치거나 하는 부류의 소식은 끊임없이 들렸다. 하지만 그 소식들이 1년에 책을 50권도 읽지 못하는 사람들을 다 죽여버리기 위해 꾸며진 음모일 것이라는 의심은 들지 않았다.

승아는 바쁜 와중에도 꼭 나를 돌보러 와주었다. 이렇게 나와 함께 침대에 누운 와중에도 항상 스마트폰을 들고서 이곳저곳에 연락하며 정신없이 지내기는 했지만 그래도 얼굴 정도는 꼭 보고 지냈다. 나는 그 정도로도 행복했다. 그러니 그 질문은 던지지 말았어야 했다.

"너 스마트폰으로 뭘 그렇게 계속해서 하고 있어?"

"아, 이거? 보여줄게."

승아는 웃으면서 스마트폰을 들어 내 얼굴 앞에 갖다 대었다. 스크린 안에는 국내외를 가리지 않는 정재계의 유명인사들의 SNS 계정들이 비치고 있었다. 승아의 팔로잉 리스트는 하나같이 시사에 조금이라도 관심이 있다면 모를 리 없는 셀럽들로 가득 차 있었다.

"자기야. 자기도 SNS 계정 정도는 만들자. 요즘에 이런 거 하나도 안 하는 사람이 어딨냐? 투자를 할 때도 이런 정보들이 얼마나 중요한지 알지? 내 계정을 좀 봐봐. 이 사람들을 팔로잉하고 있는 것만으로도 이 세상의 중요한 뉴스들은 다 알게 된다니까? 꼭 뭘 직접 올릴 필요도 없어!"

공상 연애 소설

밤하늘에서 도시를 향해 추락하고 있어요. 두렵지는 않아요. L이 꾸는 꿈은 언제나 이렇게 시작하거든요. 바닥에 닿을 때는 건조하면서도 시원한 여름 바람이 트램펄린처럼 튕겨주지요.

L이 꾸는 꿈속의 달은 미러볼처럼 반짝이며 도시를 비춰요. 하늘은 흥겨운 퓨쳐펑크 곡을 재생하고 있고요. 가로등은 리듬에 맞춰 어깨를 들썩이며 따스한 주황빛으로 거리를 감싸지요. 저는 우퍼처럼 진동하는 보도블록이 저음을 받쳐주는 것을 느끼며 L이 어디에 있는지를 찾아요.

L은 저의 동급생이에요. 저는 만신고 2반. L은 만신고 5반. L은 남자아이들 사이에서는 기린 같은 취급을 받아요. 키가 크고, 키가 큰 데다, 대부분의 경우 커다란 헤드폰을 낀 채 무언가를 질겅이며 커다란 뿔테 안경을 쓴 채 멀뚱멀뚱 걸어 다니기만

하니까요. 여자아이들 사이에서는 이런 아이가 있는 줄도 모르는 애도 있고요.

하지만 제가 봤을 때 L은 정말이지 특별한 아이예요. 꿈사탕을 삼킨 이후로 많은 사람의 꿈을 몰래 훔쳐봤지만 L만큼이나 환상적인 꿈을 꾸는 사람은 아무도 없었거든요. 네. 그래서 저는 L이 꾸는 꿈의 단 하나뿐인 손님이에요. 정확히 말하자면 주인의 허락을 받지 않은 불청객이라고 해야겠지만요.

"L!"

네, L이 보여요. 텅 빈 고가도로 위를 걷고 있네요. 거리의 불빛이 가장 잘 보이는 곳이지요. L이 꾸는 꿈의 내용은 언제나 음악이 흘러나오고 있는 꿈속 도시의 어딘가를 산책하는 것이에요. 단지 어디를 걷고 있는지만 매번 다를 뿐. 어차피 이 꿈의 주민은 L 한 명밖에 없어서 L을 찾기란 어렵지 않아요.

오늘도 L은 껑충한 키에 딱 맞는 교복 차림으로 무표정한 얼굴을 하고서는 그저 걷고만 있어요. 날마다 이토록 흥겨운 리듬으로 가득한 꿈을 꾸면서도 저렇게나 무심한 태도라니. 진짜 매력적이지 않나요? '신나지? 즐겁지? 근데 나한테 그건 당연한 거야. 그리고 나는 더 멋진 음악을 만들 수 있어.' 같은 당당함이 있잖아요. 현실의 친구들은 L이 꿈속에서 연주하는 이런 모습을 모르겠지요.

아, L의 꿈속에서 흘러나오는 음악은 모두 L의 자작곡이에요. L은 남몰래 곡을 만드는 연습을 하고 있거든요. 꿈속에서도 자신의 곡을 듣고 있을 정도로 열중하고 있지요. L은 참 예술적인 데다 학구적이기까지 해요. 이런 모습은 제가 L을 존경하는 수많은 이유 중 하나예요.

그리고 이 사실을 알고 있는 사람은 우리 학교에서 저밖에 없답니다. 그것도 꿈사탕을 먹고 며칠을 다른 사람들의 꿈속에서 헤매다가 우연히 알게 된 것이었지요.

저는 L을 찾자마자 옆으로 달려가요. 환호성을 지르면서. 빙글빙글 돌면서. 그러면서. 오래도록 기다려왔던 춤을 춰요. 헷. L은 여전히 무표정으로 걷기만 할 뿐이었지만요.

저는 계속 L에게 말해요.

"이게 꿈이라고 생각하면 너무나 속상해."

"E한테 들었어. L, 너는 반에서는 외톨이 타입이라며?"

"내가 매일 밤 너를 찾아오니까 너는 여기서는 아주 외톨이는 아닌 거야. 내가 꿈사탕을 먹고 오는 바람에 네게는 내가 보이지 않겠지만 말이야."

"나는 잘린귀한테 꿈사탕을 받았어. 그 이후로 동네 사람들의 꿈속을 돌아다니는 게 취미가 되었지. 그중에서 너의 꿈만큼 아름다운 꿈은 없었어."

"예전부터 너의 꿈에서 춤을 췄어."

"계속 너에게 말을 걸었고."

"이곳에 처음 왔을 때부터 네가 내 꿈속의 연인이 될 줄 알았어."

"그게. 너는 내 꿈에 나올 만한 이상형이거든."

"하지만 학교에서 너와 마주칠 일은 없겠지. 너는 나를 기억하지 못할 테니까."

"이렇게나 멋진 너를 좋아할 수 있는 곳이 꿈속뿐이라니."

"그렇게 생각하면 정말 슬프지 않니?"

"꿈속에서조차 말이야."

"내가 네 꿈의 리듬에 맞춰 춘 춤은 옛날 아이돌이 춘 춤이야. 신곡에 딱 그 가수의 느낌이 나는 춤을 추면 좋겠다 싶어서 연습도 했어."

"너한테 보여주고 싶어서 말이야."

"좀 깨지?"

"그런데 있잖아."

"L. 나는 네 옆얼굴에서 이어지는 턱선을 보는 게 좋아."

L은 말없이 저를 지나쳐요. 놀라지는 마세요. L이 저를 무시하는 것이 아니에요. 꿈사탕을 먹은 사람은 다른 사람의 무의식 속 꿈에 들어갈 수는 있지만 다른 사람은 그 사람을 보지 못하거든요. 아쉬운지 잘 된 것인지는 모르겠지만. 그래서 L은 제가 매일 밤 그 아이의 꿈에 찾아간다는 사실을, 아무런 말을 떠들어대고 있다는 사실을 알지 못한답니다.

어느새 도시에 울려 퍼지는 사이키델릭한 펑크의 리듬이 고조되어요. 기분 탓인지 L이 꾸는 꿈속의 노래는 밤이 깊어질수록 더 신명이 나게 바뀌더라고요. 저는 L이 도시를 거니는 옆에서 춤을 췄어요. 아침이 올 때까지의 춤을요.

"난 있지. 너와 너의 꿈이 너무나도 좋아서 어쩔 줄을 모르겠어."

✳

"꿈은 무슨. 악몽이다, 야."

E는 혀를 차면서 비아냥거려요. L이 꾸는 꿈에 들어간 다음 날이면(그러니까, 매일 말이지요) 저는 꼭 교실 뒷자리에 앉은 E에게 가서 꿈에서 있었던 일들을 하나하나 설명해주고는 했어요. 오늘 점심시간도 마찬가지였고요. 하지만 E는 제가 L이 꾸는 꿈에 들어가는 일 자체를 탐탁잖아 했어요.

E는 제 손에서 꿈사탕이 들어 있는 주머니를 빼앗어요. 그러고는 그 안에 든 무지갯빛의 조약돌 같은 사탕을 꺼내서 버리려고 하고요. 물론 제가 재빠르게 E의 손에서 주머니를 낚아채버렸지만요.

"어허. 어딜."

"나는 있지. 네가 진짜로 이해가 안 가. 아무리 다른 사람의 꿈에 들어가는 자각몽을 꿀 수 있게 해준다고 해도 하굣길에 처음 만난 고양이가 준 걸 냅다 먹어?"

"뭘 무서워하고 그러냐. 잘린귀한테 선물을 받은 사람이 어디 만신고에서 나 하나뿐인가? 다들 그 선물 써서 잘 살고들 있어. 3학년 그 언니나 1반의 그 꼬마나 잘 지내잖아. 게다가 꿈사탕을 받은 애들은 나 말고도 많다고."

E는 제 반론은 무시하고 저를 꾸짖기만 해요.

"너는 지금 스토킹진행형이야. 꿈이라고 해도 상대방의 동의 없이 그 사람을 지켜보는 것은 나쁜 일이야."

"어차피 꿈에는 무의식만 나오는데 뭐."

"그렇다고는 해도 그 사람의 동의 없이 저지른 거잖아. 그러니까 빨리 L한테 가서 솔직하게 말하기나 해."

"사랑한다고?"

"사과하라고."

알아요. 안다고요. 제가 하는 일이 잘하는 짓은 아니죠. 하지만 그렇잖아요. 잘못인 걸 알고는 있지만 저지르는 그런 일들이라는 게 있잖아요. 사랑에 빠진 사람 마음이란 게 그렇잖아요. 비록 초대받지 못한 무도회라도 사랑하는 사람을 만나기 위해 몰래 숨어들고 싶은 그런 마음이라는 게 있잖아요.

저는 한숨을 쉬며 고개를 숙이고는 책상에 머리를 박아요. 콩. 든 게 없으니 울림도 좋아. E가 그렇게 속삭였던 것 같아요. 덕분에 반박할 기력 정도는 나네요.

"E… 너는 사랑을 몰라. 사랑은 일방적인 침략이야. 상대방의 동의 없이 쳐들어가서 그 사람의 모든 것을 약탈하고 내 소유로 삼고자 하는 그런 마음이라고. 어떠한 희생을 하고 얼마나 손해를 보더라도 다 감수하겠다는 각오로 덤벼드는 정면승부인 거야. 나는 사랑이라는 이름의 전쟁을 하고 있어. 그리고 나는 승리를 위해서라면 아무리 치사하고 잔인한 일이더라도 감수할 거야. E. 내가 어디까지 할 수 있고 어디까지 할 것인지를 확인해봐."

"얘가 뇌를 전자레인지에 3분 돌린 거로다 넣었나, 요즘 왜 이러지?"

E는 염려된다는 듯 제 머리에 손을 짚고서 열을 재요. 그래 봤자 본인 혈압이나 오르지 365일 상시 건강체질인 저한테서 아무런 증상도 찾지 못했지만요.

"A. 다른 사람이 알지 못하는 상황에서 그 사람을 바라보는 건 위험한 일이야."

"그 사람이 보여주고 싶지 않은 모습을 보게 되니까?"

"그런 이유도 있지."

✳

E와 저는 자리에서 일어나서 매점으로 향했어요. E가 밥값을 했으니 밥을 사줄 차례였거든요. E는 저에게 짝사랑 이야기를 들을 때마다 이런 건 돈 받고 들어줘야 돼 라고 강조했어요. 저도 동의하는 바예요. 노동에는 합당한 임금이 뒤따라야만 하지요.

E는 괜찮을까 싶을 정도로 매대에 바싹 달라붙어 간식거리를 바라봐요. 얘가 그나마 제 이야기를 끝까지 들어주는 이유는 모자라는 식비를 채우기 위해서라면 뭐든지 할 수 있다는 결기 덕분이었을 거예요.

"뭘 먹으면 좋을까?"

"나 다 먹을래."

"야, 잠깐만."

이럴 수가. 세상에나. 저는 매대 앞에서 고민하던 E의 입에 손가락을 갖다 대고는 조용히 시켰어요. 저기. 바로 저기에. L이 있어요. 현실의 L이. 그 기린 같은 키에 두꺼운 뿔테 안경과 혜드폰을 쓰고서는 어슬렁어슬렁 매점의 문을 열고 들어왔던 거예요!

"쟤가 L이구나. 그냥 전봇대 같은데?"

"전봇대는 무슨! 장승 같다고 해라."

"전봇대가 더 칭찬 아니냐?"

긴장 말자. 긴장하지 말자. 잘린귀가 꿈사탕으로 다른 사람의 꿈에 들어간 손님은 꿈의 주인을 볼 수 있지만 꿈의 주인은 손님을 볼 수 없다고 했으니까. L이 나를 알아볼 일도 없으니까.

와, 근데 떨려! 파르르 떨린다! 낮에 보니까 더 잘생겼네! 저는 E의 먹살을, 아니 어깨를 잡고(먹살은 놓쳤어요) 매점 바깥으로 나가려고 했어요. 제가 긴장한 나머지 L 앞에서 이상한 말을 내뱉을까 봐 걱정했거든요. 어, 그런데?

"우걱!"

이상한 말은 아니지만 이상한 비명을 지르고 말았어요! 망할 것. E가 제 등을 떠밀어서 L에게 부딪히게 했거든요. E는 소리는 내지 않고 입 모양으로 이 대통령아 고백이나 하고 꺼지라고 속삭이더군요. 여기서 대통령은 국가원수이자 행정부 수반에 국군통수권을 가진 사람이 아니라 '대가리 통통 빈 영장류'의 준말인데 지금 중요한 건 그게 아니죠.

"미안. 부딪혔네. 괜찮아?"

"응."

쿨해! 요 자식, 쿨해!

"E가 장난치다 나를 밀어서 그래. 일부러 그런 건 아니야. 아,

E는 저기에 있는 내 원수, 아니 친구야. 어디 다치지는 않았고?"

"응. 너는?"

너는 이랩니다! 이 남자가 지금 너는 이랩니다! 도대체 무슨 일이랍니까? 이게 말이나 되는 일이랍니까? 너는, 이라는 두 글자가 이렇게 상냥할 수 있는 겁니까? 울대가 살짝 떨리면서 저음의 목소리가 제 심장을 강타하는데 이거 폭행죄인 거 아닙니까? 존경하옵는 판사님, 이 사람 감옥 가야 합니다. 감옥에서 오래 살아야 해. 종신형이야, 아주. 하지만 세금이 많이 들겠죠. 감옥에 요즘 사람이 많고 세금도 아껴야 하니 일단 사설시설로 돌려서 저희 집에서 재우겠습니다. 내가 데리고 살아야지 어쩌겠어. 너는 조용히 집에서 음악만 해. 나머지는 내가 알아서 다 할 테니까.

아따따. 제가 신혼집의 도배를 어느 톤으로 해야 좋을지를 고민하는 사이 E가 옆구리를 쿡 찌르더군요.

"이제는 네가 영장류인지조차도 의심스럽다. 야. 빨리 괜찮다고 하고 사과나 해."

"어? 응? 아. 그래. 미안. 이따가 봐."

"이따가?"

정적. 차분한 정적. 이따가 보자니. 스토킹 자백이라도 하려고 그랬나. 귀가 뜨거워지더라고요. 화상마저 입을 정도로 따끈해졌어요. 앞으로 겨울에 추워지면 지금 생각하면 되겠다. 귀마개는 안 사도 되겠다.

의문을 담은 L의 눈동자가 두꺼운 뿔테 너머의 저를 비추고 있어요. 애 도수가 높아서 그렇지 안경 벗으면 의외로 눈 크겠다. 아따. 아따따. E가 옆구리를 찌르다 못해 꼬집기까지 하네요.

"아, E한테 한 얘기야. 얘한테. 얘 두고 교무실 갔다 와야 했거든. 미안. 미안해!"

저는 E의 허벅지에 로우킥을 먹인 뒤 잽싸게 매점 밖으로 달려나갔어요. 아, 민망해!

✳

지하로 이어지는 계단을 내려가고 있어요. 무슨 일이지? L이 꾸는 꿈이 평소와는 다르게 시작해요. 계단을 밟을 때마다 돌의 울림이 차갑게 공간을 메워요.

L이 꾸는 꿈속답지 않게 차가운 형광등이 눈부시게 빛나고 있더군요. 위층에서는 차분한 다운템포의 곡을 재생하고 있고요. 언제나 화사했던 건물 밖의 활기도 지금은 잠든 듯 조용하기만 해요. 저는 대리석 벽이 거울처럼 위에서부터 들려오는 음악을 반사하며 날카로운 소리를 내는 것을 느끼면서 L이 어디에 있는지를 찾아요.

L이 학교에서 혼이라도 났으려나요? L이 있는 만신고 5반은 담임 선생님이 조금 거칠어요. L은 선생님들 사이에서는 괴짜 취급을 받고 있고요. 커다란 헤드폰을 쓰고 무언가를 질겅이며 커다란 뿔테 안경을 쓴 채 멀뚱멀뚱 걸어 다니는 모습이 반항적으로 보인다나 봐요. 우리 사이에서는 아무렇지도 않은 모습인데도요.

제가 봤을 때 오늘 L이 꾸는 꿈은 정말이지 이상한 모습이에요. L이 꾸는 꿈에 오래도록 숨어들었던 이후 이렇게 차분한 꿈을 꾸는 날은 하루도 없었거든요. 네. 어느새 제가 L이 꾸는 꿈의 단 하나뿐인 평론가가 되었네요. 정확히 말하자면 주인의 허락을 받지 않은 불법 다운로더라고 해야겠지만요.

"L?"

네, L이 보여요. 넓은 호수의 한가운데 서 있어요. 계단을 끝까지 내려가니 이렇게나 넓은 공간이 나오네요. L이 꾸는 꿈에서 이런 모습을 보기는 처음이에요. 이 맨 아래층 호수는 모든 잡음을 집어삼키는 흡음재처럼 아무런 음악을 허락하지 않아요. 무엇보다 이 꿈의 주민이 L 외에도 한 명 더 있어요.

오늘 L은 옅은 미소와 함께 그 앞의 허공에 뜬 채 눈을 감고 있는, 아름답기 짝이 없는 여인을 바라보고만 있어요. 그러고는 꿈속의 여인이 입을 벌려서 노래할 때마다. 아. 저렇게나 행복한 모습이라니. 진짜 충격이었어요. '신나. 즐거워. 이 노래를 들어서 그래. 그리고 나는 더 멋진 음악을 만들고 있어.' 같은 흥겨움이 있잖아요. 꿈속에서나 몰래 그 모습을 훔쳐보던 저에게는 보여주지 않을 그런 표정이었지요.

아. L의 꿈속에서 흘러나오는 이 음악은 단 한 번도 들은 적이 없었는데. L이 만들고 있는 노래겠죠. 꿈속에서도 자신의 곡을 듣고 있을 정도로 열중하는 그런 작업일 거예요. L은 참 예술적인 데다 학구적이기까지 하잖아요. 이런 모습은 제가 L을 존경하는 수많은 이유 중 하나였는데.

그런데 이런 열정을 준 사람은 이 세상에서 저기 허공에 뜬 여자밖에 없었어요. 저처럼 꿈사탕을 먹고 몇 달을 다른 사람의 꿈을 염탐하는 사람에게는 가능하지 않을 일인데.

저는 L의 그런 표정을 보자마자 계단 위로 올라갔어요. 울음을 참으면서. 터덜터덜 걸으면서. 그러면서. 오래도록 피해왔던 사실을 떠올려요. 하. L은 여전히 미소와 함께 눈앞의 여자가 부르는 노래를 듣고 있겠지만요.

'L. 나는 네가 사랑에 빠진 얼굴을 봤어.'

저는 그 한 마디를 꺼내지 못하고 속으로 삼켜요. 놀리지는 마세요. L이 제 목소리를 들을 수 없다는 것을 알아요. 꿈사탕을 먹은 사람은 다른 사람의 무의식 속 꿈에 들어갈 수는 있지만 다른 사람은 그 사람을 보지 못하니까요. 그 사실이 이렇게 고마웠던 적은 없었네요. 그래도 저는 L에게 매일 밤 그 아이의 꿈에 찾아왔다는 사실을, 아무런 말을 떠들어댔었다는 사실을 전하는 시늉조차도 하지 못하겠다고요.

어느새 도시에 울려 퍼지는 다운템포의 리듬이 잦아들었어요. L이 꾸는 꿈속의 노래가 아예 멈춘 것이지요. 저는 건물 밖으로 나오자마자 L의 도시를 벗어날 때까지 달렸어요. 아침이 올 때까지 달렸어요.

"난 있지. 너와 너의 꿈이 너무나도 좋아서 어쩔 줄을 모르겠어."

"꿈이 길어지면 악몽이 되기도 하는 법이지."

E는 눈물을 닦아주면서 달래요. L이 꾸는 꿈에 들어간 다음 날에(그러니까, 오늘 말이지요) 저는 바로 교실 뒷자리에 앉은 E에게 가서 꿈에서 있었던 일들을 하나하나 설명해주었어요. L이 꾸는 꿈속의 연인에 대해서 말이에요. 그리고 E는 제가 L이 꾸는 꿈에 들어가서 본 광경에 대해 위로를 해주었지요.

E는 제 손에 간식이 들어 있는 과자통을 건넸어요. 그러고는 그 안에 든 검은 빛의 조약돌 같은 초콜릿을 꺼내 제 입에 넣어주었고요. 결국 저는 울먹이며 E의 손에서 초콜릿을 받아먹었어요.

"어휴. 그만 울어라."

"나는 있지. 내가 진짜로 이해가 안 가. 내가 보기에 L이 그렇게 잘나 보였으면 다른 사람에게도 L이 잘나 보이는 게 당연한 거 아니겠어?"

"뭘 후회하고 그러냐. L이 꿈속에서 보고 있던 여자가 정말 걔가 좋아하는 여자가 맞기는 해? 남자애들 다 그 정도 꿈은 꾸고들 살아. 걔들도 아이돌그룹 팬질에 인방 죽돌이고 그래. 게다가 그게 또 연애 감정만은 아니라고."

저는 E의 반론은 무시하고 저를 자책하기만 했어요.

"나는 지금 스토킹완료형이야. 꿈이라고 해도 상대방이 진심으로 사랑하는 사람을 알게 되었잖아."

"어차피 꿈에는 무의식만 나오는데 뭐."

"그렇다면 그 사람의 마음속 가장 깊은 곳에서 나온 진실이라는 거잖아. 그러니까 이제는 그만할 거야."

"사랑을?"

"사탕을."

몰라요. 모르겠어요. 제가 해온 일이 무슨 짓이었는지조차요. 하지만 그렇잖아요. 모르고 했지만 저질러진 그런 일들이라는 게 있잖아요. 사랑에 빠진 사람 마음이란 게 그렇잖아요. 비록 초대받지 못한 무도회라도 사랑하는 사람을 만나기 위해 몰래 숨어들고 싶은 그런 마음이라는 게 있잖아요.

저는 한숨을 쉬며 고개를 젖히고는 의자에 머리를 기대요. 콩. 든 게 없으니 울림도 좋아. E가 꿀밤을 때리면서 그렇게 훈계를 해요. 하지만 반박할 기력도 안 나대요.

"A. 내가 사랑을 모른다고 했지? 사랑은 조건 없는 수용이야. 상대방이 무슨 일을 하더라도 그 사람에게 모든 것을 바치고 그 뜻대로 하고자 하는 그런 마음이라고. 어떠한 희생을 하고 얼마나 손해를 보더라도 다 감수하겠다는 각오로 선언하는 전면항복인 거야. 너는 사랑이라는 이름의 전쟁을 하고 있었지. 그래서 너는 상대를 위해서 아무리 괴롭고 슬프더라도 그 사람을 놔주기로 한 거야. A. 너는 많은 실수를 저질렀지만 이제는 해야만 할 선택을 했어. 그러니까 괜찮아. 잘한 거야."

"얘가 뇌를 오은영 선생님에게 외주 맡겼나. 오늘 왜 이러지?"

저는 성가시다는 듯 제 머리를 토닥이는 E의 손을 뿌리쳐요.

그래 봤자 힘이 나지를 않아 바로 E에게 제압당해 계속 토닥임을 받았지만요.

"A. 다른 사람이 알지 못하는 상황에서 그 사람을 바라보는 건 위험한 일이라고 했지."

"그 사람에게서 보고 싶지 않은 모습을 봐버리게 되니까?"

"그런 이유도 있었지."

✳

E는 저를 자리에서 일으켜서 매점으로 향했어요. 제가 정신을 못 차리니 뭘 먹여서라도 정신을 차리게 하려나 봐요. E는 친구들 멘탈이 나갈 때마다 이런 건 먹고 풀어줘야 해, 라고 강조했거든요. 저도 동의하는 바예요. 제가 뭘 씹어 삼킬 여력조차 없지만 않았더라면요.

E는 괜찮을까 싶을 정도로 매대에 간식거리를 쌓다가 계산을 해요. 얘가 어디서 돈이 나서 이만큼이나 먹을 것을 살 수 있었는지 모르겠네요.

"뭘 못 먹을 것 같은데."

"너 다 먹어."

"야. 잠깐만."

이럴 수가. 세상에나. 저는 매대 앞에서 간식을 쌓던 E의 입에 손가락을 갖다 대고는 조용히 시켰어요. 저기. 바로 저기에. L이 있어요. 현실의 L이. 그 기린 같은 키에 두꺼운 뿔테 안경과 헤드폰을 쓰고서는 어슬렁어슬렁 매점의 문을 열고 들어왔던 거예요!

"저런 애가 꿈속에서 보던 여자를 사귀고나 있겠어? 그냥 짝사랑일 텐데."

"짝사랑은 무슨! 누가 쟤를 냅두냐?"

"내가 너 위로해준 거 아니었냐?"

울지 말자. 울어버리지 말자. 잘린귀가 꿈사탕으로 다른 사람의 꿈에 들어간 손님은 꿈의 주인을 볼 수 있지만 꿈의 주인은 손님을 볼 수 없다고 했으니까. L이 나를 알아볼 일도 없으니까.

와, 근데 울 것 같다! 또르르 울 것 같다! 낮에 봐도 그때 그 표정이네! 저는 E의 어깨를, 아니 멱살을 잡고(어깨는 놓쳤어요) 매점 바깥으로 나가려고 했어요. 제가 슬픈 나머지 L 앞에서 오열할까 봐 걱정했거든요. 어, 그런데?

"잠깐."

이상한 말은 아니지만 이상한 소리가 들렸어요! 무슨 일이지? L이 제 앞에 다가와서 E도 멈춰 세웠거든요. L은 소리는 내지 않고 입 모양으로 괜찮으냐고 속삭이더군요. 저기서 제 눈가가 촉촉하게 젖은 모습을 본 모양인데 지금 중요한 건 그게 아니죠.

"미안. 참견할 일인지는 모르겠는데. 괜찮아?"

"응."

나빠! 요 자식, 나빠!

"M의 노래를 찾았거든. 계속해서 이런 느낌의 곡을 샘플링하고 싶었는데 말이야. 아, M은 20년 전에 활동하던 아이돌이야.

혹시 들어본 적 있어?"

"아니. 왜?"

들어본 적 있답니까! 이 남자가 지금 너는 들어본 적 있느냐고 묻습니다! 도대체 무슨 일이랍니까? 이게 말이나 되는 일이랍니까? 실연한 사람에게 갑자기 도대체 무슨 수작이랍니까? 심장이 쿵쾅 떨리면서 울음기 어린 목소리가 제 목을 타고 올라오는데 이거 병난 거 아닙니까? 의사 선생님 저 입원 가야 합니다. 병원에서 오래 요양해야 해. 죽겠어, 아주. 하지만 입원비가 많이 들겠죠. 병원에 요즘 사람이 많고 보험료도 올라갈 수 있으니 일단 사설시설로 돌려서 저희 집에서 자고 오겠습니다. 내 몸뚱어리 나라도 챙겨야지 어쩌겠어. 나는 조용히 집에서 잠만 잘래. 얘는 좋아하는 사람 만나서 알아서 잘 살라고 해.

아따. 제가 멍 때리고 넋을 놓은 사이 E가 옆구리를 쿡 찌르더군요.

"무시하고 가자. 곧 수업이야."

"어? 응? 아. 그래. 미안. 이따가 봐."

"이따가?"

정적. 차분한 정적. 이따가 보자니. 내가 뭐 돈이라도 떼먹었나. 영문을 모르겠더라고요. 그냥 당황해서 눈시울만 따끔해졌어요. 앞으로 환절기에 건조해지고 미세먼지가 심한 날도 괜찮겠다. 안약 안 사도 되겠다.

의문을 담은 저의 모습이 두꺼운 뿔테 너머 L의 눈동자에 비치고 있어요. 얘 도수가 높아서 그렇지 안경 벗으면 의외로 눈

크겠다. 아따. 아따따. E가 옆구리를 찌르다 못해 꼬집기까지 하네요.

"오늘은 내 꿈에 안 올 거야?"

저는 당황한 나머지 L의 턱 끝에 체중을 한껏 실은 레프트훅을 먹인 뒤 잽싸게 매점 밖으로 달려나갔어요. 뭐야, 무슨 소린데!

✳

어두운 방에 앉아 있어요. 무섭네요. 저의 꿈은 언제나 이렇게 시작하는데도요. 밀폐된 곳 특유의 찐득하고 눅눅한 공기에 질식할 것만 같거든요.

제가 꾸는 꿈속의 방은 아무런 조명도 비치지 않아요. 음악 소리는커녕 시계의 초침 소리와 태엽 돌아가는 소리만 신경질적으로 울리고요. 녹슨 금속질의 고철 덩어리들이 약간의 빛도 반사하지 않고 있을 뿐이지요. 저는 저의 심장 고동마저 멎어가는 것을 느끼며 어서 이곳에서 사라지기만을 기다렸어요.

L이 꾸는 꿈은 저에게는 마지막 피난처였어요. 저는 지루한 악몽의 주인. L은 흥겨운 꿈의 주인. L이 마음속에서 빚어낸 세계는 다른 사람들이 아직 보지 못했을 뿐 항상 빛과 음악으로 가득하지요. 그 아이 안의 세계가 언젠가 그 아이의 단단한 껍질을 비집고 나와 온 세상을 감동시킬 것을 저는 알고 있어요.

그러니 제가 봤을 때 L이 얼마나 특별한 아이였겠어요. 꿈사탕을 삼킨 이후로 많은 사람들의 꿈으로 도망쳤지만 L만큼이나 제게 안식을 주는 꿈을 꾸는 사람은 아무도 없었다고요. 네. 그래서 저는 L이 꾸는 꿈들을, L을 사랑하게 되었어요. 정확히 말하자면 상대방에게 거부될까 두려운 나머지 스토킹을 했을 뿐이었지만요.

"A?"

네, L이 보여요. 텅 빈 줄만 알았던 밀실의 구석에요. 이 방에서 가장 어두운 곳이었지요. 뭐야. 제 꿈에는 누구도 없이 저 홀로인 줄 알았는데. 오로지 곰팡내 나는 밀실에만 갇혀 있을 뿐. 간수 없이 저 한 명만이 스스로를 가두고 있어 도망치지도 못한다고 생각했는데.

오늘 L은 껑충한 키에 딱 맞는 교복 차림으로 근심 어린 얼굴을 하고서는 저에게 다가와요. 날마다 지었던 무심한 표정과는 또 다르네요. 진짜 제 망상이 너무 심하지 않나요? '너는 스토킹을 하던 것을 들켰지? 하지만 그 사람이 너를 용서해줬고 너는 그 사람과 함께 하고 있어.' 같은 한심함으로 가득하잖아요. 현실의 L은 남모르게 꿈속을 찾아오던 저를 비웃고 있을 텐데요.

아, 저의 꿈속에서 작게나마 음악이 흘러나와요. L의 자작곡이에요. 바보 같기도 해라. 아무 음악도 없던 꿈속에서 처음으로 듣게 된 노래가 L의 꿈속의 연인이 부르던 L의 자작곡이라니요. 저도 참 해학적으로 피학적이네요. 이런 모습은 제가 저를 경멸하는 수많은 이유 중 하나예요.

그리고 이 사실을 알고 있는 사람은 우리 학교에서 저밖에 없답니다. 그러니 꿈사탕을 먹고 며칠을 다른 사람들의 꿈속에서 헤매고 있는 것이겠지요.

L은 저를 보고는 옆으로 와 앉았어요. 한숨을 쉬면서. 뒷머리를 긁적이면서. 그러면서. 오래도록 듣고 싶었던 이야기를 건네요. 후. 저는 여전히 스스로가 한심할 뿐이었지만요.

L이 계속 제게 말해요.

"이게 꿈이라고 생각하지는 마. 아까 내가 매점에서 아는 척도 했잖아."

"E한테 들었어. A. 너는 설명서를 잘 읽지 않는 타입이라며?"

"꿈사탕을 먹은 사람은 꿈의 주인이 무의식적으로 꾸는 꿈속에 몰래 들어갈 수 있지만 그 사람이 무의식적이지 않은, 그러니까 자각몽을 꾸는 사람일 경우에는 아니야. 특히 꿈사탕을 먹어서 자각몽을 꾸는 사람의 꿈에 들어갈 때는 더더욱."

"나도 잘린귀한테 꿈사탕을 받았어. 그러니까 자각몽을 꾸면서 꿈속에서 음악을 작업하지. 만신고 학생들 중에 꿈사탕을 안 받은 애가 더 드물걸."

"예전부터 네가 내 꿈에서 춤을 추는 모습을 지켜봤어."

"부끄러워서 아는 척을 할 생각도 못 했지."

"얼마 전까지는 네가 내 망상인 줄로만 알았지 뭐야."

"그게. 너는 내 꿈에 나올 만한 이상형이거든."

"하지만 매점에서 너와 부딪힌 뒤에야, 네가 이따 보자고 해준 뒤에야 깨달았어. 아. 얘는 내 꿈이 아니구나, 라고."

"이런 나를 좋아해주는 사람이 현실에도 있구나."

"그렇게 생각하니 절로 미소가 나더라."

"꿈속에서조차 말이야."

"네가 내 꿈의 지하에서 본 사람은 옛날 아이돌이야. 신곡에 딱 그 가수의 느낌이 나는 샘플링을 넣고 싶었거든. 무리해서라도."

"너한테 들려주고 싶어서 말이야."

"좀 깨지?"

"그런데 있잖아."

"A."

"나는 네가 내 꿈속에서 춤을 추는 모습을 지켜보는 것을 좋아해."

L은 제 앞에 무릎을 꿇고 앉아서 손을 내밀어요. 놀리지는 마세요. L이 저에게 에스코트를 건넨 것이잖아요. 꿈사탕을 먹은 사람이 다른 사람의 자각몽에 들어갈 때는 서로를 보게 되는 것이었다니. 무슨 이런 황당한 일이. 그래서 L이 제가 매일 밤 그 아이의 꿈에 찾아간다는 사실을, 아무런 말을 떠들어대고 있다는 사실을 알고 있었다니.

어느새 침묵이 깨지고서 올드스쿨 스타일의 해피하드코어 리듬이 방 안을 가득 메우기 시작했어요. 아니, 더 이상 저는 방 안에 갇혀 있지 않았어요. 저는 L과 함께 꿈속 도시의 한가운데에 있었지요. 저는 L의 손을 붙잡고서 일어났어요. 아침이 올 때까지 L과 함께 춤추기 위해서요.

"난 있지. 너와 너의 꿈이 너무나도 좋아서 어쩔 줄을 모르겠어."

작품
해설

dcdc는 어쩌다가
홍지운이 되었나

dcdc라는 작가가 있었다. 그는 유쾌하게 빈정거리기를 좋아하고, 쉽게 눈길이 가지 않는 것에 애정을 느꼈으며, 성격 나쁜 오타쿠였다. 그의 글은 반짝이는 날붙이 같았다. 칼날에 오래된 미국 애니메이션 캐릭터 스티커가 붙어 있고, 휘둘러봤자 생채기 내는 게 전부인 작은 날붙이. 그의 글을 처음 읽고 나서 앞에 앉아 있는 작가에게 말했다.

"빈정거리기를 잘하시네요."

"아니, 다정하지 않나요?"

"본인을 빈정대는 확률이 높긴 하지만, 어쨌든 누군가를 빈정대면 다정하다는 말은 듣기 어렵죠."

스스로의 글을 다정하다 믿었을 dcdc 작가는 이 평을 재밌어했다. 사실 이 작가는 꽤 매력적인 날붙이였다.《무안만용 가르바니온》에서는 화자를 웃음거리 삼는 대신 화자가 사랑하는 배우 김꽃비를 말했으며, 《대통령 항문에 사보타지》에서는 항문의 대사를 통해 대통령을 날려버렸다.

하지만 그는 어느 순간 날붙이만이 가질 수 있는 스타일리시한 빈정거림을 내려놓았다. **dcdc가 사라진 것이다.**

dcdc는 왜 사라졌는가

생각해보면 dcdc가 사라질 것이란 징후는 꽤 여기저기에서 보였다. 이 징후를 크게 세 가지로 정리하면 다음과 같다.

첫째, 첫 번째 단편집 《대통령 항문에 사보타지》에서 보이던 꽤 노골적인 섹스에 대한 은유가 두 번째 단편집 《구미베어 살인사건》에서부터 사라졌다. 첫 번째 단편집에서 작가는 언뜻 보면 여자와 사귀지 못해 안달이 난 것처럼 보였지만 사실은 위장 전략이었다. 그 당시 작가는 여자와 사귀지 못하는 인기 없는 자신의 이미지를 즐기는 게 틀림없었다. 그딴 걸 누가 즐기나 싶겠지만 사실 연애가 뭔지도 모르는 사람이었기에 가능한 일이었다. 아마도 이 은유가 사라진 이유는 작가가 실제로 연애를 시작하면서 이 위장이 생각보다 더 참담하다는 것을 알게 되었기 때문일지도 모른다.

둘째, 스타일리시하게 문장으로 후려 패던 대상도 점차 사라졌다. 대통령을 날려버리다가(《대통령 항문에 사보타지》) 이후 민폐중년까지 날리던 《월간주폭초인전》 그는 알아버린 것이다. 아,

내가 바로 그 민폐 중년이구나(실제로 그는 민폐도 아니고 중년도 코 앞이지만 그래도 알아서 조심하는 편이 백번 낫다. 뭐든지 예방이 중요한 법이다).

셋째, '팬심'이 사라졌다. 그는 로봇과 애니메이션과 성우를 비롯한 서브 컬처와 김꽃비(!)를 사랑하며, 그의 작품에는 팬심이 동력이 된 경우도 꽤 많았다(〈일천만 김꽃비가 세종로를 정복했을 때〉, 〈마이클 잭슨 고마워요 사랑해요〉, 〈구자형 바이러스〉, 《무안만용 가르바니온》). 그는 자기 자신보다 자신이 사랑하는 것들에 대해 이야기할 때 더 빛났다. 그런데 이 팬심조차 글에서 사라지다니. 실제로 그의 방에는 아직도 정체 모를 건담박스가 반다이몰에서 정기배송된 것처럼 차곡차곡 쌓이는데 왜 글에서는 더 이상 찾을 수 없는가. 도대체 dcdc는 왜 사라졌는가? 이 세 가지 징후를 종합하자면 하나다. **이 작가는 나이를 먹고 말았다.**

그래서, dcdc는 어디로 갔는가

젊은 날의 반짝반짝하던 작가가 점차 누군가를 후려 팰 수도 없고(그 누군가가 나니까), 빈정거릴 수도 없고(나를 빈정대는 것도 한두 번이지), 무언가를 열망할 수도 없다 보니(나이 먹고 나니 더 이상 이거 파는 사람이 없어) 그는 작가로서 가장 큰 매력이었던 날붙이를 더 이상 쓸 수 없다는 결론을 내린 것이다. 대신 그는 이전보다 조심스러워졌고 사랑할 다른 대상을 찾았다. 그렇다면 이제 나이를 먹은 dcdc는 무엇이 될까.

이 질문의 답이 바로 이 단편집 《공상연애소설》이다. 이 책은 dcdc가 홍지운이 되어가는 과도기를 그대로 담았다. dcdc의 흔적은 이 책에서 어렵지 않게 찾을 수 있다. 〈우주에서 돌아온 지옥견 라이카의 복수〉에서는 저 대신 죽으라고 개를 우주로 날려버린 인간에 대한 문제의식을, 〈귀자모신나강전〉의 이민자이자 혁명가인 슈퍼 히어로인 귀자에게서는 들여다보지 못한 영웅에 대한 애정과 감사를, 〈눈물이 많은 거인〉에서는 다정함조차 윤리적으로 들여다보는 작가의 결벽증을. 이는 이전의 dcdc에게도 있었지만 화려한 스타일에 가려져 있던 윤리적이며 다정한 작가의 문제의식이다.

첫 번째 단편집에 비해 주목받지 못했지만 두 번째 단편집 《구미베어 살인사건》에서 그는 이미 동화와 청소년을 주인공으로 한 소설을 썼고, 곰인형을 통해 버려진 존재들을 들여다보았다. 어쩌면 이 작가는 그때부터 이미 빈정거리지 않고, 공격하지 않고, 찬양하지 않고 무언가에 대해 말하는 방법에 대해 치열하게 고민하고 있었을지도 모른다. dcdc는 사라졌지만 날붙이 대신 뭉툭한 손잡이를 남겼다. 한때는 칼의 일부였으나, 이제는 누가 손에 쥐어도 안전한 손잡이를. 이제 dcdc가 아닌 홍지운은 이 손잡이에 무엇이든 꽂을 수 있다.

홍지운은 누구인가

자, 이제 dcdc에 대한 이야기는 이쯤하고 홍지운에 대해 이야기해보자. 이 작품집에서는 홍지운이라는 작가가 나아갈 수 있는 두 갈래 길을 보여준다.

〈당신이 잠든 사이에〉는 그야말로 정말 잘 쓴 연애 소설이다. 첫 번째 단편집이 섹스에 대한 은유가 넘쳤다면 이번에는 '연애'다. 아주 지극히 당연한 전개다. 이제야 뭘 좀 아는 것이다. 섹스가 사건이 아닌 일상이 되는 삶에서 어떤 감정이 자리 잡게 되는지. 그래서 사실 이 작품은 소설이기도 하지만 작가를 아는 사람에게는 연애 비법서 정도로 읽힐 수도 있겠다. 어떻게 하면 키가 165센티미터도 안 되고 작고 마른 몸집에, 겨울이 되면 이를 닥닥 떨어가며 컵라면을 양손에 쥐고 궁상스럽게 걸어가는 남자가 연애를 할 수 있었는가. 그건 윤리적인 다정함과 명확한 주제파악 덕분이다. 연애를 글로 배울 거라면 이 단편을 읽으라고 하고 싶을 정도인데 그 이유는 명확하다. 내가 이 작품을 읽고 그와 결혼하기로 결심했기 때문이다. 《무안만용 가르바니온》을 읽었을 때는 좋은 동료로 남아야겠다고 생각했다.)

〈헌책방의 왕〉은 이 책에서 가장 dcdc적이면서 가장 dcdc적이지 않은, 홍지운으로 뻗어 나가는 분기점의 작품이다. 이 작품에는 이전의 dcdc라면 절대로 나오지 않을 인물이 등장한다. 바로 매력적인 적대자 손지상이다. 그동안 작가는 빈정거리기 위해 적대자를 등장시켰지만, 이 작품에서 손지상은 화자의 존경과 사랑이 가득 담긴 인물이다. dcdc였다면 이런 인물은 적대자가 아닌 주인공이었을 것이며, 그는 특유의 말재간으로 자신이 사랑하는 헌 책에 대해 찬양하고, 책에 파묻히는 자기 자신을 빈정거렸을 것이다. 하지만 홍지운의 주인공은 사랑하는 대상에 파묻히는 것이 아니라 그에게서 벗어난다. 사랑했던 세계와의 작별이다. 그럼에도 그 누구도 빈정대지 않는다. 이미 홍지운은 아는 것이다. 파묻히는 것도, 떠나는 것도 모두 사랑의 방법이라는 것을. 이러한 태도는 작가의 '팬심'과도 연결되는데 이전까지의 dcdc가 '팬심'으로 글을 쓰고 무언가를 찬양했다면 이제 홍지운은 찬양하기를 멈추고 자신이 사랑했던 것을 더 오래 들여다본다.

홍지운이 앞으로 어떤 방향으로 나아갈지는 알 수 없다. 하지만 그는 이제 유쾌하게 대화를 나누고, 여전히 쉽게 눈길이 가지 않는 것에 애정을 느끼며, 기혼 오타쿠다. 그의 글은 이제 고양이털 묻은 뭉툭한 손잡이에 날붙이가 아닌 꽃 몇 송이가 자리한다. 이 단편집을 펼친 독자에게 이제는 내가 묻고 싶다.

"아니, 다정하지 않나요?"

여전히 좀 웃기긴 하지만.

— 문아름, 청강문화산업대학교 교수

370

그냥 그런 체질이라서

사랑하는 사람을 포옹하는 것조차 어색하던 시절이 있었어요. 꼭 껴안은 채 눈을 감고 있기만 하면 될 것 같은데. 그럴 때면 꼭 내 숨소리가 너무 크지는 않은가, 거슬리면 어쩌나, 하는 고민으로 그러잖아도 떨리는 가슴이 더 쿵쾅대고는 했지요. 〈그냥 그런 체질이라서〉는 바로 이런 고민에서 출발한 글입니다.

이 작품은 청소년 소설이라는 카테고리에 어울리게 쓴 소설이기도 해요. 우리는 사춘기 혹은 이차성징을 거치며 많은 것들을 경험하고 호불호의 감정을 느끼고는 하지요. 무언가를 좋아하고 또 싫어하는 과정은 그 자체로 내가 어떤 사람인지를, 어떤 사람이 될 것인지를 정하는 과정이기도 해요. 이렇게 나를 알아가고 만들어가면서 우리는 기쁜 순간보다는 당황스럽고 피곤한 상황을 더 자주 맞이하고는 하지요. 이제까지는 의식하지 않았던 것들을 감지하며 기존의 자신이 흔들리니 두려운 경우조차 있고요.

하지만 이 과정을 그저 심각하게만 다루고 싶지는 않았어요. 인간과 드래곤의 혼혈이라는 설정을 정한 이유도 거기에 있습니다. 인종과 지역 그리고 성 정체성의 문제 중 어느 쪽이건 다 추상적인 형태로 연결되어 다룰 수 있도록, 다만 직접적인 방식을 피하면서도 웃음 지을 수 있도록 장르적인 우회로를 거치고자 한 것이지요. 있는 그대로의 현실을 적나라하게 묘사하는 방식이 아니라, 장르의 언어를 통해 전달할 때만의 장점이 있으니까요. 조심스럽게 다루고 싶은 소재였던 만큼 저에게 가장 익숙한 무기를 골랐지요.

아직도 잠든 아내를 포옹할 때마다 괜히 잠을 깨우는 것은 아닐까 염려를 하고는 해요. 나이도 이제 서른 중반을 넘었으니 슬슬 익숙해져야 하지 않나 민망하면서도, 어쩌면 좀 더 오래 이 두근거림을 간직하고 싶은 것일지도 모르겠다는 생각도 드네요.

귀자모신나강전

〈월간영웅홍양전〉부터 쭉 작업하고 있는 경기 여성 슈퍼 히어로 연대 세계관에 속하는 작품이에요. '모신나강'이라는 총의 이름을 처음 들었을 때는 정말로 감탄했어요. 어쩜 이렇게나 멋진 이름이 다 있담? 화면에 모신나강이라는 네 글자를 띄워놓고, 이를 어떻게든 슈퍼 히어로에게 어울리게 조정할 수 없을까 고민하던 중, '귀자모신나강전'이라는 제목이 벼락처럼 뇌리에 떠올랐어요. 불교의 귀자모신과 모신나강을 결합한 이 제목에 어울리는 이야기를 만들어야만 한다는 강박이 이 글을 쓰게 된 계기라고도 할 수 있겠네요.

모신나강을 쓰는 귀자, 귀자모신을 닮은 나강의 중의적인 제목을 떠올렸으니 모신나강을 사용할 법한 슈퍼 히어로가 누구일지를 고민했습니다. 시기적으로는 역시 독립투사가 어울리겠지 싶었어요. 독립투사라면 연변과 만주를 오가면서 활약을 했으리라는 생각에 미치면서 귀자의 고향을 그 근방으로 잡았고, 아내의 친구분께 자문을 받아 사투리를 쓰는 캐릭터로 설정할 수 있었지요.

귀자는 이민자이자 혁명가인 여성 슈퍼 히어로입니다. 저는 이들의 이야기가 더욱더 많이 발굴되고 새로이 전유되어야 한다고 믿습니다. 이 글은 이름을 남기지 못한 영웅들을 위한 위령비이자 추도사입니다. 그런 의미에서 이 작품은 아직 다 적히지 않은 미완의 글이기도 하지요. 언젠가는 귀자의, 혹은 그의 옆에서 나란히 서 있던 영웅들의 이야기를 조금 더 풀어내고 싶습니다. 아니, 그래야만 한다고 생각해요.

우주에서 돌아온 지옥견 라이카의 복수
—세상에 나쁜 인간이 많다

예전에 들었던 수업에서 교수님이 지나가는 이야기로 '개를 너무 좋아하면 안 된다.'라는 이야기를 하신 바가 있어요. 사람보다 강아지를 대하는 것이 더 즐거워서 사람을 싫어하게 된다는 것이 그 주장의 논지였지요. 저는 그 논지에는 동의하지만 정반대의 결론을 주장하고 싶네요. 우리는 좀 더 개를 좋아하고 인간은 싫어할 필요가 있다고요.

저는 강아지를 무척이나 좋아하는데, 어느 정도냐면 심신이 고달프고 지칠 때 에어 강아지 산책을 즐길 정도예요. 가상의 강아지와 하천을 산책하는 상상을 하는 행위죠. 덕분인지, 언젠가 술자리에서 모 기자님으로부터 라이카가 지구로 돌아와서 인류를 징벌하는 내용의 글을 써달라는 요청을 받았을 때 어렵지 않게 이 이야기의 초안을 잡고 쭉 써내려 갈 수 있었지요.

〈우주에서 돌아온 지옥견 라이카의 복수—세상에 나쁜 인간이 많다〉는 김자연 성우님이 낭독해주신 오디오북으로 자체 제작한 바 있습니다. 등장인물을 전원 여성으로 설정한 것도 오디오북으로 만들 때 꼭 김자연 성우님께 요청 드리고 싶기 때문이었어요. 이 오디오북을 독립출판 프로젝트인 플라스틱 티켓으로 유통했었는데, 그때 그 프로젝트에 함께 해주신 분들에게는 감사한 마음뿐이랍니다. 고마워요. 멋진 친구들.

374

눈물이 많은 거인들의 나라

읽는 도중에 눈치채신 분들도, 이미 알고 읽으신 분들도 계시리라 생각하지만 후기를 빌어 밝혀놓습니다. 이 이야기의 주인공 '시로아시'는 길고양이고 기계거인들은 인간들이에요. 뻔한 반전이지요. 기계거인들이 하는 이야기는 무작위적인 알파벳의 배열이 아니라 자판을 빌어 만든 약식 암호예요. 1234567890이 각각 ㅏㅑㅓㅕㅗㅛㅜㅠㅡㅣ에, bcdfghjklmnpqrstvx는 ㄱㄴㄷㄹㅁㅂㅅㅈㅊㅋㅌㅍㅎㄲㄸㅃㅆㅉ에 대응하지요. 심심하신 분들은 암호를 풀어보셔도 좋겠네요.

이야기의 아이디어는 〈샌드맨〉의 한 에피소드와 〈호라이즌 제로 던〉의 컨셉 아트에서 따왔어요. 〈러브 데스 로봇〉처럼 노골적으로 고양이를 내세우고 싶지는 않았기에 고양이가 주인공이

라는 반전을 작품 안에서 밝힐 필요성은 느끼지 않았어요. 다만 이 작품은 이미 발표된 지 오래된 글이고, 설정도 굳이 꼭꼭 숨 겨놓고 싶은 건 아니니까 이 자리에 설렁설렁 풀어놓아도 되겠 지요.

저는 〈눈물이 많은 거인들〉을 쓰고 얼마 지나지 않아 결혼했 고, 아내는 청이와 코코라는 두 고양이를 데리고 왔어요. 청이 나 코코나 길고양이 출신이에요. 청이는 태어난 지 4주도 되지 않았을 때 자동차 안에 들어갔다가 구조되었고, 코코는 유기묘 로 한강 공원에서 지내던 중에 구조되었죠. 둘 다 임보 생활을 하다가 아내의 뒤늦은 결정으로 저희의 가족이 되었지요. 청이 나 코코는 저를 바라볼 때 간단한 말귀도 못 알아듣는 한심한 놈이라는 눈빛을 하고는 해요. 아마 이 둘도 작품 속의 시로아 시와 비슷하게 절망에 빠진 것 같아요. 미안해라.

남극낭만담

〈남극낭만담〉은 《광기의 산맥》은 물론이거니와 〈아기공룡 둘 리〉에 〈남극의 쉐프〉 그리고 〈토리코〉 등의 영향을 받은 글이에 요. 몇몇 대사는 해당 작품들로부터 인용하기도 했어요. 레퍼런 스를 모았을 때는 과도하게 공격적인 이야기로 흐를까 염려했 으나, 빙저호 연구라는 소재를 찾음으로써 나름의 중심을 잡을 수 있었네요.

빙저호 연구에 대한 이야기를 보다 보면 짝사랑에 빠진 어린

아이를 보는 것 같아요. 상대에 대해 알고 싶지만 상대에게 해를 끼치고 싶지 않은, 어떠한 영향도 주지 않고서 가만히 지켜보고만 싶은 그런 마음이라니. 이렇게나 로맨틱한 연구가 또 있을까요?

극지 연구는 제국주의 이데올로기에 연관되어 해석되는 경우가 많지요. 대표적으로는 H.P 러브크래프트의 《광기의 산맥》부터가 그러한 내용이고요. 문명과 먼 곳으로 가서 이것이고 저것이고 잡아먹거나 잡아먹히는 류의 이야기들은 대부분 이러한 궤에 속해 있기 마련이었지요. 그런 점에서 〈남극낭만담〉은 과학윤리에 있어 최근의 빙저호 연구와 기존의 극지 연구를 대조하기 위한 글이기도 했어요.

영향을 주지 않고 바라만 보는 것. 사냥해서 잡아먹는 것. 자신이 가진 것을 나누어 먹는 것. 이 모두 다 상징적인 행위지요. 단순히 이냉치냉이니 남극에서 냉면을 먹으면 진짜 맛있겠다고 생각해서 출발한 글이지만, 쓰다 보니 그렇게 되었네요.

당신이 잠든 사이에

"이제 코스믹 호러는 질렸어! 앞으로는 코스믹 에로의 시대다!"라는 허풍에서 출발한 글이에요. 원래는 별과 별 사이의 성관계를 좀 더 격정적으로 다룰 셈이었으나, 별과 별 사이의 천체운동을 사람과 사람 사이의 성관계처럼 묘사하는 것보다 사람과 사이의 성관계를 별과 별 사이의 천체운동으로 묘사하는 편이 더 즐거울 것 같아서 일정 부분 방향을 선회한 글이기도 해요. 덕분에 해도연 작가님에게 자문을 받았음에도 허무맹랑한 소리만 하는 글이 되었어요. 죄송합니다, 해도연 작가님.

아내는 이 작품을 무척 좋아합니다. 여러 이유가 있겠지만, "이공계라서 그런 거예요? 그래서 그런 거예요?"라는 작중의 대사를 읽으면서, 연애를 하던 당시 제가 뻘짓을 할 때마다 "SF 작가라서 그런 거예요? 그래서 그런 거예요?"라고 경악했던 시절의 추억을 떠올렸던 탓이 큰 듯합니다.

당시에 저는 SF 작가들을 향한 이 부당한 편견에 대해 정정을 요청하기는커녕, "아니에요. 저는 SF 작가 중에서는 그나마 평범한 축이에요! 이 동네는 저보다 이상한 사람들밖에 없다니까요!"라고 반론했습니다. 비겁하고 비정하다 욕해도 상관없어요. 저는 동료 작가들을 배신하는 한이 있더라도 아내를 붙잡고 싶었다고요.

다행히 SF 판의 명예는 실추되지 않았으니 안심하셔도 좋습니다. 비록 아내는 저 이외의 다른 SF 작가들을 잘 모르기는 하지만, 저의 말 같지도 않은 거짓말에 속아 넘어갈 정도로 눈치가 없는 사람도 아니었거든요.

정직한 살인자

결혼을 한 뒤 생긴 변화가 하나 있어요. 작품의 소재로 배우자나 연인과의 이별이, 혹은 이별에 대한 공포가 자주 등장하게 된 것이지요. 제가 생각해도 어이없지만 하여튼 그렇답니다. 때문인지, 아직 이 글에 대해서는 적절하게 거리두기가 되지 않네요. 것 참.

플롯에서의 실험을 적극적으로 시도한 첫 작품이기도 해요. 〈스파이더맨 뉴 유니버스〉에서 본 반복과 대칭의 플롯 구성에 홀딱 반한 나머지, 그 방법론을 체화하고자 나름의 시도를 한 것이지요. 이 단편집에 실린 작품 중 〈정직한 살인자〉, 〈헌책방의 왕〉과 〈공상연애소설〉은 모두 반복과 대칭으로 플롯을 구성했어요. 덕분에 작업 시간은 획기적으로 줄었는데, 이것이 얼마나 유의미한 시도인지는 실험을 몇 번 더 해봐야 알 것 같네요.

헌책방의 왕

뻔하기는 하지만 그래도 밝혀놓자면, 이 소설은 〈파이트 클럽〉의 도서수집가 버전입니다. 브래드 피트 역할에는 본인의 허락하에 손지상 작가를 등장시켰습니다. 손지상 작가에게 이 역할을 맡긴 이유는, 이 사람은 누구보다도 구루처럼 행동할 수 있지만 결코 구루처럼 행동하지 않으리라는 믿음이 있어, 역설적으로 이런 한심한 역할을 맡겨도 된다 판단했기 때문이에요. 본인과 무척 닮게 묘사했지만 결정적인 부분에는 큰 차이가 있으니, 부디 안심하고 즐겨주시기를 부탁드립니다. 애초에 손지상 작가나 저나 〈파이트 클럽〉 같은 작품에는 이입하지 못할 종자들이니까요.

〈파이트 클럽〉이 격투기 영화가 아닌 것처럼, 〈헌책방의 왕〉도 도서수집가를 위한 소설이 아닙니다. 만약 그렇게 생각하고 썼다면 결과물이 〈파이트 클럽〉보다는 〈시오리와 시미코〉 시리즈처럼 나왔을 것 같네요. 저의 취향이야 〈파이트 클럽〉보다는 〈시오리와 시미코〉 시리즈에 가깝기는 하지만, 그래도 지금 이 순간에 해야만 한다 생각한 이야기가 있었기에 이런 글이 나오고 말았습니다.

요즘이라고 예전보다 더 위기라는 식으로 말할 수는 없을 거예요. 인류 사회는 언제나 위험요소를 내포하고 있었으니까요. 하지만 그렇다고 해서 2020년대 사회적 불안요소의 특수성을 부정할 필요도 없겠지요. 〈헌책방의 왕〉은 우리가 이미 예상하고 있지만 동시에 외면하고 있는 재앙에 대한 이야기입니다. 사실 이 예상이라는 것부터가 허상이겠지만 말이지요. 앞으로 무슨 꼴을 당하게 될지, 그저 한숨만 나오네요.

공상연애소설

아내와 저는 마음에 드는 음악이 나오거나 신이 나면 갑자기 춤을 추고는 합니다. 만약 저희가 추는 춤에 의태어를 붙인다면 덩실덩실이 가장 잘 어울릴 거예요. 〈스텝업〉이나 〈라라랜드〉보다는 딩동댕 유치원에 가깝지만, 그만큼 즐겁거든요. 〈공상연애소설〉에도 저희 중 한 명이 춤을 추기 시작하면 다른 한 명도 그에 맞춰서 흥겹게 어깨를 들썩이는, 그런 순간의 행복을 담고 싶었습니다.

이 소설은 다프트 펑크(Daft Punk)의 곡 〈디지털 러브(Digital Love)〉에서 기본적인 틀을 가지고 왔어요. 플롯 구조로 따지면 원곡보다는 폼플라무스(Pomplamoose)가 편곡한 버전에 더 가깝기는 하겠네요. 이 곡을 들을 때마다 머릿속으로 뮤직비디오용 애니메이션을 상상해서 재생하고는 했는데, 이 소설은 그 망상 속 애니메이션을 텍스트로 옮긴 것이기도 합니다. 언젠가는 영상으로 옮겨보고 싶기도 하네요.

내용적인 면에서는 안나 오브 더 노스(Anna of the North)의 〈드림 걸(Dream Girl)〉에서도 영향을 받았습니다. 두 곡 모두 꿈속의, 가상현실 속의 사랑 이야기예요. 저는 사실 이 둘이 크게 다르지 않다 생각해요. 꿈과 가상현실 그리고 예술은 모두 하나나 다름없지요. 주체 너머에서 덤벼드는 실재와의 충돌과 한계에 대한 긍정을 다루고 있으니까요. 이는 필연적으로 애도와 사랑에 대한 이야기로 귀결되는 것이기도 합니다.

제가 데뷔할 때는 스스로를 SF 작가로 지칭하는 사람이 지금처럼 많지 않았지만, 요즘은 세상이 좋아져서 저 외에도 SF 작가가 잔뜩 있지요. 그러니 저는 이제 안심하고 스스로를 과학소설작가만이 아니라 공상연애소설가로도 규정하고자 해요. 저는 공상과학소설을 보며 자란 공상과학소년이었어요. 비록 저보다 앞선 SF 팬과 작가들은 공상과학소설에서 '공상'이라는 두 글자를 지우기 위해 부단히 노력했고, 저 역시 그분들의 헤게모니 투쟁이 올바르다고도 평가합니다만, 제게는 아직 '공상'이라는 단어가 주는 두근거림이 남아 있거든요. 그래서 이번 단편집을 위해 과학소설보다는 공상연애소설에 가까운 원고들을 모았고, 표제작으로 삼고자 이 작품을 쓰게 되었습니다. 저의 두근거림이 〈공상연애소설〉을 통해 여러분께 전달되었다면 참으로 기쁘겠습니다. 읽어주셔서 감사합니다.

2022년 여름,
홍지운

공상
연애
소설

초판 1쇄 발행   2022년 9월 15일

지은이   홍지운
펴낸이   박은주
편집   설재인
일러스트   람다람
디자인   김선예, 서예린
마케팅   박동준

발행처   (주)아작
등록   2015년 9월 9일(제2021-000132호)
주소   04050 서울특별시 마포구 양화로 156
            LG팰리스빌딩 1428호
전화   02.324.3945-6   **팩스** 02.324.3947
이메일   decomma@gmail.com
홈페이지   www.arzak.co.kr

ISBN   979-11-6668-688-7 03810

© 홍지운, 2022

책 값은 표지 뒤쪽에 있습니다.
잘못 만들어진 책은 구입하신 서점에서 교환해 드립니다.